齊白石全集

第一卷：
雕刻·繪畫

凡例

一 《齊白石全集》分雕刻、繪畫、篆刻、書法、詩文五部分，共十卷。

二 本卷爲早期雕刻與繪畫。收入一八八二年至一九〇二年雕刻作品一四件；一八九二年至一九一八年繪畫作品一八六件。繪畫作品按年代順序排列。

三 本卷内容分爲四部分：一傳略，二概述，三圖版，四著録、注釋。

目録

目録

著録·注釋

CONTENTS

BIBLIOGRAPHY, AND ANNOTATIONS

前言

前言

　　齊白石是二十世紀最富創造性和影響，唯一曾被選爲世界文化名人的近代中國藝術家。

　　中國畫歷史悠久，講究文化傳統與素養。齊白石祇讀過半年村塾，二十七歲前還是一個走鄉串户的雕花木匠。但他轉益多師，師古人又師造化，歷經數十年艱苦卓絶的奮鬥，終於成爲融詩、書、畫、印，文人藝術與民間藝術爲一體的中國畫大師。

　　齊白石一生跨清末、民國和中華人民共和國三個時期，先後在農村和城市生活了近一個世紀，親歷了近代中國激烈的社會變革。但他始終固守着一個藝術家的立場，保持着對寧靜村居生活的深情依戀。他把豐富的生活閱歷凝結爲詩歌、繪畫和印文，全身心地歌咏生命自然，頌美勤勞樸素的人生。他創造的境界和美，不僅體現了中國的人文傳統與智慧，也表達了整個人類對生存、和平和美好自然環境的真誠向往。

　　齊白石藝術活動的近百年，正是中國文化藝術激烈變遷的時代。許多中國畫家和藝術家，都接受了西方藝術的洗禮。但齊白石一直堅守着從傳統藝術自身求新求變的途徑——由俗入雅，變雅爲俗，把時代審美需求與個人志趣結合起來。他的成功表明，傳統繪畫除了融中西爲一體的途徑外，也能夠通過體系自身的吐故納新，特別是借助於文人與民間兩種傳統的融合，求得現代轉化並達到一個空前的高度。

　　齊白石的藝術成就，首先是繪畫上的。他兼擅肖像、人物、山水、花鳥走獸和各種雜畫，能作工筆，更長於寫意，還能將極工與極寫合而爲一，構成特殊的繪畫風格與情趣。他的大寫意花鳥畫，形象逼肖，筆墨極簡，色彩濃艷，同時又不乏强烈的墨韵和有力的筆綫。他的草蟲，無論工寫，都能形神畢肖，活潑如生；他純用水墨創造的蝦、蟹、蛙諸種水族，不僅刻畫出它們跳躍爭鬥飛翔鳴叫種種生命活態，還充分展示出水墨藝術自身的奇妙與魅力。他筆下的造化自然和可愛的生命因季節而不同，因風雨雪霜而變化，因時光流逝而榮衰，因畫家彼時彼地心境的差别而呈現出千姿百態。齊白石的山水畫，胎息於前人畫譜與法式，獨出於寫生觀察與構景造境。一丘一壑的桂林山，竹林掩映的鄉村小景，霧靄烟波中的帆影，殘陽枯樹中的鴉群，古柏栅欄下的白牆老屋……平樸、親切、出人意表，遠離流行模式，强調心理空間；畫法上，則多勾少皴，忽疏忽密，筆勢古拙奇肆，偶爾用色則濃鬱强烈，心手怪異。這使它們呈現出强烈的個性和風格意趣的現代性。齊白石的大寫意人物，簡約、變形、粗獷、稚拙，措意奇突，幽默而多趣，時常表現出農民式的詼諧和從豐富閱歷中獲得的人生智慧,從而使近代寫意人物畫异峰突起,別見洞天。

齊白石篆刻,由浙派丁敬、黃易入門,再摹二金蝶堂印譜,求取平正自然。後從"天發神讖碑"變求刀法,從"三公山碑"變求篆法,由秦權、將軍印求風格的縱橫平直,一任天然。最後形成其篆法方直、章法疏密自然、單刀側鋒衝刻的齊派法門,以及其驕快銳利、氣勢盈滿、意態縱橫的風格,躋身於近代篆刻大師之列。

他的書法,先後經過習摹館閣體、何紹基、爨龍顏碑、三公山碑、金冬心、鄭板橋、李北海等,自成剛勁、蒼拙、姿致斜欹的體制。

齊白石的詩歌與文章,感事傷時,發於靈府,情感真摯,樸素動人。特別是他的大量題畫詩,記述個人經歷、悼念親人的短文與挽聯,或清新自然,境界淡遠;或意象奇突,寓含機趣;或援入口語,親切有味。胡適說白石的詩文表現了"樸實的真美","最能感動人",可謂一語中的。

詩、文、書、畫、印章乃至早期雕刻,各自獨立,又是一個不可分離的整體。它們從不同側面展示出齊白石的天才與創造,同時又互為表裏,互相補充與印證。研究齊白石,不能不顧及他的各個方面,即便單純瞭解他的繪畫,也祇有在全面熟悉的基礎上,纔能深入。

齊白石的藝術,有一個發生、發展、變化和成熟的過程。因此,必須從縱的方向加以細緻的考察,纔能真正明晰齊氏藝術的底裏。經過對大量作品和齊白石經歷的研究分析,我們把齊白石的繪畫分為四個大時期:

一、早期(一八九二年——一九一八年)

二、中期(一九一九年——一九二七年)

三、盛期(約一九二八年——一九四八年)

四、晚期(約一九四九年——一九五七年)

早期約四十年,即從學木匠到定居北京之前這個漫長的時期。他作為民間藝匠、地方畫家,無論生活、心理、藝術創作、文化交際圈等等,都帶有濃鬱的民間性與地方性。但這一漫長時期為他後來的大器晚成打下堅實的基礎。沒有在家鄉艱苦奮鬥的半個多世紀,不可能有定居北京之舉,不可能在北京藝林獨立。

在早期,齊白石從木匠而畫家,從民間肖像畫師而兼畫人物、山水、花鳥,并成為在詩、文、篆刻、書法各方面都有所成就的地方名家,除了他個人的天資與努力外,有三個因素是至關重要的:第一,他得到了湘潭地方以胡沁園、黎松安、王湘綺爲代表的士紳文人的支持與提携,得以進入他們的文化圈;第二,他在這個文化圈中師友的幫助下,作了八年之久的遠遊,擴展了眼界與心胸,提高了修養與技巧,爲他向文人藝術轉化和後來的定居北京奠定了心理、識見與能力的基礎;第三,遠遊後十年近乎隱逸的幽居生活——讀書、吟詩、作畫、刻印,從身分、志趣、素養和作品風格等各方面完成了由民間藝術家向文人藝術家的轉變。

中期約十年,但在齊白石藝術歷程裏占據重要地位。首先是定居北京之舉,改變了他的藝術道路。如若始終株守家鄉,不出湘界,齊白石到老也祇能是一個地方名家,而不會成爲卓立不群的藝術大師。他的印章"故鄉無此好天恩",說的就是北京對於一個藝術家的天時地利條件:文化環境、藝術環境、藝術生存環境、瞭解世界與被世界瞭解的環境。初到北京的十年,在生存需要與藝術環境的雙重壓力下,他進行了艱苦的"衰年變法":一方面繼續向文人繪畫特别是以八大爲代表的明清個性派文人畫索求,一方面通過借鑒吳昌碩的筆墨風格與色彩表現,把幽居以來所學摹的冷逸畫風轉變成一種渾厚、强烈、簡約、剛健,文野相融、雅俗共賞,與畫家自己個性更相契合的新風格。變法以後,齊白石大器晚成,進入了藝術上的成熟期與全盛期。

盛期二十年,齊白石一直處在創造力旺盛的狀態中:作品多、精品多、風格穩定。人們所熟悉的齊白石作品,多出自這一時期。花鳥畫占據了最重要的位置,山水、人物數量雖少,却多有很高的質量。但由於賣畫爲生,齊白石常要適應或應付各類求畫者,也有不少重複與粗疏之作。

新中國成立時,年近九旬的齊白石進入了他藝術上的晚期。在體力精力尚好的五十年代初,他依然保持着旺盛的創造力,作畫很多。約五十年代中期,老人身體衰象漸顯,把筆作畫,有時出現不能控制正常筆綫形態的情況。題材範圍大大縮小,構圖日見簡括,筆墨越來越蒼老,有時在紙上直潑花青。有意思的是,一些在某種程度上失去控制的圖像與筆綫,反而愈見奇拙與神彩。當藝術家對畫面的理性控制減弱,反而充分地調動了潛隱的無意識和自由天性的作用,何況他幾十年練就的筆墨功夫并没有失掉,這是齊白石晚年一些作品(如一九五七年所畫《牡丹》、《葫蘆》)超然物表,無法而法,真趣盈滿的基本原因。

最有成就與聲名的藝術家,不一定都能得到真正的理解。對此,晚年的齊白石有清醒的意識。一九五六年,他在黎錦熙、齊良已編的《齊白石作品選集·序》中寫道:

予少貧，為牧童及木工，一飽無時而酷好文藝，為之八十餘年。今將百歲矣，作畫凡數千幅，詩數千首，治印亦千餘。國內外競言齊白石畫。予不知其究何所取也。印與詩，則知之者稍稀。予不知知之者之為真知否，不知者之有可知者否，將以問天下後世……

　　齊白石逝世四十年來，出版了許多他的畫集、印譜以及有關研究、回憶著述，爲世人瞭解他和他的藝術提供了珍貴的資料和啓示。但和數以萬計的齊白石作品相比，每部畫集所能收入的作品是非常有限的。而且，這些畫集和印譜，幾乎不收或很少收入齊白石前期尤其早年的作品，人們很難通過它們瞭解齊白石藝術發展的歷程和全貌。黎錦熙編訂校注的《齊白石作品集·第三集·詩》具有高度的學術水準，但由於歷史原因，有些詩没有被收入，還不免有些遺漏。齊白石寫的文章、書信和大量題跋，同樣是他藝術生命不可或缺的一部分，但國內研究界和出版界尚未來得及關注它們。此外，由於研究工作的薄弱，齊白石作品的斷代、真偽辨別也存在着一些困難和問題。新時期以來，隨着藝術創作、藝術研究的發展，文物市場的興旺和國際文化交流的活躍，美術史家、畫家、收藏家、廣大美術愛好者和海外友人對齊白石藝術瞭解的要求越來越高——希望知道他各個時期作品的面貌，看到更具學術性、印刷更爲精美的畫集和具有學術水準的研究專著，但研究工作需要以系統的圖像資料和文獻資料爲前提。因此，編輯包括雕刻、篆刻、詩、文、題跋、書、畫的《齊白石全集》，勢在必行。

　　一九九〇年，一部全面展現齊白石曲折漫長的藝術發展過程與藝術成就的大型畫冊選題《齊白石全集》，被列入國家"八五"重點出版規劃。在義不容辭的責任感和桑梓之情的驅使下，湖南美術出版社的編輯人員與國內的志同道合者開始了長達五年的全方位的組稿、拍攝及編撰工作。

　　齊白石一生創作了數以萬計的繪畫與篆刻作品，所謂"全集"也祇能是選擇其中的一部分，不可能無遺漏地全部收入。但唯有掌握了相對的"多"與"全"，纔有充分選擇的餘地，以"不全"體現出相對的"全"來。《全集》中的繪畫選自所拍四千餘件原作和少量印刷品，印章則選自兩千餘方原拓或可靠的印本。詩歌在黎錦熙編《齊白石作品集·第三集·詩》的基礎上補遺，凡能收集到的、可靠的遺漏之作,一概補入。文章和題跋也采取求全的原則,把能夠見到的作品全部收入。

編者在搜集、編選作品的過程中,特別注意了它們的創作年代和題材風格的發展變化。譬如繪畫,從齊白石三十歲到九十七歲(一八九二年——一九五七年)六十多年間,基本做到了年年有作品;收入了所能搜集到的全部有相異之處的作品,以便給觀者提供出齊白石繪畫演變的清晰脉絡。二百多件前期作品,三百餘件"衰年變法"時期作品,最能説明這位民間出身的藝術家漫長而艱苦的藝術歷程,在學術上具有重要的意義。一千五百餘件盛、晚期作品,大多具有代表性,并考慮到花鳥、人物、山水,工筆、寫意,題材、風格的諸種不同。它們的創作時序,則幾乎可以按月份排列。

限於時間和主客觀條件,《齊白石全集》還存在着諸多不足,如個別重要的繪畫、篆刻作品尚未能收入,詩文著作還收集得不夠全,作品著錄仍有闕如,有些圖片質量不夠理想等等。我們期望能有機會輯遺和補正。

齊白石全集編輯委員會

一九九六年六月

PREFACE

PREFACE

Qi Baishi is the most innovative and influential artist of modern China, and the only Chinese artist of the 20th century to have been placed among the giants of the world culture.

Chinese painting, of remote origin, stresses cultural tradition and cultivation. Qi Baishi read for only half a year at a private village school, and was merely a carver-carpenter wandering from door to door. Yet he apprenticed himself to many, and copied the ancient masters as well as the Great Creator; after years of hard striving, he succeeded as a master of Chinese painting, who integrated poetry, calligraphy, painting and seal-making, and literary arts and folk arts.

Qi Baishi lived in three periods of Chinese history, from the late Qing Dynasty through the National Republic to the People's Republic, in rural and urban areas for almost a century, and experienced the radical social changes of modern China. Yet he kept himself firmly upon the stance of an artist, and attached himself with profound feelings to the tranquil village life. He compacted his extensive experience into poems, paintings, and seal-inscriptions, and he poured forth his soul and body abroad in hymning life and nature, and in beautifying the living of diligence and simplicity. The conception and the beauty of his creation not only embody the humanistic tradition and intelligence, but also express the yearning of the whole of mankind for subsistence, peace and paradisean natural environment.

The near-100 years in which Qi Baishi was active in arts were the very years of radical shifts in Chinese culture and arts. Numerous Chinese painters or artists baptized themselves in Western arts. Yet Qi Baishi persistingly followed the track which could introduce innovations into the traditional arts by intrinsic means—prosaicism into refinement, refinement into prosaicism, unification of the aesthetic demands of the age with the interests of the individual. His success well demonstrates that traditional Chinese painting can achieve modern transformation and ascension to an unprecedented height, by means of intrinsic metabolism of the system, especially combination of the literary and folk traditions, as well as by means of integration of Chinese and Western artistic cultures.

Qi Baishi's artistic achievements, are, first of all, of painting. He was adept at the paintings of portrait, figure, landscape, flower-and-bird, and a diversity of other subject matters; he was well versed in meticulous brushwork, and better in free-hand brushwork, and so skilled as to unify extreme meticulousness and extreme free-handedness to form his original painting style and mood. His free-hand brushwork flower-and-bird paintings are true to the actual objects, sketchy in brushwork and inkwork, exuberant in colour rendition, and meanwhile with strong ink tints and forceful brush lines. His grass-and-insect paintings, whether meticulous or free-hand, as vivid as living, all capture the spirit as well as the form of the objects. His ink wash paintings of such aquatics as shrimps, crabs and frogs, not only represent the living dynamisms of their activities as jumping, competing, flying and chanting, but also demonstrate the inherent curiosity and charm of the ink wash art. By his brush, the natural beings and lovely lives alter with seasons, metamorphose with weathers, decline and prosper with the passage of time, and present themselves in a diversity of postures with the variation of the painter's mind and mood. Qi Baishi's landscapes, gestated in the painting models and canons of earlier artists, are originated in his sketching observations and creative conceptions. The Guilin mountain formed of one mountain and one river, the village shaded in bamboos and trees, the sails melting into smoky waves, the crows flocking in the rotten trees under the setting sun, the old white-wall house fenced by ancient cypresses, ..., all are ordinary, cordial, beyond expectations, far from the popular models, emphatic of mental space. As far as the technique is concerned, more lines are used than strokes, now scattering and now gathering, with the brush movement that is antiquated, unsophisticated, fantastic and impulsive, and with occasional rendition of strong striking colours which reveal the peculiarity of the hand and the mind. The works therefore take on strong originality and stylistic modernity. Qi Baishi's free-hand brushwork paintings of figures, sketchy, transformed, unconstrained, unsophisticated, peculiar and striking of conception, permeating with humour and amusement, often present the comicality of a farmer and the life wisdom extracted from enormous experience, and therefore enable the modern free-hand figure painting to protrude as a peculiar peak, and to unfold new frontiers.

Qi Baishi cut seals, starting by copying Ding Jing and Huang Yi of the Zhejiang School, continuing by imitating the Double Golden Butterfly House Handbook of Seal Prints, in pursuit of evenness, straightness, and naturalness. And later, he explored the Heaven-cast Divine Augury Monument for knifework, the Sangong Mount Monument for seal ideography, and further the Qin Dynasty official seals and the Han Dynasty general seals for vertical and horizontal straightness of style, all done to make it as natural as possible. In the end, he established the Qi school of seal making, which is square and straight in ideography, natural of sparsity and density in composition, straight and dashing in one-way edge cutting of the knifework, and which, with its style of swift vigour, keenness, fullness, and variedness of mood, ranks Qi Baishi among modern seal-making masters. As to calligraphy, he copied the official Cabinet style, He Shaoji, Cuan Longyan Monument, the Sangong Mount Monument, Jin Dongxin, Zheng Banqiao, Li Beihai, and others in succession, and established his own style, which is forceful, vigorous, natural, and oblique and diverse in the graphical structure.

Qi Baishi's poems and essays, though without strict laws of prosody and without academic preparation, express his sentiments on occasions and incidents, bursting out from his soul, spontaneous of emotions, unsophisticated and touching the heartstrings of the reader. He composed a large number of poems annotating paintings, essays narrating personal experiences, and elegiacs lamenting over friends and kinsmen, which are marked either by freshness and naturalness, and tranquil and far-reaching conception, or by special and striking imagery, and implication and amusement, or by colloquialism and its cordiality and tastefulness. Hu Shi said that Qi Baishi's poems and essays express "the truth and beauty of simplicity", and can "best touch the cord of the reader's heart." Hu's comment is to the very point.

The poems, essays, calligraphy, paintings, seals, and carvings of the early years, are all separate, and an inseparable whole as well. They represent from different aspects Qi Baishi's faculty and creativity; and they make the external and the internal for one another, and are mutually complementary and confirmatory. The study of Qi Baishi requires consideration of all aspects, even that intended of his paintings alone depends upon an overall knowledge of Qi for in-depth advancement.

Qi Baishi's art evolved in a process of genesis, development, alteration and maturation. A careful diachronical examination is therefore necessary for the clarification of the in-depth content of his arts. An analysis of his experience and many of his works leads to the division of his painting work into four periods:

I. The Early Period (1882—1918)

II. The Middle Period (1919—1925)

III. The Flourishing Period (c. 1929-1948)

IV. The Late Period (1949—1957)

The Early Period covered 40 years, the long years from the carpenter apprenticeship to before the settlement in Beijing. As a folk craftsman and a regional painter, he was of strong locality, in terms of his life, psychology, artistic creation, circle of acquaintances. These long years prepared a solid foundation for his success in the late years. Without the hard striving of more than half a century, there would be no settlement in Beijing, and no establishment in the Beijing circles of arts.

In the Early Period, Qi Baishi started as a carpenter but succeeded as a painter, and started as a folk portraitist but succeeded as a regional celebrity of achievement in such arts as portrait, landscape, and flower-and-bird paintings, as well as poetry, essay, seal-making and calligraphy. This is the result of his personal talents and efforts, and also of three factors of utmost importance. First, he earned himself the support and promotion from the local gentry literati of Xiangtan represented by Hu Qinyuan, Li Song'an, and Wang Xiangqi, so that he could enter the cultural circle of theirs. Second, under the help of the friends of this circle, he journeyed for 8 years, broadened his vision and ambition, improved his accomplishments and techniques, and built himself the foundation of psychology, mentality, and capacity, for his conversion to literary arts and his later settlement in Beijing. Third, during the 10 years after the journeying, he lived in reclusion and retirement, where he read books, composed poems, made paintings, cut seals, and fulfilled the conversion from folk artist to literary artist, in term of identity, inclination, cultivation and artistic style.

The Middle Period was of about 10 years, which, formed an important stage of Qi's progress. First of all, the settlement in Beijing changed the course of his artistic advancement. If he had confined himself within his native country and never emitted himself from the Hunan circles, Qi Baishi would have been a celebrity merely of the region, not an unparalleled outstanding master of arts. One of his seals reads "Native country offers not such heavenly grace". It describes the favourable temporal and spatial conditions Beijing provided for artists: the environment of culture, that of arts, that of art subsistence, and that where one could understand the world and make himself understood by the world. During the first 10 years in Beijing, under the twofold pressure of living necessity and artistic environment, Qi Baishi undertook the painstaking "Senescence Reform": on the one hand, he continued to explore the literary paintings, especially those of the Individuality School of Ming and Qing Dynasty, represented by Bada; on the other hand, he, borrowing expression from Wu Changshuo's brushwork and inkwork, and colour rendition, transformed the cold and reclusive painting style he copied since the retirement into a new one, which, vigorous, intense, sketchy, forceful, combining the literary and the folk expressions, appealing to both the cultured and the common, accords better with the personality of the painter. After the reform, Qi Baishi achieved a brilliant success in his late years, and approached the period of maturity and full bloom.

The Flourishing Period covered 20 years, during which Qi Baishi was always in the active state of creativity: prolific of products, plenteous of masterpieces, and stabilized in style. Many of his well-known works were created during this period. Flower-and-bird paintings make the majority of his works, and landscapes and figures, though limited in quantity, stand high in quality. Yet as Qi Baishi depended upon painting for a living, he often painted things to meet the demands of a variety of painting seekers, brushing therefore a few repetitions and imperfections.

At the time the People's Republic was founded, Qi Baishi, approaching 90, entered the Late Period of artistic activity. In the early 1950s when he was still of good physical energy and mental vitality, he remained vigorous of creativity, and prolific as a painter. In the middle 1950s, senility was nearing the old man and there were occasions when he, taking up the brush, lost control of the normal forms of his brush lines. And the subject matter area was narrowing down, the composition was becoming more and more compendious, the brushwork and inkwork more and more uncontrolled, with indigo blue poured onto the paper sometimes. What is interesting is that, in some of the paintings, the composition and the brush lines out of control to some extent are more peculiar and more splendid. When the rational control of the artist over the sheet weakened down, the hidden unconsciousness and the born nature were activated to full play, and what is more, the artist did not lose his brushwork and inkwork capability obtained during the past tens of years. This is the fundamental reason why some of his late-year works (such as The Peony, and The Gourd, 1957) are beyond materialistic reality, beyond technical patterns, and full of true amusement.

The artist of greatest achievement and reputation does not necessarily obtain truly sympathetic understanding. Of this, Qi Baishi in his late years, had a clear knowledge. In the *Preface* to *Selected Works of Qi Baishi* edited by Li Jinxi and Qi Liangyi in 1957, Qi Baishi writes:

I was poor in my childhood years, worked as a shepherd boy and a carpenter, living always from hand to mouth, but I had an ardent love of arts, to which I had devoted more than 80 years. I am approaching 100. I have painted several thousand paintings, composed several thousand poems, and cut one thousand-odd seals. People at home and abroad compete in talks of Qi Baishi's paintings but I wonder what is the value of their workings. My seals and poems are known to fewer, and I wonder whether those who know them really know them, and those who don't know them will know them. This is the question for people and posterity...

He doubted whether "those who know them" and "compete in talks of Qi Baishi's' paintings" really know something! In the past 40 years since his death, there have been many collections of paintings and collections of seals of, and research works and recollections on or about Qi Baishi published, which provided people with precious data and revelations for the understanding of Qi and his arts. But in comparison with his ten thousand and odd works, each album could only include a very limited number of works. And what's more, these albums collect none or few of the works of the Early Period, especially of the early years, so that it is difficult for people to know the overall perspective and the process of Qi Baishi's artistic development. *Collected Poems*, Volume Three of *Collected Works of Qi Baishi*, edited and annotated by Li Jinxi, is of great academic value; yet still, for historical reasons, it failed to include some of his poems, leaving some faults of coverage. The essays, letters, and numerous prefaces and postscripts, form an essential part of his artistic life, but still, to them, little attention has been paid from the circle of scholars and that of publishers. And in addition, due to the weakness of Qi Baishi studies, there are still some difficulties and problems in the dating and authentication of his works. Since the beginning of the new era, with the development of artistic creation and art studies, with the prosperity of relic marketing, and with the activation of international cultural communication, there have been greater and greater demands of art historians, painters, collectors, average art enthusiasts, and foreign friends, to acquaint themselves with Qi Baishi arts: to know about the styles of his works of different periods, and to read albums edited with greater academic quality and printed with greater exquisiteness, and monographs of greater academic values. Yet, academic studies require systematic pictorial data and written documents as the prerequisite; therefore, it is imperative to edit *The Complete Collection of Works of Qi Baishi*, which is to include carvings, seals, poems, essays, prefaces and postscripts, calligraphy and paintings.

In 1990, *The Complete Collection of Works of Qi Baishi*, a large album to chronicle the long difficult course of the artistic progress and the artistic achievements of Qi Baishi, was included in The National Eighth-Five-Year Plan of Major Publications. Prompted by the sense of irrenounceable responsibility and the attachment to homeland, the editors of Hunan Fine Arts Press and their fellowship in China, began the longtime work of five years of collection, camera reproduction and edition.

Qi Baishi in his lifetime produced ten thousand and odd works of paintings and seals: the so-named *Complete Collection* can select only part of them, being unable to "collect all". Only when there are relatively "numerous" and "complete" works in the editors' collection, there is the possibility of selecting, of presenting the relative "completeness" through "incompleteness". The paintings in *The Complete Collection* are selected from among the camera copies of more than 4000 originals; the seals, from among 2000-odd original impressions. The poems are edited on the basis of *Collected Poems* by Li Jinxi, supplemented by all authentic poems available. Essays and prefaces and postscripts are included according to the completeness principle: all such writings accessible are collected.

The editors, in the process of collection, selection and edition of the works, noticed the times of their creation, and the alterations of their subject matters, and the variations of their styles. In terms of painting, Qi Baishi, during the 60-odd years from 37 to 97 (1892—1957), created works every year; all available works of diversity are collected so as to provide the viewer with a clear clue of the evolution of Qi Baishi's paintings. Over 200 works of the Early Period and 300-odd of the Senescence Reform period, which can best illustrate the long and painful artistic progress of the artist rising from the world of folk cultures, are of great academic significance. The 1500 and odd works of the Flourishing

Period and the Late Period, are collected for their representativeness, and in consideration of the diversities of flower-and-bird, figure, and landscape paintings, of meticulous and free-hand brushwork paintings, and of subject matters and styles. The chronology of the works can be fixed to the month.

Due to the limitation of the temporal, subjective and objective conditions, however, there are still some deficiencies in *The Complete Collection of Works of Qi Baishi*, or *The Collected Works of Qi Baishi* for brevity, such as the failure to include the few paintings and seals of importance, the absence of some poems and essays, the incompleteness of bibliography, and the imperfection of some of the camera productions. The editors hope that there will be an opportunity of supplement and improvement.

The Editorial Board of
The Complete Collection of Works of Qi Baishi
June, 1996.

齊白石傳略

一八六四年——一九五七年

齊白石傳略

郎紹君

　　一八六四年一月一日,湖南省湘潭縣杏子塢星斗塘的一個齊姓農民家裏,出生了他們的長子,取名純芝。這就是後來的齊白石。

村童·塾童·學徒

　　純芝的"純"字是齊家排輩排下來的,平時父母都叫他阿芝。他最早的號叫渭清,祖父給他取的號叫蘭亭。現在人們所熟悉的名字齊璜,是他二十七歲時老師給取的;老師還給他取號"瀕生",別號"白石山人"。後來他自己簡稱"白石",又稱"白石翁"、"白石山翁",由於人們習慣叫他"齊白石",久而久之,他也就自稱"齊白石"了。他一生自起的別號很多,有"情奴"、"無黨"、"木人"、"木居士"、"老木"、"老木一"、"星塘老屋後人"、"杏子塢老農"、"湘上老農"、"江南布衣"、"寄幻仙奴"、"寄園"、"寄萍"、"老萍"、"萍翁"、"寄萍堂主人"、"齊大"、"齊伯子"、"老齊郎"、"老白"、"白石老農"、"借山翁"、"借山吟館主者"、"借山老人"、"三百石印富翁"、"千石居士"、"一粟翁"、"飯老"、"汗淋學士"……這些別號,與他的生活經歷和思想情感都密切地聯繫着。

　　齊白石祖上原居江蘇碭山,明代永樂二年遷至湖南湘潭,歷代務農。他出生的時候,家裏祇有一畝水田,幾間茅屋。爲了吃飽飯,祖父和父親除了在自己田裏勞作,還要外出打零工。齊白石有一方印"星塘白屋不出公卿",指的便是這種家史和家境。不過,這個貧窮的家庭,生活得很和諧。祖父萬秉公,性情剛直,在鄉里敢於說公道話,打抱不平,鄉親們稱讚他是"走陽面的好漢"。祖母溫和謙讓,又能吃苦耐勞,常常戴着十八圈的大草帽,背着孩子下地幹活。父親齊以德安分守己,老實怕事,受了冤枉也祇是忍受,從不和人計較爭辯。母親和父親正相反,她既能幹又剛强,祇要自己有理,就不肯受欺侮。平時處事待人,敬孝老人,却十分的有分寸。家裏各種勞作和雜務,如種麻織布、養豬養鷄,

湘潭杏子塢星斗塘

齊氏五修族譜

14

也都是她一手操持。

　　幼年的阿芝體弱多病，祖母和母親總是滿處去請醫生，開藥方，燒香許願，求仙拜神。直到四歲那年冬天，他纔慢慢好起來。雖然債臺高築，全家人還是感到一塊石頭落了地，輕鬆了許多。在天氣寒冷的日子裏，祖父用他那件脫了毛的老羊皮襖把孫子裹在胸前，用鐵鉗在柴灰上寫出一個"芝"字，對他說："這是你阿芝的芝字！"——由此開始了學字。他晚年曾畫過一幅《霜燈畫荻圖》，題詩道：

　　　　我亦兒時憐愛來，題詩述德愧無才。

　　　　雪風幸賞先人意，柴火爐鉗夜畫灰。

　　到七歲時，祖父把所認識的三百來個字都教給了他，再也無法當他的老師了。恰好他的外祖父要在臨近的楓林亭教蒙館，母親就把平日椎稻草積攢的幾斗穀換成紙筆，讓他轉年上了村塾。外公教的是《四言雜字》、《三字經》、《百家姓》和《千家詩》。有三百字的根柢，再加上天性聰明，阿芝學得又快又好，特別是《千家詩》，讀起來朗朗上口，很快就背得爛熟。除了背書，外公還教他們在描紅紙上寫字。寫字寫膩了，他就用描紅紙偷偷畫起畫來。老漁翁、花草蟲魚和雞鴨牛羊，都是他描繪的對象。他越畫越有興趣，新換的寫字本，不幾天就撕完了。外祖父發現他在描紅紙上塗畫，便呵斥他不幹正事，并用朱柏廬《治家格言》"一粥一飯，當思來之不易；半絲半縷，恒念物力維艱"來教導他。但他抑制不住畫畫的興趣，便找包皮紙來畫。這在他心中留下了深刻印象。直到晚年，他還常把包東西的紙收起來，高興時就在上面作畫。曾在《三省圖》上題曰："不弃家鄉包物紙也"。[①]

　　當年秋，因爲收成不好，他失學了。九歲的孩子，開始參加力所能及的勞動，打柴、牧牛、揀糞，照看兩個小弟弟。上山打柴，他能和小朋友們玩耍；牽牛牧放，還可以得空念書。在蒙館時，外祖父教了他半部《論語》，放牛時，他時常繞到楓林亭請教，居然把另外半部學完了。有時在山上讀書，竟忘記了砍柴揀糞。一次，祖母對他說："三日風，四日雨，哪見文章鍋裏煮？明天要是沒了米吃，阿芝，你看怎麼辦呢？……可惜你生下來的時候，走錯了人家。"從這以後，他放牛砍柴，總是先把書掛在牛角上，把活做好了再讀。他晚年有一方章"吾幼挂書牛角"，又有"牛角挂書牛背睡，八哥不欲喚儂醒"的詩句，便是回憶這段童年經歷的。

齊白石父母親肖像

十三歲始，阿芝開始學習扶犁、插秧、耘稻。但他從小體弱，力氣小，總是累得受不了，難勝其任。一家人商量要他學一門手藝。十五歲上，他跟本家叔祖齊仙佑學"粗木作"，以蓋房子立木架爲本行。可阿芝哪裏扛得動又高又大的木檁呢？師傅說他"太不中用"，便把他送回家了。後來，又拜一位叫齊長齡的木匠爲師，這位師傅待他很好，讓他慢慢練力氣。有一次，他看見師傅對做細活的木匠很爲恭敬，并說做粗活的人不能和他們平起平坐。阿芝聽了很不服氣，決心改學"小器作"。第二年，恰好有名的雕花木匠周之美要領個徒弟，一說成功，他就正式拜師學雕花手藝了。周之美以平刀法雕刻人物，在白石鋪一帶堪稱絶技。他見這個徒弟又聰明，又肯鑽研，十分高興，就把全部技術傳授給他。一八八一年，他十九歲，學徒期滿，家裏擇了一個好日子，請了幾桌客，把出師和"圓房"合在一起慶賀。原來在阿芝十二歲那年，家裏就給他娶了一個童養媳，因爲年齡小，二人不能同居，等長大舉行"圓房"儀式後，方能正式成爲夫婦。妻子姓陳名春君，長他一歲，是個十分能幹的女人，雖是包辦婚姻，却能魚水和諧。出師和成親，意味着阿芝走進了人生的一個新階段。

木匠·畫匠·白石山人

剛出師的阿芝，還跟着師傅做活。湘潭一帶樹木多，各種木作傢具流行。有錢人家辦喜事，雕花傢具總是少不了的。靠着周師傅的大名和師徒倆的精湛技藝，"芝木匠"也漸漸在百里之内出了名。後來主顧越來越多，師傅忙不過來的時候，他就承擔活計，獨立作業。雕花得來的工資，全數交給母親，貼補家用。但他家人口多，這點工資祇能小補，家裏還是經常鬧饑荒。於是又利用閑暇，用牛角等材料，雕刻一些既實用又好看的烟盒子之類小東西，托雜貨鋪代賣，以解柴米之困。久之，這些小雕刻的製作擴展了他的技藝，大雕刻也作得更出色了。《白石老人自傳》談到這段雕刻生涯時說：

> 那時雕花匠所雕的花樣，差不多都是千篇一律。祖師傳下來的一種花籃形式，更是陳陳相因，人家看得很熟。雕的人物，也無非是些麒麟送子、狀元及第等一類東西。我以爲這些老一套的玩藝兒，雕來雕去，雕個沒完，終究人要看得膩煩的。我就想法換個樣子，在花籃上面，加些葡萄石榴桃梅李杏等果

雕花床

子，或牡丹芍藥梅蘭竹菊等花木。人物從繡像小說的插圖裏勾摹出來，都是些歷史故事……我運用腦子裏所想到的，造出許多的新的花樣，雕成之後，果然人都誇獎說好。我高興極了，益發的大膽創造起來。

二十歲這年(一八八二年)，他偶然在一個主顧家裏，見到一部乾隆年間彩色套印的《芥子園畫譜》。他高興極了，借來用半透明的薄竹紙一幅幅影勾，半年時間勾成十六本。後來，又把這套畫譜"翻來覆去的臨摹了好幾遍。"[②]漸漸地，他在雕花之餘，也作起畫來了——主要是古裝人物和神像，如八仙、美人、戲曲故事以及玉皇、老君、財神、火神、龍王、閻王等。這些畫在鄉間很受歡迎，畫成一幅，可以得到一千來個錢。如今，他畫的神像功對已難尋覓，但還能看到他畫的古裝仕女人物——從中可以看出芥子園的痕迹。

芥子園畫傳

　　鄉村雕花藝匠的社交圈，大體還是農民和工匠。二十多歲的阿芝，最要好的朋友是一個名叫左滿仁的篾匠。他們自童年相識，如今雖都已成家，還是十分要好。左滿仁喜歡吹拉彈唱，阿芝能寫寫畫畫，兩人常聚到一起，互教互學，自得其樂。齊白石一生喜歡看戲聽曲，與年輕時的這段經歷分不開。做木匠時的另一個朋友叫齊公甫，是本家一位士紳的兒子，因阿芝常在他家穀倉前做活而熟悉。後來，他應公甫之請畫過一幅《秋姜館填詞圖》，并有詩曰：

稻粱倉外見君小，草莽聲中并我衰。
放下斧斤作知己，前身應作蠹魚來。

　　一八八八年，阿芝二十六歲，經公甫和其叔齊鐵珊介紹，拜在湘潭著名畫師蕭薌陔門下。蕭薌陔名傳鑫，湘潭朱鈿人，紙扎匠出身，能詩會畫，畫肖像號稱湘潭第一。朱鈿離白石鋪百餘里，在一個大雪紛飛的日子，阿芝打着雨傘，穿着木屐，提着禮物，步行到蕭家拜師。蕭薌陔是個熱情的人，不僅把自己的拿手本領傳授給他，還請另一畫像名手文少可給他指點。當時在各地流行的肖像畫法有兩種，一種是傳統的勾勒填色法，一是融合了西方素描的擦炭法或水彩法。從留存的齊白石早年畫像作品可知，他學了擦炭法，也學了傳統工筆畫法。以略見明暗的炭條或炭粉畫顏面五官(有時還罩以淡墨)，以勾勒填色的方法刻畫服飾，這種兩結合的方式，是他慣用的。那時候，照像尚不盛行，鄉間有錢

齊白石畫胡沁園像（一八九六年）

的人喜歡畫小照，死者則畫"遺容"。畫像比做木匠自由輕鬆，掙錢也多，他想漸漸丟開斧鑿，以畫像謀生。

　　第二年初春，他遇到一個使他改變了生活道路的人——胡沁園。胡沁園（一八四七—一九一四年），名自倬，字漢槎，又號鈍叟，人稱壽三爺，是湘潭竹沖韶塘地方一位有文化的士紳，雅好助人，能書畫，好收藏，結交朋友甚多。一次，阿芝在離韶塘不遠的賴家壠做雕花活，休息時畫了幾張畫，被胡沁園看到，以爲大可造就，收爲弟子。胡沁園還讓他拜自家延聘的老夫子陳作壎爲師，讀書學詩。兩位老師爲他取名曰"璜"，號"瀕生"，別號"白石山人"。胡沁園教他畫工筆花鳥草蟲，陳作壎教他讀《唐詩三百首》。僅僅兩個多月，白石就背熟了三百首唐詩，使陳老夫子大爲吃驚，便又教他讀《孟子》和唐宋八大家散文。在兩位老師的鼓勵下，他又開始試着寫詩。住在胡家，和老師的子侄親戚十幾人一起讀書學畫，眼界得到了空前的開闊。胡沁園知道他家境困難，極力支持他以畫養家。不久，他真的放下了斧斤鋸子，在杏子塢、韶塘周圍一帶爲人畫像。白天外出作畫，晚間讀書吟詩。買不起燈油，就燃松枝照明。直到晚年，他也不曾忘記松柴當燭、苦讀詩書的情景。七十歲作的《往事示兒輩》詩云：

村書無角宿緣遲，廿七年華始有師。
燈盞無油何害事，自燒松火讀唐詩。

甑屋

　　大約三十歲後，白石在鄉間有了畫畫的名聲。靠了作畫的收入，他漸漸改變了困難的家境。祖母高興地說："阿芝，你倒沒有虧了這枝筆。從前我說過，哪見文章鍋裏煮，現在我看見你的畫在鍋裏煮了！"祖母的話，使他感慨萬千，就寫了"甑屋"兩個大字掛在家裏。事隔三十年，他在北京又布置過一間以"甑屋"爲名的書齋，并在齋名匾額上附題了一則《甑屋記》，記述祖母說過的鍋裏煮文章、煮畫的兩段話，然後寫道："忽忽六十一矣，猶賣畫京華，畫屋懸畫於四壁，因名其屋爲甑，其畫作爲熟飯，以活餘年，痛祖母不能同餐也。"

胡家黎家·龍山社長·湘綺門下

　　自拜師蕭薌陔、胡沁園，用畫畫的收入維持家庭生活的齊白石，雖然還像木匠那樣走村串戶，却迅速改變了人際關係，進入了以當地士子

18

縉紳爲核心的文化圈。在現代前的中國,正是這種文化圈,規範、維繫着一個有序的民間社會和傳統。湘潭自明清以來,便是湖南水運交通樞紐和商業中心。其盛時,"帆檣艤集連二十里""街衢三重,長十五里,盡海内所有。"而又以文藻勝,"自嘉慶以前,科第甲於長沙;咸豐以後,六藝抗於九府。"③自曾國藩出,湖南士子文人從政者、從軍者、倡言改革者、革命者以及赴海外留學者幾幾乎甲於九州,而湘潭則甲於湖湘。齊白石在湘潭從事工藝活動的百餘里内,與兩個大家族發生了密切的聯繫,即胡家和黎家。黎錦熙《齊白石年譜》光緒四年事略按云:"陳家壠及竹冲一帶,胡姓聚族而居,大都巨富,爲宋胡安國後,與黎姓通婚姻。白石少時,於兩家因緣最深。"胡家,首先是胡沁園,其周圍聚集了一批以親友爲主的鄉村文化人。胡沁園的外甥王訓在《白石詩草·跋》中說:

> 胡君沁園,風雅士也,見君所作,喜甚,招而致之,出所藏名人手迹,日與觀摩。君之畫遂由是猛晋,有一日千里之勢。沁園好客,雅有孔北海風。同里黎君松安、雨民,羅君真吾、醒吾,陳君茯根及訓輩,常樂從之遊。花月佳辰,必爲詩會。……當是時,海宇升平,士喜文宴,同志諸子遂結社於龍山,酣嬉淋漓,顛倒不厭。其一時意氣之盛,可謂壯哉!

王訓提及了黎家二人、羅家二人、陳家一人和他自己。其中,黎雨民和王訓本人是胡沁園的外甥,羅醒吾則是沁園的侄婿。他没有提到的還有胡沁園的長子仙譜、侄立三、堂侄廉石、本家輔臣、石庵父子,也都成了齊白石的朋友。血緣親族之間的關聯,以及具有親族模式的同鄉、同門關聯,在中國傳統社會總是得到更多的强調。齊白石一生都重視這種關聯和情誼。詩社文宴,作爲士大夫文人的一種特殊的文化生活方式和聯誼方式,原本是與齊白石這類民間藝人無緣的。但由於與胡沁園的師生關係,他邁進了這個圈子,進入了詩社文宴者群,并從此一步步改變了生活情趣和道路。

與白石有關的湘潭黎家有兩支,一支爲長塘黎家,一支爲皋山黎家。長塘黎家即白石好友黎松安家。松安的父親黎葆堂,曾任四川學政、安徽鹽運使。松安是家居的秀才,他的八個兒子均有成就,號稱"黎氏八駿"——著名學者黎錦熙便是"八駿"之首。皋山黎家則是白石好友黎承禮(薇蓀)、黎丹(雨民)、黎戩齋(澤泰)家。薇蓀之父黎培敬曾任貴州巡撫，一家幾代人都善詩書。齊白石最早學刻印，就是在黎松安和黎薇蓀的影響和幫助下開始的④。

一八九四年，王訓發起組織了龍山詩社，齊白石被推爲社長。他在自傳中說：“他們推舉我做社長，我怎麼敢當呢？他們是世家子弟，學問又比我強……我是堅辭不幹。王仲言對我說：‘瀕生，你太固執了！我們是論齒，七人中，年紀是你最大，你不當，是誰當了好呢？我們都是熟人，社長不過應個名而已，你還客氣什麼？’……我無法推辭，祇得答允了。”次年，黎松安在長塘也組織了一個詩社，取名“羅山詩社”。龍山詩社的人也都加入進去。龍山與羅山兩地相隔五十餘里，大家跑來跑去，興致極高。後來，齊白石在寫給黎松安的信中曾回憶過這段往事：

> 回憶二十年前，與公頻相晤時，退園、雲溪，多同在座。座必爲十日飲，或造花箋，或摹金石，興之所至，則作畫數十幅。日將夕，與二三子遊於楛溪之上，仰觀羅山蒼翠，幽鳥歸巢；俯瞰溪水澄清，見蟛蜞橫行自若。少焉，月出於竹嶼之外，歸誦芬樓促座清談。璜不工於詩，頗能道詩中三昧。有時公弄笛，璜亦姑妄和之，月已西斜，尚不欲眠。當時，人竊笑其狂怪，璜不以爲意焉。
>
> 璜本恨不讀書，以友兼師事公。恒聞近朱者赤，近墨者黑；又聞聖人云：“朝聞道，夕死可矣。”竊以爲物各有儔，得與有道君子遊，安知其不造君子之域？故嘗以得從公友爲自幸焉。
>
> ——與黎大培鑾書(約一九一三年)

“得與有道君子遊，安知其不造君子之域”——對齊白石來說，這與遊的“有道君子”，即以胡、黎兩家爲中心的師友，他們正是湘潭民間地方文化圈裏的精英人物。所謂“造君子之域”，就是進入士大夫文人之林，或具有他們那樣的學問、修養與情志。自進入這個圈子，齊白石開始學習何紹基的書法和鐘鼎篆隸，繼而學習篆刻，最初的老師，便是詩社內外的朋友王訓、黎松安、黎薇蓀、黎鐵安等。約三十五歲(一八九七年)，白石到湘潭縣城爲人畫像，又結識了兩位新朋友：郭人漳(字葆生，號慈庵，？——一九二二年)和夏壽田(字午詒，號天畸，？——一九三五年)。郭是著名湘軍將領郭松林之子，湘潭人；夏是桂陽名士，晚清翰林。他們後來對齊白石出門遠遊及定居北京幫助很大。三十七歲即一八九九年，齊白石由張登壽(仲颺)引見，拜在王闓運門下，從而使他的交遊圈得到了一次決定性的擴大。王闓運(一八三二──一九一六年)，字壬秋，號湘綺，湘潭人，咸豐舉人，曾爲肅順、曾國藩賓客，後主講尊經書院，主辦南昌高等學堂，民國後一度出任國史館館長，爲晚清著名文人，多著述，門生遍天下，且多知名者。王作爲一代名儒和德高望重的詩人，對齊白石這個木匠出身的弟子并無多少具體的指導，但他延其入門這件事本身，却産生了深遠的影響，白石遠遊和立足北京，都得到了王氏同門的關照與支持。

王闓運畫像(佚名)

一九〇〇年，三十八歲的齊白石已有兩兒兩女，三代同堂的星塘老屋有些擁擠了。恰好有個江西鹽商請他畫南岳全景，共六尺十二條，意外地得到了三百二十兩銀子。他拿這錢租典了離白石鋪不遠的梅公祠。在梅花正開的雪天，與妻子兒女搬入新居。附近多梅樹，他就把梅公祠稱作"百梅書屋"，還新蓋了一間書房，取名"借山吟館"。房前屋後，種了幾株芭蕉，秋風夜雨，助添詩思。他曾有詩記其事：

> 最關情是舊移家，屋角寒風香徑斜。
> 二十里中三尺雪，餘霞雙屐到蓮花。

> 廿年不到蓮花洞，草木餘情有夢通。
> 晨露替人垂別泪，百梅祠外木芙蓉。

百梅祠離星斗塘不遠，白石夫妻經常回家去看望父母，一路水塘荷花。他也有詩咏贊道："五里新荷田上路，百梅祠到杏花村。"對自己的新生活，他感到很滿足。

家庭畫師·代筆者·萍翁

一九〇二年，剛有了第三個兒子(齊子如)的齊白石，在朋友夏午詒、郭葆生的督促和安排下，第一次走出湖南，遠遊西安。那年，夏午詒在陝西，要請白石去教他的如夫人姚無雙學畫，先給他寄來了束脩和旅費。同在西安的郭葆生特意寫了一封長信，勸齊白石改變"株守家園，固步自封"的生活方式，以遠遊開闊眼界與心胸，促進畫境。他動了心，便於十月初北上，十二月中到西安。一路上雖辛苦，却畫了不少寫生。快到西安時作了《灞橋風雪圖》，并題曰："蹇驢背上長安道，雪冷風寒過

21

灞橋。"

　　在西安教畫之餘,他同朋友們遊歷了大雁塔等名勝古迹,認識了陝西臬臺著名詩人樊增祥(一八四六——一九三一年,字嘉父,號雲門,又號樊山)。樊山很欣賞齊白石的藝術才能,爲他訂了一張刻印的潤例,還說進京時,要推薦他進宮當内廷供奉。他却說:"我没有別的打算,祇想賣畫刻印……積蓄得三二千兩銀子,帶回家去,夠我一生吃喝,也就心滿意足了。"一九〇三年三月,他隨夏午詒一家赴京,臨行前再遊大雁塔,并寫了一首詩抒懷:

曾經灞橋風雪

> 長安城外柳絲絲,雁塔曾經春社時。
> 無意姓名題上塔,至今人不識阿芝。

　　從西安到北京的路上,齊白石畫了《華山圖》和《嵩山圖》。進京後,除了教畫、刻印之外,他常去逛琉璃廠,看古玩字畫,或到大栅欄一帶聽戲。在夏午詒等的介紹下,他認識了湖南同鄉曾熙(一八六一——一九三〇年,號農髯,清末民初書法家)、江西書家李瑞筌(號筠庵,著名書法家李瑞清之弟),會見了同門楊度(一八七四——一九三一年,字晳子,著名政治活動家,湘潭人)等。五月,繞道天津、上海、漢口返湘。這是白石遠遊的一出一歸。

　　一九〇四年春,白石隨王湘綺遊南昌——二出二歸。在一個偶然的機會,見到了八大山人的畫鴨真迹,他如獲至寶,立刻臨下來作爲稿本⑤。同在一起的還有王門弟子張仲颺、曾招吉。張是鐵匠出身,曾則一度作過銅匠,加上木匠出身的齊白石,號稱"王門三匠"。王湘綺名聲大,慕名拜訪的社會名流和達官貴人很多,張、曾喜與周旋,白石則避在一邊。對此,王湘綺頗能理解,他這年寫的"白石草衣金石刻畫序"就描述道:

> 白石草衣,起於造士,畫品名德,俱入名域,尤精刀筆,非知交不妄應。朋座密談時,生客至,輒逡巡避去,有高世之志,而恂恂如不能言。

　　齊白石認爲老師這段話寫得很真實,他後來題畫常寫的"八哥解語偏饒舌,鸚鵡能言有是非"兩句詩,則是對這種性格的自我解釋。

　　一九〇五年七月,廣西提學使汪頌年(名詒書,長沙人,翰林出身)

邀白石遊桂林。白石早就向往桂林山水，欣然前往。"畫山水，到了廣西，纔算開了眼界啦！"幾十年後，他回憶這段遊歷時，還這樣感慨說。《憶桂林往事》詩寫道："廣西時候不相侔，自打衣包備小遊。一日扁舟過陽朔，南風輕葛北風裘。"在遊歷過程中，他作了許多寫生畫稿，特別畫了一幅《獨秀山圖》，刻畫峰獨如碑，山頂燈樹晰然可見，正所謂"一竿燈火亂星辰"。桂林景色對他的創作產生了深刻影響，孤峰獨立成爲白石畫山的基本模式。二十年代，當有人說他的山水畫沒有師承，是"野狐禪"時，他寫詩回答道：

逢人耻聽說荆關，宗派誇能却汗顏。
自有心胸甲天下，老夫看慣桂林山。

　　在桂林，齊白石挂出樊樊山爲他訂的潤單，刻印收入居然很好。那年，恰好蔡鍔(一八八二年——一九一六年，湖南邵陽人，字松坡，著名將領)從日本回來不久，在廣西訓練新軍。從事反清革命，一度化裝成和尚的黃興(一八六四——一九一六年，湖南長沙人，原名軫，字廑午，號杞園，又號克强，同盟會和辛亥革命的主要領導人之一)也在桂林。因同鄉之誼，均與白石相交往，蔡鍔曾想高薪聘他教部下學畫，白石怕招惹是非，婉言謝絶了。

　　一九〇六年初春，他的四弟純培和長子良元偷偷從軍到了廣東欽州，家中來信要他速去追趕。他便從桂林取道梧州、廣州到欽州，原來他的朋友郭葆生作了欽廉兵備道，把純培他們叫了來。郭葆生素喜書畫，也能畫幾筆花鳥，索畫的人很多，他就以豐厚的潤資，請白石代爲捉刀，間教其如夫人學畫。郭葆生所收藏八大山人、徐文長、金冬心等人的作品，盡都讓白石臨摹了一遍。到秋天，才返回湖南——這是白石的三出三歸。

　　回家後，因梅公祠典期屆滿，他就在風景秀麗的餘霞峰山脚下買了一所舊式三開間兩頭出橫屋的有樓瓦房，二十畝水田。他將房子翻蓋一新，取名"寄萍堂"，書房命名"八硯樓"，除大堂屋、卧室、厨房外，還辟了畫室，有隔扇的過道和可以養花種草的天井，親自做了畫案和傢具。門前屋後栽了梅樹、芙蓉和各種果木。年底，長孫秉靈出生，因移居新宅不久，取名移孫。鄰居們見他修宅添孫，都祝賀說"人興財旺"，他也感到十分的自足。

　　一九〇七年，他又按約赴欽州，繼續在葆生處代筆、教畫。這次，他

茹家冲"寄萍堂"舊址

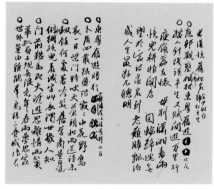

寄園日記

隨葆生遊了肇慶、鼎湖、端溪、東興,并過北侖河,遊覽越南山水。回到欽州,正值荔枝上市,有人拿着荔枝換他的畫,還有一位歌女親自剝皮給他吃。自此以後,白石就開始畫荔枝了。這一年至冬天回家,是爲四出四歸。

一九〇八年,在廣東同盟會作秘密工作的羅醒吾約白石到廣州去玩。春往秋返,在廣州住了約半年。他照例挂了潤單刻印賣畫。其間,醒吾托他爲同盟會傳遞文件,他以賣畫的名義行事,倒也從没有出過差錯。是爲五出五歸。

一九〇九年二月,再應郭葆生招請赴欽州,乘江輪經長沙、漢口、上海轉道海上赴香港,再經海口到北海、欽州、東興。僅半年時間,就刊印二百八十餘石,作畫二百五十餘紙⑥。七月底,經梧州、廣州再繞海路到上海,下榻上海新洋務總辦汪頡荀公館經月,遊園觀劇,尋書訪畫,至九月底方歸湘。是爲六出六歸⑦。

從一九〇二到一九〇九年前後八年間,齊白石遊歷了西安、北京、天津、上海、蘇州、桂林、漢口、廣州、香港、欽州、北海、東興,經過湖南、湖北、河南、陝西、河北、江蘇、安徽、廣西、廣東、福建、浙江等省,瀏覽了名山大川,體味了各地的風土人情,結交了許多朋友,臨摹了不少名人字畫,開闊了眼界與心胸,對他的藝術創作產生了深刻持久的影響。遠遊間所得較爲豐厚的收入,也從根本上改變了家庭的貧困生活。但遠遊和遠遊中獲得的進身機會卻没使齊白石動心。無論走到哪里,他總是眷戀着家鄉、父母和妻子兒女,近十年"門前鞍馬即天涯"的飄泊生活,已經使他感到身心俱倦。一九〇九年最後一次遠遊臨行時,他在日記裏寫下了這樣的七律:

> 嫁人針綫誤平生,又賦閑遊萬里行。
> 庾嶺荔枝懷母別,瀟湘春雨憶兒耕。
> 非關爲國輪蹄愧,無望於家詩畫名。
> 到老難勝飄泊感,人生最好不聰明。
> ——應郭觀察人漳相招東粵舊游·口占(見《寄園日記》)

人生總是悲喜相生,在兩難境中前行的。對白石來説,遠遊也是如此。他爲自己取號"萍翁",是喜,是悲,還是兼而有之呢?

寄萍堂・梨花小院・蠹魚蟲

　　茅屋雨聲詩不惡，紙窗梅影畫爭妍。

　　深山客少關門坐，老矣求閑笑樂天。

　　　　　　　　　　——《蕭齋閑坐》

　　一九〇九至一九一七年，齊白石居家，過着半農民半文人的鄉居生活。他已無衣食之憂，不再東奔西跑，刻印賣畫。他自感雖然走了萬里路，却没有讀萬卷書，於是閉門不出，"天天讀些古文詩詞，想從根基方面，用點苦功。有時和舊日詩友，分韵鬥詩，刻燭聯吟，往往一字未妥，删改再三。"⑧

　　鄉間寧靜，心境平和，詩作多，畫作也多。他有時也參加植種果蔬的勞作，與兒孫共享田園與天倫之樂。他在《種菜》詩中寫道：

　　白頭一飽自經營，鋤後山妻手不停。

　　何肉不妨老無分，滿園蔬菜繞門青。

　　偶而客至，他便"沾露挑新笋，和烟煮苦茶"，請他們"小住看梨花"。他滿足於"落日呼牛見小村，稻粱熟後掩蓬門"的山村生活，而不理會在他的小園之外的大事情。黎錦熙説："大約清末民初數年間是白石鄉居清適，一生最樂的時期，他那時也實有'終焉'之志。"⑨《自誇》詩曰：

　　諸君不若老夫家，寂寞平生敢自誇。

　　盡日柴門人不到，一株烏桕上啼鴉。

　　在這十年裏，中國發生了秋瑾的起義與就義，廣州黄花崗的戰鬥，帝制的崩潰與民國的誕生，宋教仁的被刺和袁世凱的稱帝……他的師友、熟人如王湘綺、夏午詒、郭葆生、楊晰子、羅醒吾、譚組安、蔡松坡、黎雨民等等，或革命或保皇或弄權，都捲入了整個中國變革的大潮，他却在潮涌之外，過着寫詩作畫、種菜澆園、自足自樂的清平日子。可以説，遠遊擴展了他的眼界與胸懷，却没有改變他"白頭一飽自經營"的農民理想⑩。

借山圖卷(一九二七年自臨本)

石門二十四景(一九一〇年)

　　一九一〇年,他把遠遊期間所得畫稿整理重畫,完成了五十餘幅《借山圖卷》(亦稱《借山圖》、《借山圖册》)的創作。這套作品以寫生爲依據,但又并非真實景色的模擬,運用了傳統的筆墨方法,但没有依靠過去所學的山水畫程式。他自己題詩曰:"自誇足迹畫圖工,南北東西尺幅通。却怪筆端泄造化,被人題作奪山翁。"這一年,他還創作了組畫《石門二十四景》。他的好友胡石庵請王訓把石門一帶景色擬爲二十四題,請白石作畫。他用了三個多月的時間,幾易其稿,才得以完成。這套組畫與《借山圖卷》的不同處,是它并非來自寫生,而是根據命題創作。在同樣大小的幅面上構思二十四幅不同的景觀,需要豐富的想象和構圖能力。兩部組畫,是齊白石中年山水畫的代表作,標志他遠遊之後在藝術上獲得的成果。這一時期的人物畫,以寫意或半工寫爲特點,造型多由芥子園變化而來。花鳥畫以寫意方式爲主,并開始摹學八大的簡筆大寫意和金農的墨梅。有時還應邀爲朋友或友人的家人畫像——如一九一一年春,譚組安請他去長沙,在荷花池爲其先人和故去的四弟畫像。

　　一九一三年,五十一歲的齊白石已是三個兒子的父親。這年九月,他將歷年積蓄分給兒子們,讓他們分炊自立。次子良茀剛滿二十歲,以打獵爲生,生活有些困頓,十月裏病了幾天,竟意外地死了。白石傷痛之餘,深悔不該急於分炊。他作了一篇祭文,記述良茀的品德、性格、父子情深的關係和病逝經過,最後寫道:

　　　　悲痛之極,任足所之。幽栖虛堂,不見兒坐。撫棺號呼,
　　不聞兒應。兒未病,芙蓉花殘;兒已死,殘紅猶在。痛哉心傷!
　　膝下依依二十年,一藥不良,至於如此……

　　　　　　　　　　　　　　　　　　　　——《祭次男子仁文》

　　再一年夏,白石五弟純楚病逝,不幾天,恩師胡沁園也逝世了。他悲痛之餘,畫了二十多幅胡氏生前喜歡的畫,裱好裝在親自糊好的紙箱内,送到胡沁園靈前焚化,又做了十四首悼念詩。詩中回顧了二十多年裏胡沁園對他的恩惠和教導,以及他們師生間深厚的情誼。最後兩首是:

　　　　廿七讀書年已中,顧余流亞蠹魚蟲。
　　　　先生去矣休歡喜,懶也無人管阿儂。

學書乖忌能精駡,作畫新奇便譽詞。

惟有暮年恩并厚,半為知己半為師。

他又做了一篇祭文,一副挽聯。聯云:"衣鉢信真傳,三絕不愁知己少;功名應無分,一生常笑折腰卑。"他後來在自傳中說,這挽聯挽的雖是沁園師,實在也是"自況"。

一九一五年,八十五歲的王湘綺逝世。辛亥春(一九一一年),王湘綺還在長沙招白石到瞿鴻機(字子玖,清末曾任軍機大臣)家的超覽樓,參加賞櫻花、海棠的雅集,并命他畫"超覽樓禊集圖"。圖尚未畫,命題人已逝。他非常難過,專程去哭奠了一場⑪。

丁巳劫灰·槐堂臥遊·竄逃京華

大約在一九一六年,齊白石在鄉間安居的生活被打亂了。湘潭地區常有軍隊交戰,土匪乘機四起。"官逼税捐,匪逼錢穀,稍有違拒,巨禍立至"⑫。一九一七年春夏之交,又發生了兵亂,城鄉有錢人紛紛外逃。"月黑龍鳴號夜烏,一時逃竄計都無"(《兵後雜感》),在進退兩難之際,樊樊山來信勸他避居北京,賣畫自給。他携着簡單行李,抱着一試的心情,於五月中旬第二次來到北京。不料進京不到十天,便遇上張勋復闢之變,他隨郭葆生一家躲到天津租界避難。六月返京後,先住郭葆生家,後移居宣武門外法源寺,與同鄉楊潛庵同住。他在琉璃廠挂起賣畫刻印的筆單,但無人知道齊白石爲何人,他模仿八大山人簡筆畫法的作品也與流行的風格相左,生意很是清淡。他有詩紀其事曰:"大葉粗枝亦寫生,老年一筆費經營。人誰替我擔竿買,高臥京師聽雨聲。"(《雜感》之一)

享譽京師的著名畫家陳師曾(一八七六——一九二三,名衡恪,號朽道人,又號槐堂,江西修水人,名詩人陳散原之子,名學者陳寅恪之兄)在南紙店看到齊白石的刻印,十分贊賞,便到法源寺訪他。他拿出自己的《借山圖卷》請師曾鑒評,師曾即寫了一首詩相贈:

昔於刻印知齊君,今復見畫如篆文。

束紙叢蠶寫行脚,脚底山川生亂雲。

齊君印工而畫拙,皆有妙處難區分。

但恐世人不識畫，能似不能非所聞。

正如論書喜姿媚，無怪退之譏右軍。

畫吾自畫自合古，何必低首求同群？

師曾肯定齊白石不同流俗的繪畫，支持他走自己的路。這大合齊白石之意，二人遂成莫逆。白石常到陳師曾的槐堂書屋，討論藝術上的問題，請師曾給自己的畫提意見。他雖年長十二歲，但深感學問、見識不如師曾，便虛心向他請教。陳師曾本人的繪畫，從沈石田的粗筆風格和石濤、吳昌碩等強調個性與生命表現的畫家求借鏡，縱橫鈎斫，氣勢強悍，理論上則主張"寧樸勿華，寧拙勿巧，寧醜怪勿妖好，寧荒率勿工整，純任天真，不假修飾"，這些都使白石有一種志趣相投的親切感。他離開北京時有詩道：

槐堂六月爽如秋，四壁嘉陵可臥遊。

塵世幾能逢此地，出京焉得不回頭。

在北京，白石常與樊樊山一同看戲、叙談。他把自己寫的詩拿給樊山評閱，樊山勸他出集，并寫了一篇序文。序中說"瀕生書畫，皆力追冬心。今讀其詩，遠在花之寺僧之上，真壽門嫡派也。"十年後，《借山吟館詩草》印行時，便以樊山序文爲序。

白石在北京還認識了法源寺道階和尚、衍法寺瑞光和尚、畫家凌直支、汪靄士、陳半丁、姚茫父、王夢白，書法家曾熙，詩人易實甫、羅癭公、羅敷庵兄弟和名醫蕭龍友等。但也有一位名士，看不起他的出身和作品，罵他沒有書底子，詩不通畫也粗野，有時當着面就譏笑他。他心裏氣悶，却忍着不與之爭，祇在紀事詩中寫了"作畫半生剛易米，題詩萬首不論錢。城南鄰叟才情惡，科甲矜人眾口喧。"他的印章"君子之量容人"亦由此而來。

這一年的十月，白石回到家，茹家冲寄萍堂已被搶劫一空。他刻了一方印"丁巳劫灰之餘"，蓋在劫餘的書畫上。他寫詩說："衰老始知多事苦，亂離翻抱有家憂。相憐祇有芙蓉在，冷雨殘花照小樓。"（《昔感》）

第二年二月，張敬堯部占領湘潭，兵匪之亂更甚。附近的歹徒也放風説："芝木匠發了財啦，去綁他的票！"驚恐之餘，他悄悄帶着家人，躲到紫荊山一個親戚家，在幾間茅屋裏隱匿起來。後來他曾描寫那時的情狀："遂吞聲草莽之中，夜宿露草之上……綠蟻蒼蠅共食，野狐穴鼠爲

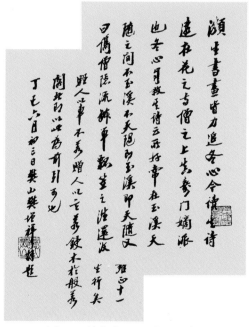

樊樊山手書白石詩草序文(一九一七年)

鄉。如是一年,骨與枯柴同瘦,所有甚於枯柴者,尚多兩目,驚怖四顧,目睛瑩然而能動也。"(《白石詩草自序》)這年七月二十四日,始歸家居住,寄萍堂更是滿目瘡痍。"借山雖好時多難,欲乞燕臺葬畫師。"一九一九年初春,隻身出居北京。這就是他後來常説的"竄逃京華。"

一九一九至一九二二年間,齊白石在京先後租居法源寺、龍泉寺、石鐙庵、觀音寺諸寺廟。"法源寺徙龍泉寺,佛號鐘聲寄一龕。誰識畫師成活佛,槐花風雨石鐙庵。"而後,又租住過西四三道栅欄、太平橋高岔拉的私人房屋。直至一九二六年底,買了西城跨車胡同十五號住宅,才算安定下來。其間,於一九一九年秋,在朋友胡南湖和妻子陳春君的主持下,納胡寶珠爲副室⑬。一九二〇年,白石携三子良昆、長孫秉靈來北京讀書。是年識著名京劇演員梅蘭芳、著名學者林琴南。一九二一年冬,胡寶珠生子良遲,是爲白石第四子。一九二二年,陳師曾應邀赴日本參加中日聯合繪畫展覽會,將齊白石的畫帶去,受到日本和國外收藏者的歡迎,賣價之豐厚,大出意料。從此白石的畫在北京就賣得很多了。他寫詩紀念説:"曾點胭脂作杏花,百金尺紙人爭誇。平生羞殺傳名姓,海國都知老畫家。"一九二三年夏,好友陳師曾突然病逝,他極爲震驚,很長時間陷在悲痛悵惘之中。直到晚年,還一再追憶和師曾的友誼,説"窮苦的日子裏,朋輩對我幫助最大、對我友情最深摯的莫過於陳師曾,他是第一個勸我改造畫風和幫助我開畫展的人。"⑭

居北京的前幾年,與白石交往較多且對他有所幫助的鄉親舊交,以夏午詒和郭葆生爲最。他們與政界、軍界有較多聯繫,經濟條件好,有能力支持困境中的老友。一九二二年十一月,白石得知郭葆生逝世的消息,在日記中寫道:"朋友之恩,聲名之始,余平生以郭五爲最。"夏午詒是君主立憲的積極主張者,後又入曹錕幕。齊白石一九二〇年至一九二四年間與曹錕的一些關係,正是夏午詒牽的綫⑮。

居北京初期,齊白石每年都回湘看望父母妻兒。如他在詩中描述的"燕樹衡雲都識我,年年黃葉此翁歸。"(《十出京華二絕句》)他心懸兩地,時時惦念着家鄉的一切,懷念曾經擁有的寧靜鄉居生活。直到一九二六年他的父母病逝,又買了跨車胡同的房子以後,他纔在北京穩定下來。其時,寶珠已生四子良遲、五子良已,三子良琨夫婦也已在北京定居。他思前想後,刻了一方印:"故鄉無此好天恩"。

他知道,自己是不可能再回湘潭老家了。

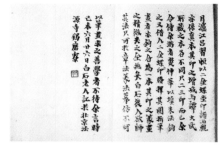

雙勾二金蝶堂印譜記(一九一九年)

齊白石在夫人胡寶珠與兒子齊良遲
的合影照片上題字

北京跨車胡同十五號

跨車胡同十五號鐵柵屋

鐵柵屋·寒鳥哀蛩·煮畫庖

　　你如果走到北平西城北溝沿一帶的時候，那真是十足地表現着"無風三尺土"的特色。整天不斷地轟隆轟隆走着載重的大車，塵埃蔽着天……尤其是跨車胡同裏，這種凸凹不平的狹窄的路徑，使你連呼吸都得停止住，就在這條路南巷口的路西第一個大門裏，住着……大名鼎鼎的齊白石先生。

——王森然《回憶齊白石先生》

　　跨車胡同十五號的大門坐西朝東，和大門洞連在一起的三間東屋是客房，裏面挂着王湘綺和齊白石自己的照片，以及與賣畫有關的說明和潤格。客房西邊的小院種着葡萄、絲瓜，葡萄架北面便是正房——安有鐵柵的卧室和畫室。齊白石有詩描寫他在這裏的生活：

鐵柵三間屋，筆如農器忙。

硯田牛未歇，落日照西廂。

　　他就像老農民一樣，從早到晚在硯田裏勞作。除了接待鄉親和要好的朋友，他不大和人交往。一般求畫者，都由琉璃廠南紙店代理。大門經常鎖着，小院裏總是靜無聲息。北京是畫會、畫家社團集中的地方，但在任何畫會裏你都找不到齊白石的影子，他在一方印章裏聲明過"一切畫會無能加入"。"先生孤僻傲放……好事者列先生爲北京怪人"⑯，齊白石也以怪自居。早在一九二六年，他就稱自己、瑞光、馮臼爲"西城三怪"，并畫了《西城三怪圖》。但北京畫壇和文化界有身分有地位的人物如樊增祥、林紓、金城、周肇祥、凌直支、陳半丁等，都和他有書畫往來或歌詩應酬，并不視其爲怪。齊白石不改變自己在農村養成的生活習慣，堅持自己的藝術追求，不願隨同流俗，何怪之有？且其怪者不過是習慣於世俗，少見多怪而已。

　　齊白石把定居北京後十餘年的藝術探索稱之爲"衰年變法"。經過變法，他創造了以紅花墨葉爲主要特色的花鳥畫新風格，林紓把他與民國以來畫壇泰斗吳昌碩相比，稱"南吳北齊"，逐漸得到許多人的認可。一九二七年春夏之間，國立北京藝術專門學校校長林風眠聘他擔任中國畫教席；第二年，北京藝專改爲北平大學藝術學院，白石被繼續聘任并改稱教授;同年,胡佩衡編《齊白石畫册初集》出版。十月,徐悲鴻任北平大學藝術學院院長,繼續聘他爲教授⑰。後來,白石又兼任私立京華美專教職。除學校學生外,先後拜他爲師學習中國畫和篆刻的人有賀孔才、楊泊廬、梅蘭芳、李苦禪、瑞光和尚、邱石冥、趙羨漁、方問溪、王雪濤、于非闇等。他有一方章曰"三千門客趙吳無",對有衆多門生感到自豪。他以"學我者生,似我者死"教導學生,支持他們大膽創造。某些看不慣他獨樹一幟的畫風,經常投以冷嘲熱諷的人,動搖不了他在畫壇的地位。白石老人也不大與他們計較,不過以"君子之量容人"、"流俗之所輕也"之類題跋印語略加回敬而已。

一九二八年,齊白石自釘、手鈔、影印了第一本詩集《借山吟館詩草》。一九三三年,又自釘排印《白石詩草二集》八卷。在後者的"自序"中,他説自己定居北京以後,"以賣畫刻印爲活計,朝則握筆把刀,日不暇給。惟夜不安眠,百感交集。誰使垂暮之年,父母妻子別離,戚友不得相見? 枕上愁餘,或作絶句數首,覺憂憤之氣,一時都從舌端涌出",因此詩作都是直抒胸臆,如同"寒鳥哀蜇","鳴其所不容己云爾"。在《白石詩草》付印之際,許多老友、名流都題辭題詩,如王訓、趙元禮、吳北江、宗子威、楊昕、黎松庵、李釋堪、張伯楨等。白石的印集,定居北京前曾自編過《寄園印存》(一八九九年)、《白石草衣金石刻畫》(一九○四年編本與一九○九年編本)。居北京後,又於一九二八年、一九三三年三次自編了《白石印集》。他在最後一次拓編的印譜上寫道:"以上皆七十衰翁以硃砂泥親自拓存。四年精力,人生幾何! 餓殍長安,不易斗米。如能帶去,各檢一册,置之手側,勝人入陵珠寶滿棺。"詩歌與篆刻,也像繪畫那樣體現着白石的思想情感和創造力,他自己是極其珍視的。

齊白石的畫雅俗共賞,深受廣大收藏者和觀衆的歡迎。大約自二十年代中期後,他的畫一直賣得很好。他是完全以賣畫刻印維持生活的人。爲此,他把自己在北京的鐵柵屋也稱作"甑屋"或"煮畫庖"。他在住所挂的一幅告白曰:"賣畫不論交情,君子有恥,請照潤格出錢。庚申秋七月直白。"庚申即一九二○年,直到三十年代,這幅告白還懸在客廳裏。另有"賣畫與篆刻規例"也懸在室中,曰:

> 余年七十有餘矣,苦思休息而未能,因有惡觸,心病大作,
> 畫刻目不暇給,病倦交加,故將潤格增加,自必扣門人少,人若
> 我弃,得其靜養,庶保天年,是爲大幸矣。白求及短減潤金、賒
> 欠退換諸君,從此諒之,不必見面,恐觸病急。余不求人介紹,

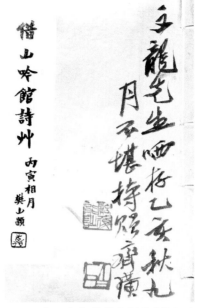

一九二六年樊樊山題簽《借山吟館詩草》

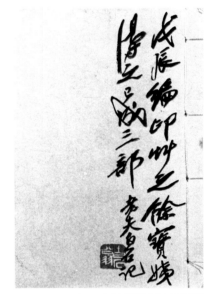

一九二八年所編《白石印草》

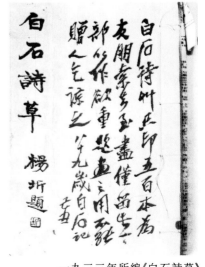

一九三三年所編《白石詩草》

勿望酬謝。用綿料之料半生宣紙，他紙板厚不畫。山水、人物、工細草蟲、寫意蟲鳥，皆不畫。指名圖繪，久已拒絕。花卉條幅：二尺十圓，三尺十五圓，四尺二十圓（以上一尺寬），五尺三十圓，六尺四十五圓，八尺七十二圓（以上整紙對開），中堂幅加倍，橫幅不畫。冊頁：八寸內每頁六圓，一尺內八圓。扇面：寬二尺者十圓，一尺五寸內八圓，小者不畫。如有先已寫字者，畫筆之墨水透污字迹，不賠償。凡畫不題跋，題上款加十圓。刻印：每字四圓，名印與號印，一白一朱，餘印不刻。朱文，字以三分四分大為度，字小不刻，字大者加。一石刻一字者不刻。金屬、玉屬、牙屬不刻。石側刻題跋及年月，每十字加四圓。刻上款加十圓。石有裂紋，動刀破裂不賠償。隨潤加二。無論何人，潤金先收。

在商品社會，畫家申明自己的潤格，是天經地義的事。上述齊白石賣畫潤格與告白，精打細算，講錢討價，完全撕掉了一般知識分子恥於言利的矯情與面紗。從二十歲成為"芝木匠"的時候起，他就是以藝術勞作換取生存之需，向主顧們要價的，這和另有生活來源的畫家有所不同，是不奇怪的。賣畫不能說對齊白石的繪畫沒有負面影響——如重複的畫幅很多，不少作品畫得并不很認真——但這并沒有在總體上影響他成為一個偉大的藝術家，沒有影響他通過作品充分表現思想、情感、智慧和創造力。對於能畫而不能賣，或能賣畫而不能保持藝術獨立的人，齊白石的成功是可以深而思之的。

苦手·歸夢·悔烏堂

一九二八年冬白石與徐悲鴻相識，很快成為忘年交。一九二九年一月徐因學潮辭去藝術學院院長職，仍回南方任教，齊白石繪《月下尋歸圖》以贈。一九三一年，徐悲鴻編《齊白石畫冊》，并作序稱贊齊白石畫"由正而變"，已臻"致廣大、盡精微"之境。白石接到畫冊樣書後題道："從來畫山水者惟大滌子能變，吾亦變，時人不加稱許，正與大滌同。獨悲鴻心折，此冊乃悲鴻為辦印，故山水特多。安得悲鴻化身億萬，吾之山水畫傳矣，普天下人不獨衹知石濤也。"此外，他還寫了《答徐悲鴻并題畫寄江南》詩：

齊白石題徐悲鴻所編《白石畫集》

少年為寫山水照，自娛豈欲世人稱。

我法何辭萬口罵，江南傾膽獨徐君。

謂我心手出异怪，神鬼使之非人能。

最憐一口反萬衆，使我衰顏滿汗淋。

一九二八年，白石五弟純雋在家鄉死於兵亂，僅五十歲。一九三○
年，二弟純松又病逝。同胞兄弟六人，祇剩他和三弟、四弟。一九三一
年，詩人樊樊山逝世。白石痛悼知己，刻了"老年流涕哭樊山"印，并有
詩曰："似余孤僻獨垂青，童僕都能辨足音。怕讀贈言三百字，教人一字
一傷心。"一九三二年，他的弟子瑞光和尚圓寂，他趕到蓮花寺去哭了一
場，歸來後，心情抑鬱，自想風燭殘年，已不愁衣食，何必再這樣辛苦勞
頓呢？於是畫了一幅《息肩圖》，題詩道：

老年流涕哭樊山

眼看朋儕歸去拳，哪曾把去一文錢。

先生自笑年七十，挑盡銅山應息肩。

他想結束賣畫賣印的生涯，息肩養老。但繪畫刻印已成為他生命
不可或缺的部分，欲罷不能。加上兒孫衆多，不能不為他們着想；而盛
名之下，求畫求印者接踵不絕，他祇能繼續在硯田裏耕作。"老為兒曹
作馬牛"、"有衣飯之苦人"、"苦手"諸印，正是在這種矛盾心情下鐫刻
的。

老爲兒曹作馬牛

有時候，白石也外出休息一下。一九三一年夏，同門張篁溪約他到
張園居住。張園原是明末抗清名將袁崇煥故宅，後廢為民居，民國初
年，張篁溪不忍忠烈遺迹之荒弃，遂購置修葺，成一風景佳秀的名園。
張篁溪及其子張次溪兄弟陪白石在張園遊息垂釣，寫詩作畫。《篁溪歸
釣圖》、《多蝦圖》、《葛園耕隱圖》等，就是由此誕生的。他還和張次溪父
子一起遊覽了附近的萬柳堂、夕照寺以及更遠的臥佛寺和相傳曹雪芹
的故居，并作了一幅《紅樓夢斷圖》。

但就在同一年，"九一八"事變發生了。國民政府采取不抵抗政策，
眼看平津將成前綫，白石憂心忡忡。有人勸他避地杭州任教，他說"大
好河山，萬方一概，究竟哪裏是樂土呢？"決心留居北平（《白石老人自
述》）。但騷擾也隨之而至。齊白石的畫在日本享有盛譽，一些日偽分
子乘機騙買騙取他的畫作，甚至想利用他達到某種政治目的，於是送禮
物、請吃飯、約照像，往來不絕。對此，齊白石極力躲避拒絕。他刻了一

老豈作鑼下獼猴

33

一九三七年齊白石與弟子王文農合影

故里山花此時開也

悔烏堂

方印"老豈作鑼下獼猴",以表示自己的心情。爲了防止不速之客,他"在無法中想出一個辦法":終日反鎖大門,來人敲叫時,他總要親自從門縫觀看,若不是熟人朋友,便由女僕回答"主人不在家"。他後來刻的一方"八十歲應門者"章,便是記述這件事的。

年紀越大,鄉思愈濃,這是白石老人晚年内心世界最突出的特點。自一九二六年父母去世,他就不怎麼回湘潭了。但老妻和兒孫仍在家中,他總是惦念着。"妻子離去歸去難,四千餘里路漫漫",思念和負疚感時時壓在心頭。雖然孩子們不斷來京看他,書信也往來不絶,還是無法填平他不絶如縷的鄉思。當他把筆作畫,秉燭吟詩,思緒就飛到生活了五十餘年的湘水衡山,回到星斗塘、百梅祠、茹家冲借山館,看見了家鄉的田野景物、花草魚蟲,感到了他熟悉的風聲雨意。他的印文"望白雲家山難捨"、"故里山花此時開也"、"歸夢看池魚"、"麓山紅葉相思"等等,都凝結着這種思念和回憶。在二十年代前期,他頻繁地返湘,與惦念年邁的父母、離捨不久的妻子家園分不開;父母謝世後,他的鄉情鄉思就更多地轉向對少年往事和家鄉大自然的回憶懷念。後者成爲他長期的内心生活,對創作產生了巨大影響。我們稱白石老人歷經衰年變法(約一九一七——一九二八年)進入藝術上的成熟期,是指風格技巧和内在表現兩方面的成熟和創造性;融於作品中的熾熱鄉情,以及包涵在這種鄉情裏的中國精神和普遍人性,應當是這種内在表現及其價值的主要體現[18]。

一九三三年,白石祖母一百二十歲冥誕,他在北京家裏延僧誦經,設壇敬祭。他在焚燒的文啓中説:"今長孫年七十一矣,避匪難,居燕京,有家不能歸,將至死不能掃祖母之墓,傷心哉!"一九三五年,七十三歲的齊白石自感"衰敗之象叠出"。不久,湘潭家中接連來信,告知長子良元患病。四月初,他携寶珠還湘。回到闊别十年的家鄉,除了請醫看病、安慰老妻之外,祭掃了先人墓,會見了老友王訓、楊仲子等。返京時,不忍與春君見面,悄然而别。他在日記中寫道:"烏烏私情,未供一飽;哀哀父母,欲養不存。"歸京後,刻"悔烏堂"、"客久子孫疏"、"歸計何遲"印(此次在家留住時間,《自傳》説共三日,齊佛來《我的祖父白石老人》説是"兩個星期",《三百石印齋紀事》説是"一日起行……十四日還北平")。

三十年代初,四川一位軍長王纘緒因喜白石繪畫篆刻,常請同鄉在北平向齊白石購印,彼此由通信而成千里神交。王纘緒幾次邀白石遊蜀,説賣畫可得厚資,還爲他"預購一鬟,以給抻紙磨墨之役"。白石回信以年老辭,并寫詩以記其事曰:"衣裳作嫁爲君縫,青鳥殷勤蜀道通。向後從夫休忘記,羅敷曾許借山翁。"一九三六年,王氏再次相邀,恰好如夫人寶珠想回川探家,便欣然成行。四月二十七日出發,先乘車到漢口,再改船上行,抵嘉州登岸,再到酆都胡寶珠家,祭掃母塋。白石寫了四首紀事詩,其中之一曰:

為君骨肉暫收帆,三日鄉村問社壇。
難得老夫情意合,携樽同上草堆寒。

齊白石在一九三二年

在成都,齊白石住在王纘緒家,刻印作畫。其間,會見了方旭(鶴叟)、金松岑(天翮)、陳石遺(衍)和他在藝專教過的學生,縱遊了峨嵋、青城諸名山。但他居川四月餘,也有不快之事。王纘緒曾許諾以三千圓酬謝,却祇付四百,他頗有上當之感[19]。不過,他在成都還是留下了好作品和長遠的影響,其中《山水十二屏》(現藏重慶博物館)、《鍾馗搔背圖》等,均是他三十年代最富代表性的作品。

瞞天過海·覓壙·何處清平

一九三七年,齊白石請居北平的長沙算命先生舒之鎏爲他批算八字。舒先生說他"丁丑年,脫丙運,交辰運"、"小康自有可期,惟丑辰戌相刑,美中不足",還教給他免災的辦法:在交運時念佛、戴金器,避見屬狗、龍、羊的人等。農曆三月十二日交辰運時,他都照此辦理,把三間鐵柵屋的窗子用黑布蒙起來,把自己關在裏面,誰也不讓進。過了交運時辰之後,便出來宣布他七十七歲了[20]。他還在舒之鎏批的命書封面寫了"十二日戌刻交運大吉"幾個大字,又在裏面寫了"宜用瞞天過海法,今年七十五,可口稱七十七,作爲逃過七十五一關"[21]。

一九三六年父子合影

就在這一年,發生了"七·七"事變,北京淪陷。他辭去北平藝專的教職,閉門不出。九月間,詩人陳散原逝世,他感念陳師曾的友誼,去送了挽聯。聯曰:"爲大臣嗣,畫家爺,一輩作詩人,消受清閑原有命;由南浦來,西山去,九天入仙境,乍經離亂豈無愁。"最後一句語義雙關,暗示了他在當時環境中的心情。一九三八年,瞿兌之請他補畫《超覽樓禊集圖》,這原是一九一一年王湘綺要他作的題目,一直沒有踐諾,這次畫成,了却一椿心願。

贈弟子王文農的照片

六月,寶珠生第四個孩子,取名良末,這是白石的第七個兒子,取號

"羞根"，以表"年八十，尚留此根苗"之意。但半年後，白石特別喜歡的第六子良年(小翁子)却病逝了，這使老人極爲傷心。在惡劣的心緒中，他的《三百石印齋紀事》無意續寫，就此停筆了。

盛名之下，即使在淪陷的日子裏，登門求見的人也非常之多。敵僞的大小頭子也時時請飯、送禮或拉他參加什麽盛典，他總是婉辭拒絕。一九三九年，他貼出"白石老人心病復作，停止見客"的告白。但總要賣畫養家，他又加上"若關作畫刻印，請由南紙店接辦"一行小字。第二年，他在門口加貼了一張"畫不賣與官家，竊恐不祥"的告白："中外長官，要買白石畫者，用代表人可矣，不必親駕到門。從來官不入民家，官入民家，主人不利。謹此告白，恕不接見。"他還聲明："絕止減畫價，絕止吃飯館，絕止照像。""與外人翻譯者，恕不酬謝，求諸君莫介紹，吾亦難報答也。"

一九四〇年初，齊白石的髮妻、株守在湘潭茹家冲寄萍堂的陳春君逝世，終年七十九歲。白石感念妻子的賢德，做了一篇祭文，叙述春君一生的辛勤，"留備後世子孫，觀鑒勿忘。"他又感慨地説："我在北平，住了二十多年，雕蟲小技，天下知名，所教的門人弟子，遍布南北各省，論理，應該可以自慰的了，但因親友故舊，在世的已無多人，賢妻又先我而去，有家也歸不得，想起來，就不免黯然銷魂了。我派下男子六人，女子六人，兒媳五人，孫曾男女共四十多人，見面不相識的很多，人家都説我多壽多男……祇是福薄，説來真覺慚愧。"(《自述》)次年，白石將胡寶珠扶正作爲繼室，并請了在北平親友二十餘人到場作證。他先把所積存的財産分爲六股，春君所生三子，分得家鄉田地房屋，寶珠所生三子，分得北平的房屋現款，并分立字據，各執一份，分産之後，隨即舉行扶正典禮。白石先鄭重宣布："胡氏寶珠立爲繼室。"到場的親友都簽名蓋章。白石又當衆在族譜上批明："日後齊氏續譜，照稱繼室。"

暮年的白石老人，開始考慮自己的身後之事。先是在一九三六年春，想在香山附近覓置墓地。當年冬，名妓賽金花逝世，由張次溪提議葬於陶然亭畔，并請白石老人書寫墓碑。白石寫好後，便托張次溪代他在陶然亭覓壙。他在給次溪的信中説："聞靈飛(賽金花別號)得葬陶然亭側，乃弟等爲辦到，吾久欲營生壙，弟可爲代辦一穴否？如辦到，則感甚！有友人説，死鄰香冢，恐人笑罵。予曰：'予願祇在此，惟恐辦不到，説長論短，吾不聞也。'"六年後，八十一歲的齊白石又托次溪辦此事，陶然亭慈悲禪林主持慈安慨然割地以贈，白石極爲高興，帶着寶珠、良已看了地形，并向慈安送了錢、畫和字，歸來還填了《重上陶然亭望西山》

與夫人胡寶珠合影

詞。次溪請北京畫家徐宗浩畫了《陶然亭白石覓壙圖》，有許多藝術家名人在上面題了辭。後來陶然亭改建公園，他的生壙也就取消了。

對於日偽人員的騷擾，白石大都采取置之不理的態度。但有時也在詩中曲折地加以諷喻：

一九四五年的齊白石

　　　鑽木為巢轉曲工，瓜花時候長兒蟲。

　　　工夫日久能傾棟，堪笑無能作賊蜂。

　　　　　　　　　——題《鑽木蟲圖》

　　　老年畫法沒來由，別有西風筆底秋。

　　　滄海揚塵洞庭浪，看君行到幾時休。

　　　　　　　　　——題《螃蟹》

　　　群鼠群鼠，何多如許！何鬧如許！

　　　既齧我果，又剝我黍。

　　　燭灺燈殘天欲曙，嚴冬已換五更鼓。

　　　　　　　　　——題《群鼠圖》

一九四三年二月，白石一刻不離的胡寶珠夫人因難產病逝，終年僅四十二歲。自定居北京，齊白石的生活起居，理紙磨墨，都是寶珠料理侍候，她漸漸熟悉了齊白石的畫，有時還能辨認真假，偶而把筆作畫，竟能略得白石神意。[22]白石曾有詩描述他們親密和諧、濡沫相依的關係：

　　　誰教老懶反尋常，磨墨山姬日日忙。

　　　手指畫中微笑道，閑鷗何事一雙雙。

　　　分離骨肉余無補，憐惜衰顏汝有恩。

　　　多病倦時勞洗硯，苦吟寒夜慣攜燈。

寶珠竟先衰翁而去，對白石老人是個巨大的打擊。他在《祭寶珠夫人文》中寫道："夫人嘗與璜戲言曰：'寶珠若死君後，不畏道路艱難，必攜一家扶君櫬還鄉；若死君先，停棺不葬，君若生還，帶寶珠之柩葬於齊氏祖山，倘九泉有知，亦涕泣感戴。'今朝事到眼前，豈食言於我夫人，故將我夫人之柩，暫寄宣武門法源寺，俟時亂稍平，決不負我夫人也。"[23]他為寶珠寫了兩副挽聯，其一是：

與家人在一起

　　　拈珠百零八粒，香細燈昏，佛即心，心即是佛。

在白石畫屋

齊白石在畫室作畫

舉案二十四春，夫衰妻病，卿憐我，我更憐卿。

一九四五年三月十一日凌晨，白石得一夢：在湘潭餘霞峰茹家冲借山館對面小路上，過來一隊抬殯的人，殯後一口無蓋的空棺，急急地搶到前面，直奔他家。他夢中想，這是自己的棺，爲何走得這麼快？莫非要不久於人世了？醒後，夢中場面仍記憶猶新。他感到很離奇，便作了一副自挽聯：

有天下畫名，何若忠臣孝子；
無人間惡相，不怕馬面牛頭。

對於虛靈鬼神，白石在信與不信之間，他自己稱這副挽聯“不過無聊之極，聊以解嘲而已”，但實在也表現了他晚年對生死的坦然態度和思想智慧。

抗戰勝利，白石高興得一夜沒有睡着。許多老友來看他，小酌之後，他作了一首詩：

柴門常閉院生苔，多謝諸君慰此懷。
高士慮危緣學佛，將官識字未爲非。
受降旗上日無色，賀勞樽前鼓似雷。
莫道長年亦多難，太平看到眼中來。

他又挂出了潤例，恢復了賣畫生涯，操筆益勤，畫名也更大。在一九四〇年前後，他閉門畫了許多工筆草蟲，這時期大都添上寫意花草，成爲工細與寫意兩極的結合，使人耳目一新。一九四六年一月，“齊白石畫展”在重慶舉行。徐悲鴻與沈尹默在山城發表《齊白石畫展啓示》，說“白石先生以嶔崎磊落之才從事繪事，今年八十五年矣，丹青歲壽，同其永年……勝利還，畫興勃發，近以杰作數十幀送渝展出，邦人君子羨慕先生絶詣，得此機緣，以資觀賞，信乎所謂眼福不淺者……”同年十月，徐悲鴻就任國立北平藝專校長，繼續聘白石爲教授。

十月下旬，中華全國美術會邀齊白石、溥儒到南京、上海舉辦畫展。他携子良遲、護士夏文珠等乘飛機前往。其間，主辦者安排了蔣介石的接見。他送蔣一幅《鷹》和名字印，蔣欲薦他當國大代表，他婉言拒絶。

在南京,他會見了著名書法家、監察院院長于右任等。國民黨中央文化運動委員會主任委員、中華全國美術會理事長張道藩,在徐悲鴻前夫人蔣碧薇等的説合下,拜了齊白石爲師,并在南京文化會堂舉行了規模宏大的拜師禮(據馬璧《張道藩師齊白石前前後後》一文介紹,張請了"五院院長、教育部長、中央大學、金陵大學等校教授、中央黨部全體常務委員,中央文化運動委員會全體委員"及新聞界、美術界人士參加)。張道藩并非要向齊白石學畫,老人心裏是明白的,但他無奈。剛拜完師,白石就在張道藩的畫上題了"惟恐官氣誤人雅趣耳"的話,還題了一首詩:"門前池水清,未有羨魚情。魚亦能知我,悠然逝不驚。"㉔畫展到上海後,齊白石亦到上海,會見了梅蘭芳、汪亞塵和神交已久但未見面的朱屺瞻等。兩地的展覽,大受觀衆的歡迎,二百餘張畫全部賣出。但所得數以捆計的"法幣",到北平竟連十袋麵粉也買不到。老人説:"這玩笑開得多麼大啊!我真悔此一行。"

南方之行後,國內戰事日緊。白石雖感嘆"何處清平着老夫",并没有放鬆自己的創作。早在一九三三年,齊白石就讓張次溪筆錄他的自述,以備金松岑爲他寫傳之用。但自述未完,金松岑逝世。一九四六年,齊白石又請胡適爲他作傳,胡適把他送交的材料按年加以編排,并於一九四八年邀請對白石深有了解的黎錦熙合作,黎錦熙對初稿進行了詳盡的校改和補充,同年底,胡適又請歷史學家鄧廣銘參與其事,最後編成《齊白石年譜》(上海商務印書館,一九四九年)。

美協主席·和平獎金·人民藝術家

一九四八年底,北平城風雨飄搖,有的友人勸白石出走臺灣,也有的友人(如徐悲鴻)勸他留下來。他考慮再三,還是没有走。後來他對四子良遲説:"很多人都叫我走,我也想走,無奈何你媽媽死得太早了,你們這一堆孩子,連累了我,我走不了。"㉕齊白石想要離開北平,并不是出於政治選擇,而祇是從自己和家庭安危作出的考慮。他一生傷亂,對社會的唯一渴望是安康太平。他不止一次把陸游"已卜餘年見太平"的句子書寫成條幅,以寄托這種理想。

齊白石懷着忐忑不安的心情迎來了中國的巨變。一九四九年春,他因轉一封鄉親的信給毛澤東(他們都是湘潭人),很快得到毛澤東向他問候的復信,他刻了兩方毛澤東名章相贈。當年夏,他被邀出席了第一屆文代會,并被選入大會主席團。繼而又先後被選爲"文聯"全國委

齊白石與徐悲鴻參加中國文學藝術工作者第二次代表大會

齊白石出席全國人民代表大會第三次會議

一九五五年齊白石參加在北京劇場舉行的首都文藝界人士反對使用原子武器簽名大會

一九五三年齊白石爲德國客人作畫

齊白石爲來訪外賓簽名

北京雨兒胡同十三號

周恩來向齊白石祝賀九十三歲壽辰

一九五三年文化部授予齊白石榮譽狀和人民藝術家稱號

一九五五年德意志民主共和國領導人代表德國藝術科學院授予齊白石通訊院士榮譽狀

一九五六年郭沫若和茅盾祝賀齊白石獲得國際和平獎金

員會委員、中華全國美術工作者協會全國委員會委員(一九四九年)、全國美協主席(一九五三年)、全國人大代表(一九五四年)、中國亞州團結委員會委員(一九五六年)、北京中國畫院名譽院長(一九五七年)。接受這些榮譽性的名位,表明了他心境的變化。他感到了和平,受到了空前尊重,是這種變化的緣由。一九五○年四月,中央美術學院成立,徐悲鴻任院長,聘齊白石爲名譽教授。同月,毛澤東派章士釗請齊白石到中南海豐澤園晤談、賞花、吃飯,朱德作陪;席間,章士釗即席賦詩。毛澤東的湘潭口音,湖南風味的菜肴,領導人對他的敬重,使他感到親切和興奮。從那以後,毛澤東的表兄王季範常到家中看望他。十月,他將一九四一年畫的《鷹》和一九三七年寫的篆書聯"海爲龍世界,雲是鶴家鄉"贈送毛澤東,毛澤東以豐厚的潤資相報。一九五三年,他又送給毛澤東《祝融朝日圖》等。

國務院總理周恩來,對齊白石老人的身體、生活親自作了許多具體安排。他聽說齊白石跨車胡同的房子年久失修,便命人翻修粉刷;鑒於跨車胡同地方較小,他指示文化部和全國美協買下雨兒胡同住宅,讓白石老人遷入新居。後來,因管理不當,白石老人想回跨車胡同,并驅車到國務院找他,他親自把老人送回家。這些,都使齊白石和家屬深受感動。[26]白石有詩云:"暮年逢盛世,搭幫好總理。老驥珍伏櫪,報國志千里。"

一九五三年,中央文化部授予齊白石榮譽狀和人民藝術家稱號,在授予他的榮譽狀上對其藝術成就作出如下評價:

齊白石先生是中國人民杰出的藝術家,在中國美術創造上有卓越的貢獻。

在五十年代,和齊白石常相往來的人士有黎錦熙、徐悲鴻、老舍、新鳳霞、吳祖光、艾青、葉淺予、黃琪翔等。弟子中李可染、李苦禪、曹克家、許麟廬、張次溪、郭秀儀等,多來看望與扶侍。徐悲鴻是他的老朋友了,對他在各方面都非常關照。一九五三年徐悲鴻逝世,家裏人怕他過分難過,長時間不敢告訴他。三年後他得知消息,扶杖到徐悲鴻故居默默地站立了許久[27]。著名作家老舍是在一九五○年相識的,老舍夫人胡絜青是白石弟子,彼此一見如故。老舍以前人名句"蛙聲十里出山泉"、"凄風苦雨更宜秋"、"幾度寒梅帶雪紅"、"芭蕉葉捲抱秋花"和"手捧紅櫻拜美人"爲題請白石老人作畫,老人興致勃勃地構思創作,一時

傳爲藝壇佳話。齊白石喜看著名評劇演員新鳳霞的戲,新鳳霞喜愛白
石老人的畫。一九五二年,齊白石收新鳳霞爲乾女兒,她和丈夫吳祖光
常去看望老人并向他學畫。詩人艾青畢業於國立杭州藝專,受教於林
風眠,早就喜齊白石的畫和詩。一九四九年,艾青作爲軍代表參與接管
北平藝專,得識兼職教授齊白石,很快成爲白石的忘年交。畫家李可染
於一九四七年由徐悲鴻介紹拜白石老人爲師,相從十年。李可染對水
墨畫有獨到的領會,他遵照白石"學我者生,似我者死"的教導,從做人、
作畫特別是筆墨方面研究學習齊白石,但不表面上蹈襲白石的畫法程
式,成爲齊白石弟子中的佼佼者。

　　從一九四六年起,有較好文化修養、精明能幹的夏文珠女士擔任齊
白石的看護,負責老人的生活起居、賣畫和對外聯繫,"應付內外一切事
務",成爲老人"一刻都不可或離"的得力助手。一九五一年,她和齊白
石因爲"一件小事發生糾葛","負氣而去"⑳。夏文珠去後,又聘了伍德
萱女士任看護,到一九五五年,伍女士辭去,再請張學賢女士繼之,直到
老人逝世。

　　五十年代,齊白石的三子齊子如(良琨)、胡沁園之孫胡文效都在瀋
陽東北博物館(今遼寧省博物館)工作,因爲這層關係,白石在五十年代
爲東北博物館作了不少畫,博物館也通過子如與文效收集、收藏了白石
老人許多作品,特別是早年作品。遼寧博物館還收藏著齊白石的一張
收條,上寫:"收到潤金八十萬,畫猶未交也,父子何不客氣,一笑。白
石。一九五三年十一月十九日。"收條顯然是寫給子如的,子如則是代
表博物館來購畫的。一九五四年,東北博物館舉辦了"齊白石畫展",并
先後在長春、哈爾濱、承德等地巡展。同年,中國美術家協會在北京故
宮也舉辦了"齊白石繪畫展覽會"。

　　一九五五年,德意志民主共和國領導人代表德國藝術科學院授予
齊白石通訊院士榮譽狀。

　　一九五六年,世界和平理事會將一九五五年度國際和平獎金授予
齊白石,以表彰他爲人類和平作出的貢獻。日本畫家丸木位里、赤松俊
子等國際朋友和有關藝術團體紛紛來電祝賀。九月一日,中國人民保
衛世界和平委員會、中國人民對外文化協會和中國美術家協會聯合爲
齊白石舉行了授獎儀式,周恩來、郭沫若、茅盾等出席。國際和平獎金
評議委員會在頌詞中說:

　　　　把國際和平獎金授予齊白石先生的決定不僅是根據這位

齊白石與吳作人、郁風

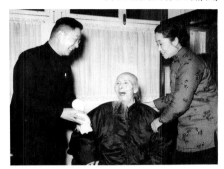
齊白石與老舍、胡絜青夫婦

齊白石與王朝聞、葉淺予

齊白石與李可染

齊白石與艾青

齊白石與梅蘭芳

齊白石九十三歲壽辰

文化部授予齊白石的榮譽狀

德意志民主共和國授予齊白石通訊
院士的榮譽狀

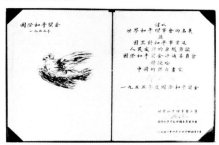

一九五六年國際和平理事會將一九
五五年度國際和平獎授予齊白石,圖爲
獎狀及獎章

畫家在藝術領域中獲得的高度成就,更重要的是由於他畢生頌揚的美麗和平的境界,以及人類追求美好生活的善良願望,在全世界得到了共鳴。⋯⋯畫家在作品中表達中國人民喜愛和平生活的優美感情,因之他的作品不僅為自己國土的人民所欣賞,也為世界各國人民所稱道。他的作品有助於各國人民對中國人民的瞭解,亦有助於各國人民之間和平友誼的增進。

齊白石請郁風女士代讀了他的答詞,答詞說:

> 世界和平理事會把國際和平獎金獲得者的名義加在齊白石這名字上,這是我一生至高無上的光榮。我認為這也是中國人民的無上光榮。我以九十六歲的高年,能藉這個機會對國家社會,對文藝界有些小貢獻以獲得這樣榮譽,這是我永遠不能忘的一件事。正因為愛我的家鄉,愛我的祖國美麗富饒的山河土地,愛大地上的一切活生生的生命,因而花費了我的畢生精力,把一個普通中國人的感情畫在畫裏,寫在詩裏。直到近幾年,我纔體會到,原來我所追求的就是和平。

同年,為黎錦熙、齊良已合編的《齊白石作品選集》寫了自序,序中說:

> 予少貧,為牧童及木工,一飽無時而酷好文藝,為之八十餘年,今將百歲矣。作畫凡數千幅,詩數千首,治印亦千餘。國內外競言齊白石畫,予不知其究何所取也。印與詩,則知之者稍稀。予不知知之者之為真知否?不知者之有可知者否?將以問之天下後世⋯⋯

一九五七年春夏之際,齊白石開始體力不支,經常精神恍惚,稍好些仍把筆作畫,所作最後一幅作品是《牡丹》[23]。九月十五日臥病,十六日送北京醫院,搶救無效,於當日六時四十分離開人世。

依老人遺囑,祇有他常用的兩方名印和一支使用了二十餘年的紅漆手杖入殮。郭沫若任治喪委員會主任,委員有周恩來、老舍、周揚、于非闇、李濟深、黎錦熙、葉淺予、何香凝等二十五人。九月二十一日,各界人士絡繹不絕前來祭奠。中國美術家協會的挽聯是：

抱松喬習性，守金石行操，崢嶸九七春秋，不愧勞動人民本色；
抒稻黍風情，寫蟲魚生趣，灼爍新群時代，憑添和平事業光輝。

九月二十二日，在嘉興寺舉行公祭，郭沫若主祭，周恩來等領導人、各國使節的代表和各界人士參加公祭。而後，移靈魏公村湖南公墓，與繼室胡寶珠合葬。

一九六三年，世界和平理事會推舉齊白石爲世界十大文化名人之一。

一九九六年五月一日

齊白石遺容

一九五七年九月二十二日上午在北京嘉興寺舉行齊白石的公祭儀式。郭沫若在公祭儀式上講話

齊白石遺體起靈到西郊湖南公墓安葬

注

① 張次溪《齊白石的一生》，人民美術出版社，一九八九年，北京。

②《白石老人自傳》第二六頁，人民美術出版社，一九六二年，北京。

③ 光緒《湘潭縣志》卷十。

④ 參見郎紹君《二十世紀中國畫家研究叢書·齊白石》，天津楊柳青書畫社，一九九五年，天津。

⑤ 參見郎紹君《二十世紀中國畫家研究叢書·齊白石》。另見《齊白石作品集·第一集繪畫》第四六圖；黎錦熙、齊良已編《齊白石作品選集》第三七圖。

⑥ 見齊白石《寄園日記》，河北美術出版社，一九八五年，石家莊。

⑦《白石老人自傳》稱"五出五歸"，是把最後兩次廣東之遊作一次算的。

⑧《白石老人自傳》第六十頁。

⑨ 見胡適、黎錦熙、鄧廣銘編《齊白石年譜》，第二二頁按語。

⑩ 參見郎紹君《二十世紀中國畫家研究叢書·齊白石》，天津楊柳青書畫社，一九九五年，天津。

⑪ 參見《白石自狀略》和《白石老人自傳》。

⑫《白石老人自傳》第六五頁。

⑬ 白石一九一九年閏七月十八日記："胡南湖見余畫籬豆一幅，喜極，正色曰：'君能送我，當報公以婢。'余即贈之，并作詩以記其事。"此婢即胡寶珠。見齊佛來《我的祖父白石老人》，西北大學出版社，一九八八年，第五頁。另見《自傳》記一九一九年事："不久，春君來京，給我聘到副室胡寶珠。"齊良遲《父親齊白石和我的藝術生涯》記：白石一九三三年刻"齊白石婦"印贈寶珠，邊款刻"寶珠，胡以茂女，重慶酆都人，湖北胡鄂公之母之義女也，年十八歸余……"可與上述諸記相印證。

⑭ 齊良遲《白石老人藝術生涯片斷》，見《白石老人自述》附錄，岳麓書社，一九八六年，長沙。

湘潭齊白石紀念館

一九八三年清明節，首都文藝界人士在湖南公墓爲齊白石掃墓

⑮參見本書第十卷《齊白石年表》。

⑯王森然《回憶齊白石先生》,見《美術論集》第一輯,人民美術出版社,一九八二年,北京。

⑰參見徐伯陽、金山編《徐悲鴻年譜》,臺灣藝術家出版社,一九九一年,臺北。

⑱參見郎紹君《二十世紀中國畫家研究叢書:齊白石》,天津楊柳青書畫社,一九九五年,天津。

⑲參見齊佛來《我的祖父白石老人》,西北大學出版社,一九八八年,西安。渺之《白石老人逸話》,香港上海書局,一九七三年,香港。

⑳齊良遲口述,盧節整理《父親齊白石和我的藝術生涯》,海潮出版社,一九九三年,北京。

㉑張次溪《齊白石的一生》,人民美術出版社,一九八九年,北京。

㉒參見齊良遲《父親齊白石和我的藝術生涯》附圖。

㉓由於世事變遷,齊白石還鄉的願望未能實現,寶珠最終葬於北京魏公村湖南公墓。

㉔另參見齊佛來《我的祖父白石老人》。

㉕齊良遲口述,盧節整理《父親齊白石和我的藝術生涯》。

㉖齊佛來《回憶周總理對先祖父齊白石的關懷》,見《我的祖父白石老人》附錄。

㉗郭味蕖《向杰出的人民藝術家白石老人學習》,《中國畫》,一九五八年,第二期。

㉘易恕孜《白石老人生平略記》;齊良憐《我的父親齊白石》,見《白石老人自述》附錄。岳麓書社,一九八六年,長沙。

㉙齊良已《父親畫的最後一幅畫》,見《湘潭文史資料》第三輯,湘潭政協文史資料委員會編,一九八四年,湘潭。

主要參考書:

《齊白石年譜》　胡適、黎錦熙、鄧廣銘編,商務印書館,一九四九年,上海。

《白石老人自傳》　齊璜口述,張次溪筆錄,人民美術出版社,一九六二年,北京。

《齊白石的一生》　張次溪著,人民美術出版社,一九八九年,北京。

《齊白石傳略》　龍龔著,人民美術出版社,一九五九年,北京。

《齊白石作品集‧第三集‧詩》　人民美術出版社,一九六三年,北京。

《我的祖父白石老人》　齊佛來著,西北大學出版社,一九八八年,西安。

齊白石早期的雕刻

一八八二年——一九〇二年

齊白石早期的雕刻

郎紹君

　　齊白石的藝術，大略可分爲四個階段：

早期(一八八二年——一九一八年，二十歲—五十六歲)；

中期(一九一九年——一九二八年，五十七歲—六十六歲)；

盛期(一九二九年——一九四八年，六十七歲—八十八歲)；

晚期(一九四九年——一九五七年，八十九歲—九十七歲)。

　　早期齊白石藝術，又可分爲三個階段：

一、一八八二年——一九〇二年(二十歲—四十歲)，作雕花木匠和民間畫家時期；

二、一九〇二年——一九〇九年(四十歲—四十七歲)，遠遊時期；

三、一九〇九年——一九一八年(四十七歲—五十六歲)，居家鑽研詩文書畫時期。

　　他做雕刻，主要在二十歲至二十七歲間作雕花木匠時期。這一時期的作品，歷來不被人重視，有意識保留下來的極少。對其雕刻作品的自覺搜求，始於齊白石誕生一百二十周年前夕。六十年代後期，湖南省博物館僅收藏他的一件八仙屛(現衹餘三扇)。成立於八十年代初的湘潭"齊白石紀念館"，搜集了四架雕花木床，一個立式兩層櫃櫥，一個雕刻人物工具箱，一個雕刻人物臉盆架，兩座石雕小屛。湘潭和長沙私人手裏也有一些竹、木、石雕刻作品。近十年來，有名號刻款或被稱爲白石雕刻的作品時有出現。這些，對研究齊白石早期雕刻提供了基本的前提和對象。但所有這些作品，都面臨判斷真僞、尋找證據的問題。

記述・藏品・工具箱

　　迄今所知齊白石木匠生涯和木雕藝術的文字記載，主要還是張次溪筆錄的《白石老人自傳》。它告訴我們，齊白石十五歲學"粗木作"(蓋房架樑之類粗木匠活)，十六歲至十九歲學"細木作"(雕花手藝)。出師不久就追求師承之外的新創造。

　　那時雕花匠所雕的花樣,差不多都是千篇一律。祖師傳
下來的一種花籃形式,更是陳陳相因,人家看得很熟。雕的人
物,也無非是些麒麟送子、狀元及第等一類東西。我以為這
些老一套的玩藝兒,雕來雕去,雕個沒完,終究人要看得膩煩
的。我就想法換個樣子,在花籃上面,加些葡萄石榴桃梅李杏
等果子,或牡丹芍藥梅蘭竹菊等花木。人物從綉像小說的插
圖裏摹出來,都是些歷史故事。還搬用我平時畫的飛禽走獸、
草木魚蟲,加些布景,構成圖稿。我運用腦子裏所想到的,造
出許多新的花樣,雕成之後,果然人都誇獎說好。我高興極
了,益發的大膽創造起來。

——《白石老人自傳》第二三——二四頁

　　齊白石二十歲時,影勾了一部《芥子園畫譜》,爾後的雕花木活便用
畫譜作根據,花樣更多了。約從十九歲到二十七歲,他走村串戶,做了
大量雕花作品。可惜這些不能像繪畫那樣留下款識的雕刻木器,歷經
無數次戰亂與變革後,大都毀失或無從查尋了。
　　與齊白石有特殊親密關係的胡龍龔記述說:

　　十年的木工,出自師徒合作或齊白石一人之手的活計究
竟有多少,藝術家自己也計算不出來了。而得意之作,在藝術
家的記憶裏却淡忘不下。他在譚家壪留下了一張"滴水"式嫁
床,在賴家壪留一張"出半步"式嫁床,在獅灣留下了一張香
案,在中路鋪留下了一乘花轎。花轎雕的是"劉備招親"的故
事,師徒各作一邊。這些,都是藝術家在家人父子的天倫樂叙
中常常提到的。那乘花轎經過一九四三年日本侵略者的浩
劫,現在已經找不到了。前面雕成虎爪、正面雕有人物的香
案,聽說解放後還擺在白石鋪南二里許的獅灣儺神廟;"滴水"
式床保存在一個姓李的中學教師家中。這些,都是藝術家木
工時代最好的紀念品。

——《齊白石傳略》第一二——一三頁,人民美術出版社,一九五九年,北京。

　　三十年後,筆者在白石之孫齊金平先生的幫助下,根據胡龍龔所述

工具箱

的綫索到湘潭農村查尋，俱已杳無踪迹。當地人説，經過"文革"，這些東西已不知去向。湘潭齊白石紀念館收集的雕花床等，均非龍龔所記述者。其中四張床均雕有人物故事，但藝術風格和雕刻手法差異很大，如有的人物造型修長，有的則短而粗；有的頗有文人意趣，有的充滿民間俗味；有的細碎繁瑣，有的概括簡約等等。這種差異，是由於齊白石木雕風格幾經變化，還是因爲它們原本就不是出自一人之手？據收集這些雕刻品的主要經手人齊金平介紹，他確認它們爲齊白石之作的依據，一是老人們的口頭傳述；二是出自齊白石親友的家庭；三是它們"雕得很不錯"。應該説，前二條可以幫助真僞的察考，但不能作爲真僞判斷的憑據。我們還要尋找有助於進行鑒別的其它方法與證據。

在上述雕刻作品中，有一件可靠程度較高的雕花工具箱。長三五·四厘米，寬二二厘米，高二八·五厘米。頂部提手雕成龍形，正面有四層抽屜。箱四面涂黑、紅、黃三色漆，其中黑爲底色，紅爲雕刻紋飾之底色，黃爲雕刻紋飾本色。箱兩側雕有雲龍紋圍繞的吉祥人物（"狀元及第"等），每側的四角刻雄獅。圖像均以平刀爲主，總體爲薄肉雕；人物爲古裝立像，正面或正面頭側面身，顧盼生動。頭的比例稍大，臉方而寬，雕刻行刀呈斜勢，面部略見高低變化。從形制、結構與大小可知，此箱適宜盛放較小的工具——如小雕刻刀和畫具。據齊金平講，這個工具箱是他爺爺齊白石之物，原放在借山館家中，後來因避亂藏到紫荆山一個親戚處（齊子貞岳丈家），齊金平在二十歲左右（四十年代），轉放於紫荆山附近他姐姐齊祖珠（亦寫作走珠）家。爲證實工具箱的來歷，筆者於一九九四年一月到湘潭花橋謝家冲，訪問了年逾八旬的齊走珠和她的家人。她和家人告訴我，這件工具箱在送紀念館前一直存放她家，孩子們幼時還用它盛過書。從齊走珠姐弟的證詞，可以確認工具箱來歷的可靠性。那麼，齊白石所用的木雕工具箱，是不是別人雕刻的？按常理和齊白石的個性言，似不大可能。一九〇六年，早就"弃斧斤"當了畫家的齊白石置買茹家冲的房子後，還是自己做傢具（參見齊佛來：《我的祖父白石老人》），做木匠或剛做畫匠時的齊白石不大可能請別人爲他雕製工具箱。因此，我傾向於肯定這件工具箱是件真品。

如果工具箱没有疑問，我們就可以將它作爲齊白石雕刻的一種風格依據，對其它被認爲是齊白石雕刻的作品進行一番衡量：凡與它的風格很相似，又有一定來歷根據的作品，有可能出自齊白石之手。但我們亦不能把异於工具箱雕刻風格的作品一概排除在外。因爲工具箱祇能代表一時的風格，不能代表早於或晚於它的風格。對這些雕刻作品，還需從多方面考察、鑒別和求證。

雕花床

　　湘潭齊白石紀念館所藏四張雕花床中，一號雕床與工具箱的雕刻風格較爲接近。此床原屬白石好友黎松安六兒媳娘家符某，相傳爲齊白石作品。後輾轉到茶恩寺朱冬竹家，經齊金平調查訪問，購爲館藏。此床爲樟木，塗紅、黃、黑三色，人物造型矮短，頭大，臉方而寬。面部有凸面的前后變化，以簡練的陰綫刻衣紋，這些方面，都與工具箱雕刻相似。床楣（即上檐）共三組人物，以兩組獅子滾綉球相間隔。中間一組是刻有飛檐、燈籠、柱子的廳堂景象，廳裏共有十一人，坐在中心位置的是兩位老者，男的戴王冠，捋長髯；女的戴鳳冠。他們的兩側站立着戴冠男子與着長裙的女子，各作交談、問候諸狀。最前面兩人正對着兩老者，女的低首拱手，似在向戴王冠者拜問，男的無鬚，應是一青年人。整個構圖安排右七人，左六人，均衡而不對稱，秩序井然却并不呆板。從畫中情節和主要人物衣冠判斷，應是“郭子儀作壽圖”，戴王冠者爲汾陽王郭子儀，鳳冠者爲老夫人，前邊拜問之女，則是他們的兒媳升平公主。

　　另兩組人物，布置在園林之中，園中有山石、松樹、水塘。每組三人，均居畫面右側，作行走交談狀。其中一組有頭部殘毀者，另一組雕一醉酒後步履蹣跚的老者，兩童子攙扶，情態生動。這張床明顯的可疑之點，是床體的鏤空花紋很細很薄，好像是鋼絲鋸所鏤。據當地人講，白石當木匠時，尚無這種鋼絲鋸。對此，還有待進一步考察。

　　二號雕床原出自湘潭熊家橋劉家冲村，原主名劉振科。據齊金平介紹，齊白石年輕時在劉家做雕花木活而相識，後來遂有交往。一九〇六年齊白石所置茹家冲的宅第和二十畝水田，便購自劉家。金平聽他祖母說，茹家冲房宅鬧過鬼，有個大蜈蚣與雷公打架，蜈蚣上山時，把一塊菜地都壓光了。後來把門窗改了一下，唱了七天皮影戲，作了一篇告文，纔没事了。這個故事對齊金平印象很深，他在尋訪過程中格外注意劉家遺物，聞說此床爲他爺爺所作，從而購得。

　　這張床藝術上的特色遠比一號床值得注意。在整體設計上，它上有探出的外檐，下有與床體相配的踏板。檐下的楣面上刻三組置於山水景物中的人物。中間一組描繪四人，主要人物爲一戴冠、着長裙、手持蓮花的高大女子，她衣帶飄舉，回頭欲言。她的左面是一携童子的側背面老者，似乎在聆聽她的話。她右面坐一抱花女童。有人說此圖描

雕花床一號床楣（局部）

雕花床一號床屏（局部）

雕花床二號床屏（局部）

雕花床二號床楣（局部）

繪的是"麻姑獻壽"，但從人物的衣扮、情態似又不像，暫且存疑。床楣右側一組是"漁樵圖"，刻畫一扛杠樵者在與一漁翁對話。漁翁一手持竿，另一手比劃着。他的後面，是一半側面抱漁簍的童子。樵、漁均打赤腳，腳趾均清晰刻出。床楣左側爲"耕讀圖"，描寫一老書生携一書童，正和一扶鋤而立的老農對話。老農戴草帽，赤腳，挽着褲管，正注視着書童。書童背着書，略彎腰作問狀。他後面的書生戴方帽，着素衣，一手持羽扇，文質彬彬。三組作品的人物比例恰當，動態富於生活氣息，多有生動精緻的細部刻畫。衣褶的飄動，既有真實感又不乏韻律。布景構圖、遠近空間的處理、樹石的造型、向背變化等，可約略看出《芥子園》程式的意味甚至筆法感，極富繪畫性。最精彩的是左右床屏上兩幅小畫面：一爲"司馬光砸缸"，一爲"牧牛圖"。"司馬光砸缸"描寫缸破水流，被救小朋友和司馬光高興相見的情景，在很小的尺幅上把人物表情刻畫得如此傳神，非有相當的繪畫技巧不能臻於此境。"牧牛圖"描寫一老人一小兒，在隔岸觀看吹笛的牧童。悠然自得的老牛駄着背向觀衆的牧童，又有近岸遠山、小橋流水相配，頗顯雕刻者的匠心。

這張床與工具箱的造型與雕刻風格有一定距離。我們無法拿它和工具箱相印證。但它的鮮明的繪畫性表明作者對繪畫特別是文人趣味的山水畫相當熟悉，而這正與齊白石當年的情況相合：他從二十歲臨摹了一套《芥子園畫譜》之後，就開始有意識地把《芥子園》的繪畫程式和文人意趣帶入雕刻之中。《白石老人自傳》第二十五頁記述他用半年時間影勾了一套《芥子園畫譜》，釘成十六本，然後說："從此，我做雕花木活，就用《芥子園畫譜》做根據，花樣既推陳出新，不是死板板的老一套，畫也合乎規格，沒有不勻稱的毛病了。"白石十九歲出師，二十歲就有《芥子園》做根據，他的木雕風格和出新樣式，與《芥子園》有直接的關係。由此推斷這件作品可能出自齊白石之手，并非捕風捉影。"漁樵耕讀"、"司馬光砸缸"、"牧牛圖"這樣的題材，在民間繪畫（如年畫）中雖不鮮見，但能有這樣的文人氣息者却較少。從藝術的成就看，如果它確爲齊白石之作，當是木匠後期（約二十五歲後）所雕。

三號雕床（湘潭畫家莫鴻勛收藏），原出自齊白石出生地杏子塢乾塘周文財家。乾塘與星斗塘僅數百步之隔，從白石老屋後面的坡上可以清楚地看到周家場院和門窗。齊金平說，他祖父的一個妹妹嫁到周家，兩家是親戚。齊氏族譜白石專集記：白石父母（萬秉與周氏）生六男二女，其中長女適周姓。周文財雖不是白石長妹的直系親屬，但爲很近的宗親。筆者在一九九〇年作調查時，曾去星斗塘，并到周家看了這張

雕花床三號床楣（局部）

雕床。齊白石的侄媳(五弟純雋的兒媳,現住白石老屋)和周文財的後人周春元都聽長輩説過,此床是白石所雕。它的特殊處,是木質堅硬,素面無漆色(似爲楠木)。此床的人物造型略短矮,與工具箱的雕刻風格近似。

雕花床三號床屏(局部)

三號床楣檐爲一風俗題材。中間廳堂中,挂一匾額,上寫"滿堂福"三字。廳堂中坐二老人對飲,男的一手捋鬚,一手舉杯;女的雙手捧杯,夫婦相敬如賓。兩邊有子女侍立,廳堂兩側有亭,亭邊有男子對談。廳堂外,對稱布置着亭閣與石橋。右邊眾孩童舉着燈籠,敲鑼打鼓走向橋頭,橋上有吹嗩吶、敲鑼、放鞭炮者。左邊又有舉燈、放炮、敲鑼者與獅子耍綉球……兩側床屏均爲可以拆卸的鏤空和半鏤空的透雕。每個床屏的雕刻圖像都分爲兩層,中間以窗孔相隔。上部雕放風箏;下部分別雕二組人物:騎木馬、舉扇者及騎木獅、舉扇者。他們從兩側涌向石橋。後面有園木、石階,池中有游魚。湘潭縣志載,湘潭地區年節和元宵節期間有耍龍燈、舞獅及競花鳥魚蟲各式燈籠的習俗,如當地俗諺所云:"三十晚上火,元宵夜裏燈"。據湘潭朋友講,三號床所雕場面與本地元宵節鬧龍燈的習俗幾乎一樣。騎木馬、木獅、耍燈、放風箏,表達人們新春的歡樂和他們對一年風調雨順的祝禱。這一風俗性的雕刻,具有很高的創意性。

三號雕床保存完好,人物身軀和面部有明顯的體積感。鼻子能分出正、側三個面,臉部塊面分明,且留有方硬的刀痕。刀法粗闊、簡練,不作細小處的修飾,沉雄爽利,落落大方。衣紋處理不同於一般陰刻綫——大衣褶都雕兩個斜面,斜面的寬窄依結構和形式而不同。小衣紋多一面直刀,一面斜刀,形成轉折透視效果。整個作品綫面組織合理,繁複而有韵律,裝飾性很强,但毫不拘謹。

木屏·石屏及其他竹木石雕

湖南省博物館藏木雕八仙屏風,被認爲是齊白石作品。原爲六扇,失三扇。每扇六〇×一四五厘米。爲窗式透雕,現存三扇中,一雕藍采和,一雕何仙姑,一雕韓湘子和曹國舅。各扇屏風均有外框,與外框連接的是窗格式裝飾,中心纔是鏤空雲水紋上的八仙人物。人物造型較爲寫實,比例適中而略矮,頭稍大,臉形近方,與三號雕床相似,但刀法不同:前者平,后者圓。面部爲半浮雕,額高出。手刻得很細秀。衣紋有薄肉雕,也有凹下去的,頗見立體感。綫條流暢圓轉,姿態生動

雕花石屏

雕花石屏背面

但并不誇張。最值得注意者,是何仙姑的頭髮形式,幾乎與齊白石一九〇六年所畫《賜桃圖》(遼寧博物館藏)完全相同。這也許不是偶然的。

據湘潭原文聯主席陽光對筆者講,湖南省博物館這三扇雕屏是他在一九五〇年收集送去的,原爲胡沁園後人胡繼谷家之物。共爲六扇,拿到省博四扇(後來,省博物館在一次赴京展覽後,失去一扇)。陽光與胡沁園家是親戚(他過繼給伯父,而伯母是胡家女兒),與胡家多有來往,他的先人和他自己都喜歡收藏。他認爲"八仙屏風"是齊白石作品,根據有二:一是出自與齊白石有深刻淵源的胡家;二是認爲作品結構、刀法與齊白石藝術氣質相近。

湘潭齊白石紀念館藏兩座石雕小屏風。高約四十厘米,是置於案頭觀賞用的。兩座屏風均用紫色石料,刻浮雕花鳥,异常生動精緻。一座祇刻梅花,老幹與新枝、花朵與蓓蕾相互映襯。另一座雕梅竹,描繪一枝新梅從老幹上生出,在一叢翠竹的映襯下折曲向上;開花的枝頭上,正立一喜鵲,應是取"喜上眉梢"的喻意。整個浮雕極似繪畫:造型真實,質感很强,層次分明,平滑的石底宛如紙絹。在此圖的背面,有齊白石鏨刻的款題:

> 湘綺師　莞爾
> 獨不善點金,慣喜攻頑碣。
> 花鳥識天機,阿芝何太拙。
> 弟子瀕生刻,光緒二十九年癸卯冬。

一九〇二年十月他第一次遠遊西安,一九〇三年(即光緒二十九年)六月返家。直到一九〇四年春,他恰好在湘潭。從款題知道這是他送王湘綺的。雖然在這時期白石早已"弃斧斤",靠賣畫爲生,也還是雕刻些作品(他六十歲後還刻過墓碑)。這兩件石雕小屏,最初也是陽光收捐的。尤其是後一件,從來歷、畫面作風和刻題幾方面看,都較爲可靠,應是齊白石的作品。

陽光藏一方端硯,雕成荷葉形。將不規則的硯石邊沿刻成捲葉形,又把捲出的部分刻上筋脉,硯石就成了活生生的荷葉。陽光介紹,這方硯是郭人彰之子郭小石送他的,郭說端石是白石應他父親之邀遠遊廣東肇慶時帶回來的,自己刻成荷花硯。郭小石與齊白石三子齊子如極爲要好,又是白石喜歡的弟子。白石以此硯相贈,希望他學好書畫。

湘潭原文聯副主席歐陽濂藏一楚石硯,四〇×三三厘米,也雕作荷葉形，但石質薄而粗，雕刻風格也相對粗樸隨意。此物是胡沁園後人所贈。楚石乃湘潭當地的一種石料，齊白石一八九六年向黎鐵安請教篆刻，鐵安説：“南泉冲的楚石，有的是，你挑一擔回家去，隨刻隨磨，你要刻滿三四個點心盒，都成了石漿，那就刻得好了。”（《白石老人自傳》）南泉冲恰是白石好友黎丹家在地，白石任社長的龍山詩社就一度設在黎家。他聽了鐵安的話，曾用楚石練習篆刻（見齊佛來：《我的祖父白石老人》，西北大學出版社，一九八八年）。此硯背面有刻款：“丙子六月，沁公夫子寶，門人璜贈”。查丙子或爲一八七六年（白石十四歲）或爲一九三六年（白石七十四歲）。他十四歲還未學木匠，更不識胡沁園；七十四歲他在北京，胡沁園已逝世二十四年。如果是造假，似不會造出如此荒唐的年款。有可能是齊白石刻錯了年款，如把“丙申”（一八九六年，三十四歲）、“丙午”（一九〇六年，四十四歲）刻成“丙子”。其中以“丙申”的可能性最大。因爲在丙申年他與胡沁園接觸最多，那時他家境貧苦，没錢買精緻禮物贈老師，用一塊楚石親自刻硯相送，既節省，又不俗。這一年之前，他開始自學篆刻，也正是這一年，黎鐵安勸他用楚石學刻章。胡沁園書房取名“藕花吟館”，此硯刻成蓮葉狀，也許并非巧合（參見郎紹君《齊白石》，天津楊柳青書畫社，一九九五年）。不過，這方硯石的另一可疑之處，是刻款“沁園夫子寶”——送恩師一個自雕的粗硯而要求“寶”之，是不恰當的。

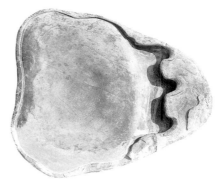

荷葉形楚石硯

荷葉形楚石硯背面

有兩件竹根人物雕均爲私人收藏。竹根雕之一，三四×一四厘米，刻有“福星高照”和“光緒壬午齊純芝製”款。雕一長鬚老人，戴方冠，雙手抱物，騎在一隻鹿上。頭碩大而手小，但小鹿腿部却很粗壯，老人露齒而笑，但不夠自然。衣紋死板，缺乏體積感，藝術水準不高。“光緒壬午”爲一八八二年，齊白石二十歲，學木匠剛出師，此或爲他初出茅廬之作。竹根雕之二是藏者於一九九五年在湘潭收購的，高四一厘米，寬一五厘米，厚一二厘米。刻一老壽星，側身騎鹿，一手持龍頭杖，一手抱壽桃。身體中部橫向衣紋三褶，腿部衣紋亦三褶。從正面看人物，鹿作回視狀。壽星頭戴雙層褶巾，披於肩上，後背束一腰帶。腿的結構清晰，四蹄落在第一節竹的結節處，形成一圓托。寬衣博袖，長鬚拂胸，笑容可掬。它也具有一般民間藝術的程式化特點，但結構感很强，凹凸起伏大，輪廓清晰，多平刀，轉折多方，與三號雕床刀法相近。刻款是：“醒吾長壽，光緒甲午，白石山人拜。”光緒甲午是一八九四年，齊白石三十二歲，醒吾即羅醒吾，胡沁園的侄婿，齊白石好友之一。這年，白石另一好友王訓組織的“龍山詩社”就設在白泉棠花村羅醒吾家。壽星像與上述

小開片蜘蛛盤

竹刻筆筒

老人像出於同一模式,所用材質相同。但製作時間相距十二年,藝術水準也高下懸殊,這與齊白石學習雕刻繪畫的歷程正大體相合。

某私人還藏了一個小開片的瓷盤,盤中刻一形神兼具的蜘蛛。此物原爲胡沁園四代後人胡光斗家藏,光斗祖母黎氏稱,盤中蜘蛛係齊白石爲其公公胡沁園所刻。白石畫蜘蛛,目前所見最早的是榮寶齋所藏一册頁(約一九〇〇年前後)之工筆水墨蜘蛛(見本卷三十五圖),與此刻略似,祇是多兩隻脚。此盤的妙處,是利用瓷盤的開片紋,造成蜘蛛網的感覺,頗表現作者的巧思。

長沙某私人藏一對六角木胎刻漆筆筒,二七·五×一一·五厘米。每一隻都刻一松一鶴,兩相對稱。除鶴尾外,都是銳利、熟練的陰緣。構圖、筆法頗具文人情趣,而不似一般民間藝人作品。上款爲“湘綺夫子大人雅命”,下款爲“門人齊璜”,字爲典型的何紹基行書體。從一八八九年至一九〇三年,齊白石書法專學何紹基,這一時期繪畫題款的何體字,與此刻中的字幾乎完全一樣。白石拜師王湘綺是一八九九年三十七歲時,這兩件筆筒,當刻於一八九九至一九〇二年之間。

長沙李立也藏有一對筆筒,楠竹,高二八·三厘米,直徑一一·八厘米,周長三五·五厘米。上刻梅花,有“齊璜”(楷體)刻印,及“時在庚子孟冬以應希哲老先生雅玩,胡立三題,齊璜製於借山吟館”款題。庚子爲一九〇〇年,這一年齊白石典租了梅公祠的房屋,蓋了“借山吟館”。胡立三是胡沁園的侄子,“龍山詩社”的“七子”之一。

此外,紀念館還藏有一具木雕臉盆架,也是從胡沁園後人處收集來的,相傳爲齊白石刻製。

十數年的木匠雕刻生涯,對齊白石藝術產生的影響,大略有如下幾方面:第一,熟悉了民間傳統題材、形式與精神,爲他革新傳統繪畫,把民間藝術與文人藝術結合起來奠定了基礎。第二,鍛煉了藝術思維能力、構圖能力和造型能力。第三,培養了對空間、體積、材質、情調和風格的感受力;第四,養成了選擇簡潔強烈色彩的習慣,這對他後來的大寫意花卉應有一定影響。第五,長期操刀刻木,鍛煉了臂力、腕力和手指的靈活性,這對他的篆刻風格產生了某種作用。

一九九六年四月十六日

齊白石早期的繪畫

一八九二年——一九一八年

齊白石早期的繪畫

郎紹君

　　齊白石是大器晚成的畫家。他學畫晚,藝術上涉獵的面又廣,故其早期(由初學到初步成熟),用了三十多年時間。這三十多年,可分爲幾個階段:

　　一、木匠兼畫匠時期(二十歲—二十七歲)

　　二、民間與地方畫家時期(二十七歲—四十歲)

　　三、遠遊時期(四十歲—四十七歲)

　　四、幽居時期(四十七歲—五十六歲)

　　齊白石早期的繪畫,雖然時間跨度很大,留下的可靠作品却不多。原因是:一、許多作品没有款識;二、缺乏穩定而成熟的風格;三、多數畫作祇在湘潭農村流行,保存下來的少;四、不大被收藏家和博物館看重,缺乏徵集與搜求。在已出版的各種齊白石畫册中,早期作品所占的比例極小。除少數作品(如《石門二十四景》中的個別作品)外,人們所熟悉的,祇是齊白石成熟期的面貌。本集收錄的近二百件作品,是對早年作品首次集中的展示。

　　瞭解與研究早期作品,面對的主要問題是:真僞、年代、師承、風格演變,相關的人物事件和背景。在此基礎上,就可以看清楚它的面貌,并理出一個明晰的脉絡。

木匠兼畫匠時期 (一八八二年——八八九年)

　　齊白石八歲讀蒙館時,開始作畫。《自傳》說,他畫的第一張作品是從門上拓摹的雷公像,并由此產生了興趣,常撕了寫字的描紅紙和舊賬本畫些常見的人物、動物和花木。"最先畫的是星斗塘常見的一位釣魚老頭,畫了多少遍,把他的面貌身形,都畫得很像。接着又畫了花卉、草木、飛禽、走獸、蟲魚等等。"[①]

　　白石十六歲—十九歲學雕花木活。作三度空間的雕刻,須首先會畫平面圖樣，因此幾年的雕刻學徒，也培養了一定的繪畫能力。《自傳》說，他十九歲時勾摹過綉像小説的插圖，還搬用"平日常畫的飛禽走獸、草木蟲魚"，表明他經常學畫、作畫。二十歲時(一八八二年)，他得到一部乾隆版彩印的《芥子園畫譜》，用半年時間勾影描繪下來，作爲參照的樣本。他說：

> 有了這部畫譜，好像是撿到了一件寶貝，就想從頭學起，臨它幾十幅。
>
> ——《白石老人自傳》第二五頁，人民美術出版社，一九六二年，北京。

> 從此，我做雕花木活，就用《芥子園畫譜》作根據，花樣既推陳出新，不是死板板的老一套，畫也合乎規格，沒有不相匀稱的毛病了。
>
> ——同上，第二五頁。
>
> 我自有了一部自己勾影出來的《芥子園畫譜》，翻來覆去臨摹了好幾遍，畫稿積存了不少。
>
> ——同上，第二六頁。

> 但是我畫人物，却喜歡畫古裝，這是《芥子園畫譜》裏有的……我的畫在鄉里出了點名，來請我畫的，大部分是神像功對……有的畫成一團和氣，有的畫成滿臉煞氣。和氣好畫，可以采取《芥子園》的筆法。
>
> ——同上，第二七頁。

長沙某私人藏齊白石《芥子園畫譜》臨本十頁，其中有一篇題記：

> 昨從梅公祠徙來新居，檢視殘書舊稿時，見此毛邊紙手本，乃余未弃斧金(斤)時摺寫《芥子園畫傳》十六冊中選臨之謄本，凡八冊，計山水人物各二，花卉草蟲翎毛走獸各一，共百廿又八頁，所幸未為蟲鼠傷，此亦吾二十年常用之粉本也。撫今思昔，感觸良多，慨而為詩，故錄於二冊之後空頁中，曰：
>
> 丹毫鄉邑小名揚，却憶燃松製稿忙。
>
> 塗鴉貨得田和屋，果真鍋內煮文章。
>
> 齊璜補記於寄萍堂新居并題，時在光緒丙午年庚子月甲寅日。

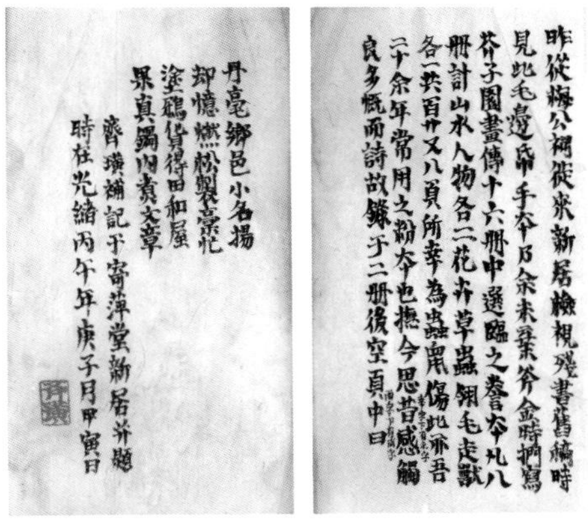

摹芥子園畫譜題記

選臨芥子園畫譜

題記所説事件(搬家、煮文章、未弃斧斤時臨《芥子園畫譜》等)、地名(梅公祠、寄萍堂)、時間(光緒丙午年庚子月甲寅日)與《白石老人自傳》、胡適等編《齊白石年譜》所記相符。文字口氣、書法風格亦與此一時期齊白石文字、書法相一致。所臨八張《芥子園畫譜》散頁,是十分精彩的乾隆版。這些都表明摹本散頁的可靠性。但畫稿用筆熟練精到,絕非初學繪畫者所能爲,應是一八八九年(二十七歲)後的臨本。所謂"選臨之謄本",至少是第三次臨本(全臨本—選臨本—選臨謄本)。至於題跋中所言"此亦余二十年常用之粉本也",似應理解爲對所臨《芥子園》的泛稱,二十年中"翻來覆去"臨,當然就有較晚的臨本。由這些散頁,可以看出齊白石對《芥子園》的重視程度,和他極其認真的學習態度。直到晚年,他有時還把這些臨本作爲創稿的基礎。

自從有了《芥子園畫譜》臨本,齊白石在做雕花木活的同時,也開始爲人作畫,并能得到一定報酬。《自傳》説:

> 我的畫在鄉里出了點名,來請我畫的,大部分是神像功對,少則四幅,多的有到二十幅的。畫的是玉皇、老君、財神、火神、竈君、閻王、龍王、靈官、雷公、電母、雨師、風伯、牛頭、馬面和四大金剛、哼哈二將之類。

這類神像功對大體畫到二十六歲,以後就不畫了(參見《自傳》)。龍龔記述説:

> 在晚年的回憶裏,他記得一些神像功對舊事。曾經替上寶山齊三道士畫過一堂寫意功對,風伯、雨師、雷公、電母、牛頭、馬面,加上玉皇大帝、四海龍王、騎牛老子,一共十二幅。此外,還畫過三隻眼的王元帥,全身鎧甲腳踏火輪的殷元帥。替化成庵佛像前畫的圍屏,題材是紫竹觀音現身,用功最多,因為那是母親許的願。
>
> 神像功對必須塑造臉型,《芥子園畫譜》解決不了這個問題。觀察和思考生長智慧,下筆之前,他常常借用面孔長得怪一些的熟人"救駕",少年同學實秋成道士就被他當作模特兒,上過好幾回像。

——《齊白石傳略》第一四—一五頁,人民美術出版社,一九五九年,北京。

這類爲當地道士、庵堂畫的神像，不可能被收藏家看重，加上百年來的戰亂和變遷，至今已很難尋到——迄今尚未發現有哪個博物館收藏了齊白石的這類作品。九十年代初，隨着民間收藏和藝術品市場的勃興，湖南等地開始出現印有齊白石早年圖章的神像畫、道場畫。迄今所見者，尚未能找到認定它們是出自齊白石之手的證據和理由。這裏所選的插圖，是清末民初湖南的民間道場畫，它們和齊白石當年畫的神像功對庶幾相近，以資參照而已。

民間與地方畫家時期（一八八九年－一九〇二年）

自一八八九年春，二十七歲的齊白石拜胡沁園爲師，放下了斧斤，專做民間畫師之後，他的繪畫也邁進了一個新的階段。在這前一年，即一八八八年，齊白石拜湘潭畫家蕭薌陔爲師學畫肖像。蕭名傳鑫，號薌陔，又號一拙子，湘潭朱亭花鈿人，紙扎匠出身，能詩，畫像稱“湘潭第一名手”，亦能畫山水人物，後到江西賣畫，客死南昌[②]。白石說，蕭薌陔不僅把自己的“拿手本領”都教給了他，還介紹他的朋友、肖像畫家文少可傳授了“得意手法”。白石正式爲人畫像，是在次年拜師胡沁園後。他把畫像看作一種掙錢吃飯的“手藝”，一開始攬活，“生意就很不錯”[③]。從二十七歲到三十二歲間（一八八九年－一八九四年），齊白石在家鄉杏子塢和韶塘一帶爲人畫像。湘俗，凡給活人畫像稱作“描容”或“小照”，爲死人畫像叫“描遺容”。那時，攝影尚不流行，畫像的需求量相當大。“有錢的人，在生前總要畫幾幅小照玩玩，死了也要畫一幅遺容，留作紀念”[④]。三十二歲以後，齊白石畫山水花鳥多了起來，但直至遠遊（一九〇二年，四十歲），始終沒有間斷畫像。這時期的畫像作品，目前能看到的有藏遼寧博物館的《黎夫人像》（約一八九五年）、《胡沁園五十歲像》（一八九六年）等。

《黎夫人像》（一二九×六九厘米），工筆重彩全身像。上有齊白石一九四六年在南京寫的題跋：

> 受降後二年丙戌冬初，兒輩良琨來金陵見予，出此像謂爲誰，問於予。曰：尊像乃翁少年時所畫，爲可共患難黎丹之母胡老夫人也。聞丹有後人，他日相逢，可歸之。亂離時遺失，

湖南民間道場畫

59

黎夫人像

沁園師母五十小像

可感也。八十六歲齊璜白石記。

黎丹(一八七三年——一九三八年)派名澤潤,字雨民,一字蕭山,湘潭皋山黎家後人,曾任青海省政府秘書長,南京政府監察委員。年輕時爲白石好友。他的父親黎錦緗在清末曾得到一品光禄大夫的官銜,舅父是齊白石的老師胡沁園。這就是説,黎夫人不僅是白石好友之母,也是他恩師的親姐妹。此畫經在遼寧博物館工作的胡文效(即龍龔,胡沁園之孫)之手(或過目)收藏,認爲是"約一八九五年"的作品。一八九五年,胡沁園四十九歲,黎雨民二十三歲,黎夫人與胡沁園年歲接近。所畫爲正面,全身冠帶整肅;朱袖和裙衣綉有雲龍紋,正是誥命夫人的朝服。頭微側,臉的邊緣及下部、唇、下頦和頸部等,以擦炭法畫出明暗,再罩以淡肉色,額、鼻梁和顴骨以上受光。這種畫法顯然來自西方素描,而非中國繪畫傳統。擦炭畫本來就是借鑒了西方素描方法摹擬照像效果的一種畫法,齊白石從蕭薌陔、文少可那裏所學的,應即此種方法。有意思的是,黎夫人的衣帽和環境,基本是以重彩方法:外輪廓用鐵綫勾,衣褶略染凹凸,不用綫描。敷彩濃艷,精緻地刻畫出綢緞布料的光澤、硬度及諸種綉紋裝飾。衣領和前胸的花紋,多以粉白在藍、紅、粉紅、黃、綠諸色上勾暈,對比强烈,渾似古建築的彩繪。地板上的紋飾亦大體是勾勒填色,雖比衣服略淡,仍鮮艷得有喧賓奪主之嫌。西式擦炭法、傳統勾勒填色法和强烈民間趣味的結合,構成這件作品的主要特色。

《白石老人自傳》説,他曾"琢磨出一種精細畫法,能夠在畫像的紗衣裏面,透現出袍褂上的團龍花紋",并被稱爲"絶技"。《黎夫人像》雖無紗衣,但有精細的團龍紋,這種"絶技"亦可略知。鄉村、城鎮的觀衆與顧主,大抵以真似精緻爲上。這種欣賞習慣,對齊白石藝術的影響,是深可注意的。

遼寧博物館藏《沁園師母五十小像》(六三·五×三七·七厘米),作於一九○一年(光緒辛丑),是博物館一九八二年從遼寧省文物商店購入的。款:"沁園師母五十歲小像,時辛丑四月,門人齊璜恭寫"。爲半身像,風格淡雅清秀,與富貴莊嚴的《黎夫人像》恰成對比。這首先是肖像主人公身分、個性和要求的結果,也與畫家的藝術處理有一定關係。從印刷品和照片看(筆者尚未見原作),這幅肖像略見以光影描繪體積的痕迹(如鼻子的刻畫),但總體上是勾勒渲染的傳統方法,面部渲以淡赭,衣紋大體是鐵綫,稍有頓挫,然後沿綫描加染淡墨。與《黎夫人像》

相較,《沁園師母五十小像》顯得文雅、文氣多了。這表明,齊白石作肖像畫,已考慮到不同的對象與要求,間用兩種不盡相同的方法。

除肖像外,白石還畫仕女、兒童、歷史人物、八仙、佛像等。龍襲說:"從一八八九年到一九〇一年,除了畫像,齊白石辛勤創作的畫幅,應該以千來計算。可惜經過灾荒、戰爭以及種種人事遷變,保存甚少。……在這一段時期,他的創作以花鳥爲最多,山水次之,人物又次之。"⑤目前所能見到的人物畫,不比山水、花鳥少,其中仕女尤多些。《自傳》說:

西施浣紗圖

> 那時我已并不專搞畫像,山水人物,花鳥草蟲,人家叫我畫的很多,送我的錢,也不比畫像少。尤其是仕女,幾乎三天兩朝有人要我畫的,我常給他們畫些西施、洛神之類。也有人點景要畫細緻的,像文姬歸漢、木蘭從軍等等。他們都說我畫得很美,開玩笑似的叫我"齊美人"。老實說,我那時畫的美人,論筆法,并不十分高明,不過鄉里人光知道表面好看,家鄉又沒有比我畫得更好的人,我就算獨步一時了。

麻姑進釀圖

本集所選,有《西施浣紗》、《麻姑進釀》、《紅綫盜盒》和《黛玉葬花》等。畫法大體可分爲工筆、寫意、半工寫三種,工者如首都博物館藏《西施浣紗》,以勾細的鐵綫勾勒,再染以淡色,一絲不苟;寫者如中央美院藏《麻姑進釀》、上海中國畫院藏《紅綫盜盒》,筆綫飛動而富於粗細變化,以没骨方法染雲霧,揮灑頗爲隨意;半工寫者如中國展覽中心藏《黛玉葬花》中的黛玉,其勾勒較爲粗樸古拙,着色相對自由,正介於前兩者之間。人物造型大體是程式化的:瓜子臉,柳葉眉,櫻桃小口,眼睛細秀,削肩,身形修長瘦弱,如龍襲所說"銳面削肩,頭大手小"⑥,與改琦、費曉樓開其先,流行於晚清畫壇的典型仕女形象頗爲相近。初學仕女畫的齊白石受到這種流行畫風的影響,是不奇怪的。總的看,像《西施浣紗》這樣的工筆作品拘謹,程式意味很重,似有所本;寫意作品雖也不免以《芥子園畫譜》爲本或略加改造,但畫法較爲自由,因此與齊白石個性也就更親近些。另一值得注意之處,是齊白石常常重複畫一個稿子,姿態、畫法大致相同的西施、紅綫、黛玉等等,多次出現——這種情況沿續到他的晚年。一般而言,這種重複不是爲了探索,而是賣畫的需要,且常與顧主的要求相關。在中國美術史上,這并非偶然現象。

中央美院藏《嬰戲圖》四條屏,是迄今所見此時期唯一的兒童題材作品,作於一八九七年(光緒丁酉)。人物勾勒淡染,不點景,衹畫與兒

黛玉葬花圖

嬰戲圖（局部）

張果老（八仙條屏之一）

壽字圖（字畫合一）

童相關的風箏、銅錢等。此屏所畫，衣紋結構與筆綫考究、熟練，具有很強的程式性，與白石其他作品大异，而與海上畫家錢慧安（一八三三年——一九一一年）作品中的兒童造型、畫法與風格頗似，應是齊白石仿摹錢氏之作。錢慧安曾爲楊柳青年畫創稿，其畫風在民間流傳較廣。

中國美術館藏歷史人物軸《東方朔》、《郭子儀》（董玉龍編《齊白石作品集》題爲"壽翁"），與浙江省博物館所藏《諸葛亮》，在尺寸、畫法、書法、印章風格幾方面都相同，應是同一條屏中的作品。人物依時代排列，應是東方朔、諸葛亮、郭子儀，尚有一件未知下落。"郭子儀"有上下款，乃最後一幅。此條屏作於一八九四年底（白石三十二歲），這一年，齊白石認識了黎松安，與朋友成立了"龍山詩社"。和上述仕女畫相比，此條屏的人物較矮短，筆綫更具寫意性，顯得稚拙生澀，缺少方法，但也沒有程式化的熟練。款題說此屏是"奉麥秋老伯大人之命"，即依題創稿，其與仿摹之作不同，是很自然的。

在湖南等地廣爲流行的神話題材，以"八仙"爲最。我們已在前面看到了傳爲齊白石的"八仙"木雕屏風。湘潭陽光藏《八仙》條屏（原爲八條，"文革"間被撕兩條），是流傳有序、可靠的齊白石早年繪畫。韓湘子條款題："漢亭仁兄大人雅屬，瀕生弟齊璜。"漢亭複姓歐陽，是陽光的本家，此屏後爲陽光的父親歐陽舜聰所得，傳至陽光。字爲仿何紹基行書，正是齊白石一八八九至一九〇三年間的字體。這套條屏，大體用半工寫畫法——頭部較爲工細，身軀和景物較爲粗放。頭與身的比例約爲一比四或五，比上述歷史人物更趨矮短。作品很注意眼睛的刻畫，何仙姑的側頭斜視，張果老的抬頭上望，李鐵拐的白眼翻看等，都有些誇張，顯得神氣十足。這種手法，在民間繪畫裏是常見的。浙江省博物館藏獨幅畫《李鐵拐》（一八九七年）描繪主人公半赤膊，睜大一隻眼向葫蘆裏看，其神態的誇張與上述條屏一脉相承，但李鐵拐的衣服、鬚鬢却有了很大變化。湖南省圖書館藏《壽字圖》，整幅畫是一個雙勾的"壽"字，"壽"字筆劃中又有山水、人物和禽鳥：八仙（祇畫了七仙）、仙鶴、松、石等，大約是取"群仙祝壽"之意。這種典型的民間形式繪畫，目前祇發現這一件。

齊白石畫山水，也始於二十歲時對《芥子園》的臨摹。拜師胡沁園後，胡把白石介紹給好友譚溥，令其從學山水。譚溥，字仲牧，號荔生，又作荔仙，別號甕塘居士，湘潭諸生，工詩善畫，著有《四照堂詩文集》，畫則以山水著稱。龍龔《齊白石傳略》附《譚溥山水》，冊頁，近景畫松、中遠景畫山、河水及小橋房舍等。勾描加淡渲，筆法柔弱鬆懈，可以看出是學王石谷一路畫風的。其縱向勾畫山石結構與輪廓時,多喜以排列的短橫綫與之相交,似點苔而頗爲呆板。齊白石此時期的山水作品,如《山水四屏》中的《綠杉野屋》(一八九七年,北京市文物公司藏)、《蔬香老圃圖》(一八九八年,遼寧博物館藏)等,與這一畫法頗相似,或與譚氏影響有關。龍龔還記述說,齊白石摹習過乾嘉年間湘潭地方畫家陳竹林(名筠山,一作筠仙,約一七三六年——一八二〇年間)的山水[7]。拜師胡沁園那年即一八八九年的冬天,齊白石曾作《琴書至樂圖》和《浮湘望岳圖》,胡龍龔寫道:

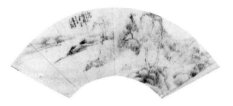

山水扇面

龍山七子圖

> 胡沁園在"題濱生《琴書至樂圖》詩"中說:"移石動雲根,綠竹半含籜。相對亦忘言,山村杏花落。"顯然,這是一幅以春末夏初的農村為題材的山水,他的功力,也被胡沁園誇獎為"已到雲林境"。《浮湘望岳圖》的經營位置,黎培鑾有詩說:"開圖睇視豁懷抱,飛湍怒擊蛟龍宮。遠峰突兀聳天半,波光倒暈殘霞紅……"
>
> ——《齊白石傳略》第二一頁,人民美術出版社,一九五九年,北京。

可惜這些作品都佚失了。

本書收入的《龍山七子圖》(一八九四年,私人藏)、《山水扇面》(一八九六年,湖南省博物館藏)、《綠杉野屋》(一八九七年,北京文物公司藏四條屏之一)、《蔬香老圃圖》(一八九八年,遼寧省博物館藏)、《烏巢圖》(一八九九年,中央美術學院陳列館藏)、《山水四條屏》(一九〇二年,中國嘉德公司一九九五春季拍賣品)等作品,大體可以依年代順序排列下來。天津藝術博物館所藏《山水三條屏》等,從風格判斷,也應是這一時期之作。《龍山七子圖》(一七九×九六厘米)是一件尺幅很大的作品,刻畫重巒叠嶂,山路蜿蜒,路間漫遊着七個着長袍、留長辮的人和兩個抱琴、酒的童子。山多作饅頭形,淡墨短筆披麻皴,近、中景松樹針葉密度相近,畫法單一,遠景小樹及點葉斜排齊整,少變化。唯點苔用重墨,但也列如雁形,與上述譚溥畫法略有所近。整體看,此圖并非源自寫生,而來自畫譜或當時流行的王石谷一路畫法。此圖題跋用何紹基體行書,與白石這一時期的書法相合。跋文與《白石老人自傳》所記"龍山七子"事略相一致:

龍山七子圖

小橋詩思

烏巢圖

七子者，真吾羅斌、醒吾羅羲、言川王訓、子詮譚道、西木胡栗、茯根陳節暨余也。甲午季春過訪時園，醒吾老兄出紙一幅，囑余繪圖，以紀其事。余亦局中人，不得置之度外，遂於酒後驅使山靈，爲點綴焉。濱生弟齊璜并識。

《齊白石作品集・第三集・詩》，有《步言川贈詩韵》注云："言川《龍山七子圖》，皆余繪"。陳建綱(陳茯根之孫)在《龍山七子之一陳茯根》一文中也提到，"當時白石善畫，還精心繪了一張《七子圖》，存在王仲言家。王去世後，其子王鐵夫珍藏多年，一九四四年湘潭淪陷後爲日寇掠去。"[⑧]王訓所藏《龍山七子圖》是此幅，還是另外一幅，不得而知。

湖南省博物館藏《山水扇面》(一八九六年)，大致用渴筆畫，蒼潤古雅，近於戴本孝一路畫風，在齊白石山水作品中極爲少見。此幅乃胡沁園命畫，很可能是摹仿某家的。《綠杉野屋》爲一八九七年齊白石畫寄黎鯨庵(時黎鯨庵在四川作官)的條屏之一，其它三條爲《瀛波帆影》、《江樹歸鴉》和《小橋詩思》，均爲水墨淡着色，布景荒疏，筆墨粗拙，但頗有生氣，畫草與點苔仍近於上述譚溥的方法。《蔬香老圃》截取山下一角，遠近松樹畫法與筆墨，與《龍山七子圖》、《綠杉野屋》等大體相近。《烏巢圖》(一八九九年)畫的是好友羅真吾、醒吾守孝的墓廬，全以水墨，景色平遠，已脱畫譜構圖程式，畫法以勾勒爲主，略加近於披麻的皴擦，風格素樸而簡潔。中國嘉德公司一九九五春季拍賣的《山水四條屏》(一九〇二年)原爲六條，是該年秋遠遊前夕爲他的朋友胡服鄒(亦寫作復初，即胡慎吾，號石庵，胡沁園本家)畫的，構圖還可看出畫譜的影響，勾勒重於皴染，比起《蔬香老圃》等作，筆法強勁有力多了。此外，《白石老人自述》說他一九〇〇年爲一個江西鹽商畫了《南岳全圖》，爲十二幅六尺中堂，"着色特別濃重……光是石綠一色，足足用了二斤"，這表明齊白石也畫青綠山水。

這一時期的花鳥畫，《自傳》祇是記述說胡沁園教他畫工筆花鳥草蟲，并常對他說："石要瘦，樹要曲，鳥要活，手要熟。立意、布局、用筆、設色，式式要有法度，處處要合規矩"(第三二頁)。龍龔記述說，齊白石除了向胡沁園學畫花鳥外，還臨習了胡家所藏書畫作品，其中對他有益的花鳥畫家是乾嘉年間的湘潭民間畫家王可山和胡何光昺。"王可山是湘潭南鄉人，以畫牛名重鄉里；胡何光昺(一七三六年——一七九七年)字文蔚，號旭齋，別號古月可人，工花鳥，尤其會畫喜鵲。"[⑨]本集所選此時期的二十餘件花鳥，大體作於一八九二年至一九〇二年間，可以看出，沒有很工細的，也沒有大寫意，多爲半工寫，即近於小寫意。從龍龔《齊白石傳略》附圖五"胡沁園花鳥"看，胡氏之作，花卉略近小寫意，鳥則極其工緻。此圖有齊白石甲寅年(一九一四年)題跋："沁園師花鳥工緻，余生平所學獨不能到，是可愧也。仙譜弟念先人遺迹，囑余記以存，尤可感耳。甲寅五月十日，公去已十二日矣。齊璜。"這裏所說他不能畫到沁園之工緻，似非謙詞——目前尚未見到他在這一時期所畫很工細的作品。一八九二年(三十歲，拜師胡沁園後三年)所畫《佛手花果》扇面，是迄今所見白石最早的花卉作品，以顏色和沒骨法爲主，兼用勾勒，應與胡氏畫法風格有較多聯繫。《柳牛圖》(約一八九五年)以墨筆寫意筆法畫兩條牛，一側臥，一背立，墨色飽滿而饒有神態，雖遠不及晚年畫牛筆墨之老練，却可看出彼此間的聯繫。在風格上，還能看出王可山畫牛的影子(參見《齊白石傳略》附圖三《王可山指畫牛》)。古月可人的畫，亦見於《齊白石傳略》附《梅花喜鵲》，是一種講究筆法與墨色濃淡的寫意畫風，似與揚州畫派有某種淵源。湖南省博物館藏《梅花喜鵲》、湖南省圖書圖藏《桂花喜鵲》(條屏之一)，從畫法、書法風格判斷也應屬齊白石這一時期之作，姿態生動，與古月可人之喜鵲在筆墨、造型諸方面確很相近。

　　除上述題材外，現存白石此時期作品，還畫有白頭翁、鴨、魚、蟹、雞、八哥、雁、虎、蜘蛛、荷、蘆、菊、天竹、松、桃花等。這表明，齊白石一開始學花鳥畫，題材就相當廣泛，這與他曾作過十年雕花木工有直接的關係。曾收入多部畫集的《鯉魚圖》，大約作於三十歲前後，是一件相當工緻的水墨作品(齊白石九十一歲時題說是他二十歲之作，不確，見本集該圖注)，畫法接近於水彩畫，不用綫描，祇以墨染畫，有一定光影，似乎借鑒了月份牌畫的方法。這類方法，在齊白石早年的肖像畫和工筆草蟲畫中(參見一九〇八年作《草蟲册》，本卷)，都不同程度出現過。

　　從有確切年代的作品《梅花天竹白頭翁》(一八九三年)、《三公百壽圖》(一八九六年)和《荷葉蓮蓬》(一九〇一年)，能夠清晰地看出齊白石花鳥畫的進步與變化。《梅花天竹白頭翁》鳥兒畫得很生動，但構圖較爲一般，用筆雖大膽，但還缺乏節奏與韵致。相隔三年後的《三公百壽圖》，在位置經營、形象塑造和用筆各方面都比前者完美：一株巨柏伸出畫面，枝葉復又折入，造成既富於動勢又含蓄的效果。三隻雞姿態各異，那隻占據畫面最大空間的紅頸黑羽公雞，挑戰欲鬥之情躍然紙上。作品構圖虛實得宜，筆墨沉着而有氣勢。齊白石說他自小就對農村的

佛手花果

柳牛圖

湖南民間畫家王可山指畫牛

三公百壽圖

荷葉蓮蓬

家禽鳥蟲作觀察寫生,并非虛言。《荷花蓮蓬》扇面是迄今所見最早仿八大的作品。齊白石藝術深受八大影響,但他最早摹習八大作品始於何時,尚不清楚。《白石老人自傳》第一次提及摹仿八大,是一九〇六年在廣東郭葆生處(第五六頁)。龍龔《齊白石傳略》在述及遠遊前在向湘潭幾位民間畫家學習之後,又說"在這個影響下,又進一步揣摩八大山人的作品,默識其形象用筆之妙,經過有意識地臨摹、領會,齊白石逐漸走上了'以我少少許,勝人多多許'的道路。"(第二三頁)龍龔這一叙述與判斷并無時間定語。但這幅《荷花蓮蓬》至少可以説明齊白石在遠遊前已熟悉八大山人及其作品,并作過臨摹。其跋曰:"辛丑五月,客郭武壯祠堂,獲觀八大山人真本,一時高興,仿於仙譜九弟之箑上。兄璜。"郭武壯祠堂是郭松林(郭人彰之父)的祠堂。在這裏偶然見到八大作品,却未帶紙,便摹畫在胡仙譜的扇子上。所畫一葉一蓮,神似八大。白石畫草蟲,《自傳》説始於兒時,二十七歲後又跟胡沁園學工筆草蟲。北京榮寶齋藏單開《蜘蛛》册頁,有白石庚午(一九三〇年)題:"余往時喜舊紙,或得不潔之紙,願畫工蟲藏之。今妙如女弟求畫工蟲,共尋六小頁爲贈,畫後三十年,白石。"依此推算,此蜘蛛約畫於一九〇〇年,是目前所見最早的工蟲了。

總起來説,齊白石在遠遊前的十四年中,雖偶爾也做雕花木活,主要是以畫謀生。作爲民間畫師,他的藝術活動主要是畫像,旁及人物、山水、花鳥;作爲地方畫家,他活動的範圍集中在湘潭地區。在畫畫的同時,他兼學詩文篆刻,朝着文人藝術家的目標前進。

遠遊時期(一九〇二—一九〇九)

從四十歲起,齊白石應朋友之約,用了八年時間遠遊西安、北京、南昌、桂林、廣州、欽州、東興、北海、香港、上海、蘇州,途經湖南、湖北、河南、陝西、河北、江西、安徽、江蘇、廣東、廣西等省,以及渤海、黃海、東海、南海。凡六出六歸,遊歷了許多名山大川、名勝古迹,結識了一些社會名流,畫了許多寫生、應酬畫和代筆畫,臨摹了不少私人收藏的名作,大大擴展了心胸與眼界,提高了修養,繪畫觀念和技巧也産生了深刻變化。《自傳》説:

那時,水陸交通很不方便,長途跋涉,走的非常之慢。我却趁此機會,添了不少畫料。每逢看到奇妙景物,我就畫上一幅。到此境界,才明白前人的畫譜,造意布局和山的皴法,都不是沒有根據的。

齊白石遠遊期間留下的畫作不多。其原因,一是輾轉途中之作,多有佚失;二是爲人代筆之作,都落別人名款(一九〇六年——九〇九年三次赴欽州,爲郭葆生作大量代筆畫);三是許多寫生畫稿,未能當正式作品保存下來;四是此時期他的藝術生路,主要靠刻印而非賣畫,因之作畫相對也少。

遠遊八年間,齊白石常常被各地的名勝古迹和山川景色所感動,畫山水的熱情空前高漲。《自傳》述及遠遊間畫稿時,提到的幾乎都是山水畫,如《洞庭看日》、《灞橋風雪》、《華山圖》、《獨秀山》、《綠天過客》、《小姑山》等。它們後來大都成爲《借山圖》組畫(一九一〇年)創作的根據,也成爲齊白石晚年山水畫題材與構圖的重要來源。但遠遊時期的畫稿缺乏流傳有序的收藏和系統整理,一些出版物在收入這類題材的作品時,不大注意創作年代的辨析,常把齊白石六十歲左右重畫的作品當作遠遊之作。這些畫稿,大都近於速寫,墨筆勾勒,粗放簡逸,很少着色,畫面上常有即時所題的説明文字。如《桂林畫稿》、《陽朔畫稿》(一九〇五年)、《寧波海灣畫稿》(約一九〇八年)等。這些畫稿,是瞭解齊白石藝術不可或缺的部分。譬如,《寧波畫稿》有這樣一段跋:

> 余近來畫山水之照,最喜一山一水,或一丘一壑。如刊印,當刊"一丘一壑"四字,或刊"一山一水"四字[⑩]。

齊白石中晚年的山水畫,大體依着這段題跋中的意思,不作山重水複、重巒叠嶂之景,而好作單純的一山一水。這些畫稿和題跋,對瞭解齊白石畫風的演變,有重要的意義。

《華山圖》(遼寧省博物館藏)無年款,但有白石題詩及"沁公夫子大人教"款和一首七律題詩。《自傳》五〇頁記一九〇三年三月他隨夏午詒一家進京,路過華陰縣,"登上萬歲樓,面對華山,看個盡興。……到晚晌,我點上燈,在燈下畫了一幅《華山圖》。"五三頁記他當年返家後,"胡沁園師見了我畫的《華山圖》,很爲賞識,贊不絕口,拿來一把團扇,叫我縮寫在他的扇面上,我就很經意的給他畫了。"此圖正是這個扇面縮寫本。作品構圖巧妙,祇取雲霧環繞的三個山峰,右下角畫樹木中的樓閣,山峰之高與樓閣之低形成强烈對比。作品延續了四十歲前以勾

山水團扇

華山圖

《獨秀峰圖》之一

《獨秀峰圖》之二

山水軸

勒爲主的畫法,筆綫略有粗細、濃淡的變化,樹的勾點,仍見《芥子園》式的法式,筆力較弱而有些瑣細呆板,遠未表現出華山壁立千仞的雄偉和石質的堅凝感。這表明,面對真山水,齊白石還缺乏充分的能力與辦法,筆墨仍較幼稚。

陝西省美協和中國美術館各藏一《獨秀峰圖》。前者純爲水墨,後者水墨淡色,都是送給朋友的。前幅較爲簡單,近於寫生;後幅有較多加工,稍見精緻,前幅可能略早於後幅。《自傳》所記最早的《獨秀峰圖》(一九〇六年春)會不會是這兩幅中的一幅?不大可能。齊白石畫稿一般祇備己用,送人或賣畫時總是根據畫稿重畫。不過,依風格畫法推斷,這兩件作品也應作於一九〇六年。

一九〇九年,齊白石第六次遠遊,春二月啓程,秋九月歸湘,在廣東欽州、東興等地久住,遊了香港、北海、肇慶、端溪、越南芒街,歸途中又在上海居月餘。在欽州作"畫幅、畫冊、畫扇約共二百五十餘紙"[11],但大多是爲郭人彰代筆。湖南省博物館藏《山水軸》,款題"璜,時己酉四月同客東興",是較爲罕見的作於東興的作品。從款題推測,此圖應有上款,在流傳過程中被截去了。此圖的特點是,景色平樸,已沒有畫譜程式痕迹,筆墨簡略而有力,已顯出個人風格的端倪。

遠遊時期的人物畫,較爲少見。有確切紀年的祇有《賜桃圖》和《戲嬰圖》(一九〇六年)等。《賜桃圖》是爲好友羅醒吾之父羅晉卿祝七十大壽之作[12],畫的是王母賜桃的傳說,取意吉祥長壽。大致用工筆方法,仕女仍可見清末流行的風貌。值得注意的是王母形象,癟嘴無牙,下頦外突,是根據生活中老嫗形象創造的,與一般仕女大相徑庭。畫雲霧則繼承了《紅綫盜盒》用過的圈圈式勾染之法[13]。

這時期留存下來的花鳥畫相對多些。《自傳》說,遠遊期間他臨摹過徐青藤、八大山人、金冬心等人的作品。黎錦熙、齊良已編《齊白石作品選集》(一九五九年,人民美術出版社,北京)第三七圖《臨八大鴨》,自題"年三十時臨八大山人本",誤。此圖實際是他一九〇四年四十二歲時,遊江西時臨摹的。《齊白石作品集·第一集·繪畫》中的《鴨圖》,是此圖的臨本,造型如出一轍。題曰:

往余遊江西,得見八大山人小冊畫雛鴨,臨之作爲粉本。丁巳家山兵亂,後於劫灰中尋得此稿。嘆朱君之苦心,雖後世之臨摹本,猶有鬼神呵護耶?今畫此幅,感而記之。寄萍堂上老人居京華。

68

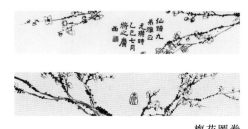

一九三五年,他背臨此《鴨圖》,并再一次提到,"余四十一歲時客南昌,於某舊家得見朱雪个小鴨子真本,勾摹之。"總之,齊白石所臨八大鴨圖,是遠遊南昌時的事,說"三十歲時臨",是他記錯了⑭。

齊白石最早臨金冬心的畫在何時,尚不得知。作於一九〇五年的《梅花圖卷》(遼寧省博物館藏,刊該館編《齊白石畫册》),所畫墨梅筆力沉靜,枯潤相間,風格近於金冬心,比他四十歲之前畫的花鳥少了外張之氣。這與他書法上的變化也有關係,自一九〇三年遊北京後,他開始寫《爨龍顔碑》⑮。《梅花圖卷》中的款題書法正源自此碑。

一九〇六年爲沁園師母畫的《花卉蟋蟀》(團扇,遼寧省博物館藏,見該館編《齊白石畫册》),没骨設色,工筆,頗似惲南田一派風格;綠葉紅花(似籬豆花),草地活蟲,安排得很統一,其中最見功力的是兩隻生動欲鬥欲跳的蟋蟀。張次溪《齊白石的一生》云:齊白石畫草蟲,"據別人說,是從長沙一位沈姓的老畫師處學來的。這位老畫師畫草蟲是特有的專長,生平絶藝,衹傳女兒,不傳旁人。他結識了老畫師的女兒,才得到了老畫師畫草蟲的底本。他的草蟲,後來就畫出了名,這大概是光緒二十五年(公元一八九九年己亥)的事。"⑯此說有待證實。近年發現一部二十四開草蟲册,從畫法、風格、款題及序言所述種種內容、用語習慣、作畫時間等各方面綜合判斷,爲真迹無疑。册頁最後有一篇長序,曰:

> 從師少小學雕蟲,弃鑿揮毫習畫蟲。
> 莫道野蟲皆俗陋,蟲入藤溪是雅君。
> 春蟲繞卉添春意,夏日蟲鳴覺夏濃。
> 唧唧秋蟲知多少,冬蟲藏在本草中。

煮畫多年,終少有成。曉霞峰前茹家冲內得置薄田微業,三湘四水,古邑潭州,飽(受)名師指點,詩書畫印自感益進。昔覺寫真古畫頗多失實,山野草蟲,余每每熟視細觀之,深不以古人之輕描淡寫爲然。嘗以斯意請教諸師友,皆深贊許之。遠遊歸來,日與諸友唱酬詩印,鮮有暇刻;夜談更闌,燃燈工寫,歷四月餘方成卅又八紙,今擇廿又四頁自釘成册。昔雖常作工寫,然多以之易炊矣,而未能呈册,此乃吾工寫之首次成册者也。乘興作八蟲歌紀之,是爲序。

工筆草蟲册題記

玉蘭蝴蝶(册頁之一)

光緒卅四年臘月廿二日子夜,齊璜呵凍自題。

由序文可知,此册作於光緒三十四年八至十二月間(公元一九〇八年九月——一九〇九年一月間)。據《自傳》述,齊白石一九〇八年秋間由廣東返湘。《寄園日記》記,一九〇九年夏曆二月再次赴廣東。這說明白石一九〇八年秋冬數月在家,與序文所記時間沒有矛盾。序與畫中款題均用金農體書寫,正是這一時期齊白石最常用的書體。所畫草蟲有蝴蝶、蜻蜓、蜻蛉、蟈蟈、蝗蟲、蚱蜢、蟋蟀、蟬、蟑螂、螻蛄、螳螂、蜘蛛、天牛、蛾、蟹等,配以竹、芙蓉、玉蘭、豆莢、荷、貝葉、水草、稻、葡萄及鹹蛋、燈盤等。草蟲和花卉等都形神逼肖,并略見明暗暈染法——直到二十年代初,其畫草蟲仍有這種畫法之痕迹[17]。

概而言之,齊白石此時期的寫意花鳥畫,形似、生動,筆墨服從於造型,個人風格尚不明顯。

幽居時期（一九一〇年－一九一八年）

從一九〇九年秋遠遊歸來,到一九一七年第三次到北京,約八年間,齊白石在新居茹家冲寄萍堂,專心讀書作畫,閑暇時養魚種花,挑菜掘笋,或與朋友們刻燭聯吟,詩酒唱和。心情與遠遊前、遠遊時都不一樣了。他已無衣食之虞,不再爲生計外出畫像,行踪也不那麼匆忙急迫了。他在消化遠遊收獲的同時,致力於對傳統的學習。畫的數量增加,留存下來的也較多。如若說從拜師胡沁園起,齊白石就開始了由民間藝人向文人藝術家的轉變,這轉變的完成則是在這八年。"夜讀百篇慚造士,春耕三畝亦農家","平生詩思鈍如鐵,斷句殘聯亦苦辛。"當時寫下的這些詩句,可以看出他亦士亦農的生活與情感。遠遊前,他與詩友相聚十分主動,并常有自愧之感;遠遊歸來後,與朋友相聚日少,有時竟"獨坐杜門,頗似古納"[18]。這時期"喜讀宋人的詩,愛他們清朗閑淡,和我的性情相近[19]。"這更像一個獨立的文人了。這時期的繪畫,以花鳥最多,人物和山水次之,日益逼近文人繪畫的筆墨、意境與格調,是它們的總趨向。

這時期的人物畫,留存下來的主要有兩種:肖像和仕女。遠遊以來,他不再以畫像作爲謀生手段,但朋友和親戚請他畫像時,也不推辭。《文勤公像》、《鄧有光像》、《胡沁園像》,所畫即均爲親友或師長。《文勤公像》有"庚戌秋日,湘潭齊璜敬摹"款,庚戌爲一九一〇年,與《自傳》所

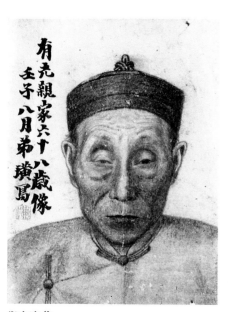

鄧有光像

説爲譚組安先人畫像的辛亥年相差一年,應是白石回憶時記錯了時間。
"文勤公"即組安之父譚鍾麟,曾任兩廣總督,一九〇五年逝世,謚"文
勤"。此像"敬摹"的顯然是照片,仍沿用擦炭畫的方法,神情與衣服質
感處理很精緻,是白石畫像作品中的上乘之作。《鄧有光像》尺幅很小
(二一×一五厘米),肖像主人公是齊白石的親家——他大女兒齊菊如
的公爹,一位農村醫生。面部結構清晰,擦炭加淡墨,畫風粗獷,從形象
刻畫及"有光親家六十八歲像,壬子八月弟璜寫"款推斷,應是寫生之
作。《胡沁園像》曾有人認爲作於齊白石二十七歲至三十二歲之間[20]。
胡沁園生於一八七四年,逝世於一九一四年,終年六十八歲。白石二十
七歲時,胡四十三歲,白石三十二歲時,胡也祇有四十七歲,與肖像中白
鬚拂胸、肌肉鬆弛、年近古稀的老人形象對不上。肖像應是胡沁園六十
歲後的"小照"。齊白石作此像,至少也應在他四十四歲(一九〇六年)
時,最可能是在他遠遊歸來即一九〇九年至一九一四年間(四十七—五
十二歲間)所作。此像的輪廓是用炭條輕輕勾出的,然後用炭粉擦畫面
部、五官結構與暗影,最後以淡墨罩染,看上去全如水墨畫一般。衣服
皺褶的深淺向背,富於真實感。畫法近於《文勤公像》而遠於《黎夫人
像》和《鄧有光像》,很可能也是根據照片畫出的。

　　這時期的仕女畫大致有兩種風格,一種如《采藥仙女》、《散花圖》
等,仍沿着從芥子園畫本和改琦式晚清仕女畫風略加變异的路徑,筆綫
有粗細,多折曲,筆力比以前沉實;另一種如《抱琴仕女》等,純爲工筆設
色,大抵用粗細相同的鐵綫勾勒,再染以淡色。比較起來,後者顯得拘
謹呆板——它們可能有摹仿的稿本,而未必都是白石自己的造稿。與
白石個性相近的是那些沒有任何參照,抛開了固定程式的作品,如《煮
茶圖》、《種蘭圖》、《羅漢》等。它們簡練而樸拙,隨意中透着天真。成熟
於白石晚年的簡筆大寫意人物畫,已在這些作品中初具風範。他自己
對這類作品也較爲滿意,如一九一五年所畫《羅漢》有題:"此法數筆勾
成,不假外人畫像法度,始存古趣,自以爲是。"

　　幽居時期的突出收獲是山水畫。誠如龍龔所說"山水畫的獨出恒
蹊自成一格,是齊白石這一時期藝術實踐中的最大特色。"[21]最重要的
山水作品,即《借山圖卷》和《石門二十四景》兩套冊頁式組畫。《自傳》
說,《借山圖》作於一九一〇年。把遊歷得來的畫稿,挑選重畫,因此它
是一次完成的作品,不是遠遊寫生的結集。白石一再談及這套組畫,把
它看作代表作,并一再自己臨摹。《借山圖》總計有多少圖,齊白石自己
歷來說法不一。一九三四年,在《題弟子楊泊廬臨〈借山圖〉》序中說:

文勤公像

胡沁園像

題弟子楊泊廬臨借山圖序（一九三四年）

《借山圖》之一（一九二七年）

《借山圖》之二（約二〇年代）

"原圖五十有六，前丁巳來燕京，友人陳師曾假去月餘，歸來失去八圖，欲補畫擬作，恐未真面目，故止之。"（原件藏中國藝術研究院美術研究所資料室，《齊白石作品集·第三集·詩》第一一一頁）"門人楊泊廬臨余借山圖十餘開求題記"詩小序談到此事，又有不同："友人陳師曾借去月餘，還時失去十圖。"在給徐悲鴻信中，又說"借山圖原有四十餘幅，為陳師曾借去失八幅，尚存三十三，皆中國風景，為山水寫照……"[22]《白石老人自傳》又不同，說"一共畫了五十二幅。其中三十幅，為友人借去未還，現在祇存了二十二幅。"（第六〇頁）《借山圖》原作究竟多少幅，失去多少幅，至少在三十年代作者自己也說不清了。一九五八年在北京舉行的"齊白石遺作展"上，展出的《借山圖》為二十二幅，與《自傳》所說餘數相同。這二十二幅作品，現藏北京畫院。後來的自臨本，有冊頁，有立軸，一九五八年展覽目錄標為"大冊頁"。胡佩衡《齊白石畫法與欣賞》說："借山圖老人拿給我看過……都是比較工細的山水。"又說："陳師曾曾對我說：'齊白石的借山圖，思想新奇，不是一般畫家能畫得出來的。'"胡佩衡認為，"借山圖已經絲毫看不出臨摹的痕迹，能把真山真水加以經營位置與剪裁，能用皴、擦、點、染的筆墨，把各地風光描繪出來。"它"是寫生也是創作，是白石老人從很多寫生素材中加工提煉畫成的，是經長久時間從許多作品中選出自認為十分完美的杰作……"（三八—三九頁）。張安治在《齊白石先生的山水畫》一文中，用這樣一段話介紹《借山圖》："借山圖造境更奇，其中有一幅就是滿紙烟雲，而在雲上露出幾筆濃墨的山峰。借山圖筆法雖未爐火純青，已很活潑自由。"[23]龍龔《齊白石傳略》說："借山圖是真山真水的再現，縱然有所取捨，有所剪裁，但百變不離其宗，桂林山水總是桂林山水，華山的峰巒雲樹當然有別於越南芒街的野蕉無數，綠意侵人……"[24]他強調借山圖與寫生相近的一面。

《石門二十四景》，與《借山圖》作於同一年[25]。石門是湘潭的一個地名，齊白石的朋友胡廉石住在那裏。胡廉石請王訓根據石門附近景色擬了二十四個題目，如"石泉悟畫"、"老屋聽鸝"、"曲沼荷風"、"竹院圍棋"等等，讓齊白石作畫。白石"精心構思，換了幾次稿，費了三個多月的時間，才把它畫成。"[26]筆者曾在遼寧省博物館看過這套組畫。大冊頁，水墨着色，多畫平遠景色，丘陵小山，與湘潭地勢很相似。它的山水多取自親近熟悉的家鄉景觀，因而有較濃的生活氣息。如《老屋聽鸝圖》，一間老屋，數株新柳，一片平整的稻田，取平視構圖，親近如可步入，就好像最普通的鄉村風光。有些作品如《藕池觀魚》等，還可看出金農的影子；一些樹的畫法還沿用傳統程式，筆墨趨於強勁，濃淡乾濕的變化也比較考究了。其中《甘吉藏書》，無論從構圖、筆墨和意境各方面，都達到了相當完美的地步：藏書樓置於畫面右下角，餘皆空白，給人以無限空渺之感。垂柳掩映，綠枝輕搖，與結構嚴謹、形體古拙、輪廓綫優美的書樓形成對比。但二十四幅作品水平不夠整齊，有的構圖鬆散，或在綜合運用多種方法時，尚不能臻於和諧統一。畫家在脫離摹仿與寫生，進行獨創性的措景立意和筆墨運用方面，不免有些吃力。除了兩套組畫外，這時期還留下了臨摹石濤的作品和自創的一些卷軸、條屏等。它們還缺乏風格上的統一性，在總體上沒有超過《借山圖》和《石門二十四景》。

　　幽居時期所畫花鳥畫最多，可以看出深刻變革的過程。大致的趨向是：向明清以來富於個性和創造的文人藝術家靠攏，開始追求變形與筆墨情趣，多畫減筆寫意，畫風疏朗冷逸，也不像前一時期那樣時而工整時而粗獷了。遼寧省博物館和中國美術館各藏一幅《菖蒲蟾蜍》，構圖相同，都畫一隻蟾蜍拴在一棵菖蒲上，前一幅菖蒲用雙勾淡染的方法，後一幅則用焦墨意筆，展示出齊白石對不同筆墨方法的實驗。前者有壬子（一九一二年）"李復堂小册本"款題，畫上題詩也錄李復堂原句。同年秋於同一畫上再次作跋，說胡沁園見之，稱他"融化八怪"。白石這一時期的書法，主要學"冬心體"，一些梅花、水仙和山水人物，亦可見出與冬心畫風的淵源。一九一七年所作《花鳥草蟲册》題"水仙"："曲江外史畫水仙有冷冰殘雪態"，水仙畫法也略有冬心遺意。白石畫稿中，有一九一七年臨摹金冬心《看梅圖》[27]。《齊白石作品集·第三集·詩》所收此時期詩"作畫戲題"云："愧顔題作冬心亞（樊鰈翁增祥爲題借山圖句'揚州八怪冬心亞'），大葉粗枝世所輕。且喜風流俱汝輩，不爲私淑即門生。"以及約一九一七年詩《書冬心先生詩集後》："豈獨人間怪絕倫，頭頭筆墨創奇新。常憂不稱讀公句，衣上梅花畫滿身。"也透露出他與冬心詩、書、畫的親密關係。樊增祥說"瀕生書畫皆力追冬心"[28]。胡佩衡也說他"五十歲後……畫梅學金冬心。[29]"此外，白石還學習過湖南畫家尹和伯、在北京的湖南籍畫家張叔平、浙江籍畫家周少白等的畫法。尹和伯（約一八三五年——一九一九年），湘潭人，善畫梅花。齊白石一九二二年跋尹和伯畫云："己未前十年，余訪之長沙，和翁自言雙勾楊補之梅花後，畫梅始進。余與借得雙勾本，再影勾之。且爲畫梅花小幅贈余，圈花出幹，超出冬心……"陳師曾在一九一七年《題齊白石墨梅》詩中，有"何必趨步尹和翁"句（見本卷一六〇圖），亦可間接知道齊白石

甘吉藏書（《石門二十四景》之一）

老屋聽鸝（《石門二十四景》之二）

香畹吟樽（《石門二十四景》之三）

柳溪晚釣（《石門二十四景》之四）

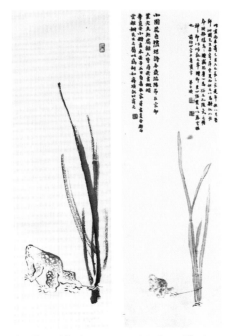
《菖蒲蟾蜍》之一　　《菖蒲蟾蜍》之二

月下幽禽

菊石小鳥

曾認真學過尹和伯。張叔平,名世準,湖南永綏人,官至刑部主事。畫史説他擅書法、篆刻,亦長於山水和梅花,畫風"近文伯仁、僧弘仁、查士標、吳歷諸家"[30],也是一位文人畫家。《白石老人自傳》和龍龔《齊白石傳略》都述及這一時期他對張世準的臨摹與取法[31]。周少白(一八〇六年—一八七六年)名棠,字召伯,一字少白,官居北京,與張世準齊名,寫意花卉,酷似徐渭、陳淳,晚年專畫石,張之萬稱之爲清代畫石第一[32]。白石一九一七年畫《巨石圖》有跋曰:"余畫山水恐似雪个,畫花鳥恐似麗堂,畫石恐似少白。"[33]"恐似少白",應是學過少白畫石的。

但白石最爲垂青,所學最多的還是八大山人。本集所收一九一〇年—一九一七年間的花鳥作品,雖然在造意、筆墨各方面不能和八大相比擬,但大都能見出八大的影響:物象殊少,布局奇突,筆墨極簡。一些鳥的造型與石頭的畫法,直接源於八大。他也曾搜求過八大的畫册。其《芙蓉小蝦圖》題曰:

　　余嘗客海上,搜羅石印古迹,獨八大山人畫無多,見有小册畫一蝦,今經四年,尚未忘也。似否,未自敢稱然。芙蓉神色,即今朱雪个背臨之,未必伊敢自誇耳。世有知者,當不竊笑。白石山人畫記。

白石客海上,留居時間較久的祇有一九〇九年遠遊廣東歸來的那次[34]。"今經四年",正是一九一三年。這條跋語證實白石當時對八大作品的關注。本集收入的《竹枝游鴨》、《蘆鴨》中的鴨,《蘆蟹》中的蘆葦,《荷花》中的墨荷,《月下幽禽》中的小鳥,《秋蟲》的構圖與秋葉,《菊花》、《芙蓉游魚》中的菊與芙蓉,《芙蓉八哥》中的八哥與石頭,《荷塘》中的荷與鳥,《菊石小鳥》中的菊、石、小鳥……都力追八大形神。而《戲擬八大山人》和《幽禽》,更是摹自八大。《戲擬八大山人》跋:

　　余嘗遊南昌,有某世家子以朱雪个畫册八幀求售二千金,竟無欲得者。余意思臨其本,不可,今猶想慕焉。筆情墨色,至今未去心目。今重來京華,酬應不暇,時喜畫此雀,祇可爲知余者使之也。聞稚廷家亦藏有朱先生之畫册,余未之見也。果爲真迹耶?余明年春暖再來京時,當鑒審耳。

這是一九一七年白石第二次遊京時之事。他對八大的思慕、敬仰之情,於此跋中表露無遺。齊白石對八大和冷逸畫風的追求,與他的心理背景和藝術觀念的變遷有很大關係。作於此時期的《蘆鴨圖》跋云:

> 古人作畫,不似之似,天趣自然,因曰"神品"。鄒小山謂未有形不似而能神似者,此語刻板,其畫可知。《桐陰論畫》所論,真不妄也。翁萍。

清人秦祖永《桐陰論畫》強調寫意神似的文人畫觀念,批評強調描寫形似的鄒一桂。齊白石贊同秦祖永意見,表示了他對文人藝術觀念的支持與肯定。在背臨八大《茶花》一畫題跋中,他又寫道:

> 作畫最難無畫家習氣,即工匠氣也。前清最工山水畫者,余未傾服。余所喜,獨朱雪个、大滌子、金冬心、李復堂、孟麗堂而已。璜。
>
> ——見黎錦熙、齊良已編《齊白石作品選集》第四二圖,人民美術出版社,一九五九年,北京。

五十八歲時又說:

> 青藤、雪个、大滌子之畫,能縱橫塗抹,余心極服之。恨不能生前三百年,或為諸君磨墨理紙,諸君不納,余於門之外餓而不去,亦快事也。
>
> ——轉引自胡佩衡《齊白石畫法與欣賞》第一七頁。

齊白石對八大、石濤、金農、李復堂等文人畫家和他們的藝術的推崇喜愛,主要不是因爲他與這些畫家的藝術經歷與個性相近,而是出於對文人畫的仰慕,和成爲文人藝術家的渴望。遠遊以來,他更加認識到文人繪畫與民間繪畫的區別,在他的心目中,雅俗相別的觀念增強了。他原是工匠,後學工筆畫法,本爲"匠家"。此時有意識地向疏簡、冷逸的文人畫靠近,強調"不似之似",既出於抒發情感之需,也出於與工匠身分和"畫家習氣"拉開距離的心理背景。他對最具文人氣質、文人風格的八大的崇拜,正與他向文人畫和文人畫家轉變的過程相表裏。這過程一直延續到二十年代初。對白石深爲熟悉的胡佩衡記述:

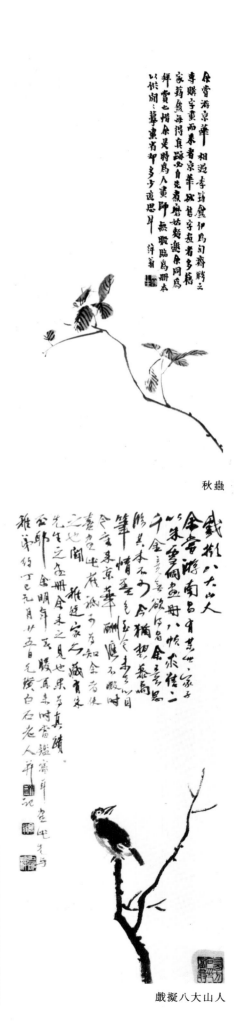

秋蟲

戲擬八大山人

菊花小石

老人自己說,他見到很多八大作品,每張他都能記得很清楚。因為他對每張作品,都仔細反複研究過,如怎樣下筆,怎樣着墨,怎樣着色,怎樣構圖,怎樣題識等。明確以後,他還要正式臨摹。臨摹又分對臨、背臨、三臨。"對臨"是一邊看着原畫一邊臨,主要在吸收筆墨技巧,從外形體會其"神"。"背臨"是不看着原畫一氣寫成,是根據對臨的體會,在運用八大的用筆用墨上用功夫。之後,將原畫與臨摹的作品挂在一起,進行研究,如果發現還有對筆墨體會不到的地方,就要進一步"三臨"。

——《齊白石畫法與欣賞》第一七——一八頁,人民美術出版社,一九五九年,北京。

白石與八大在氣質、出身、經歷、教養、師承、時代環境等各方面都極不相同,但是從八大疏簡冷逸畫風中獲得了文人畫的筋骨氣韵,變更了自己的趣味與格調。八大等文人畫家個人所獨有的一切(氣質、情感及相應藝術符號的風格内涵等)雖不能學到,他們藝術的共性因素如構圖方式、筆墨技巧及作爲藝術符號系統的各種外在因素,是可以學,能夠學,對於欲進傳統藝術堂奥的後來者有普遍意義的。

在這一時期裏,齊白石也未曾間斷寫生。龍龔説,他養花捕蟲,在田野山林間觀察,并作了大量寫生畫稿。"從一九〇九年到一九一九年的十一年,速寫的或工細的畫在毛邊紙上的畫稿,最少也在一千張以上。每個畫稿都不出一張信紙大,有的畫幾隻蟲,有的畫一隻鳥,有的甚至是打亂了的花瓣或折下來的樹葉,每一張都附記日月,作些題識。畫稿的日積月累表明着創作經驗的日漸豐富,祇可惜表現在整幅作品中,齊白石還不敢把來自寫生的表現方法大膽地用進去,因而冷逸有餘,生動不足,倒不如畫稿有真功夫。把這個真功夫集中運用於創作,是他定居北京後'衰年變法'時事……"龍龔所言"一千張以上"寫生畫稿,不知是他的估計,還是有所依據。我們目前能看到的畫稿,大多是遠遊時期所作。但從他具體的描述,似可肯定他看到過一部分這類畫稿。黎錦熙、齊良已編《齊白石作品選集》刊兩開有一九一三年款的"花果寫生"册頁,水墨點色,没骨兼勾勒,并各有題跋。分别是:

癸丑九月五日與兒輩明日分炊,自去砍柴,見此木枝,遠以為花,近折玩之,黑者為實,紅者為殼,歸即畫之。余嘗笑人非梅菊不作花草,非樹竹不作山水也。畏翁。

癸丑九月五日,日將午,砍柴欲歸,又見此木枝之實色黃,周實細毛如桃實,然而未熟,折而歸,室內人屬畫之以弄次孫。古今人非名花佳果不得入畫,余近來懶於作畫,偶爾應酬,不曾目見不為,無論山水花木也。畏翁并記。

這兩則題跋可以和龍龔所說相印證。齊白石一生創造那麼多草木魚蟲和飛禽家畜形象,主要來自寫生而非臨摹。遠遊時期的寫生主要在山水方面,幽居時期的寫生則主要在花鳥方面。

總的來說,齊白石在近十年的幽居求索中,讀書、作畫,學習傳統,提高修養,基本完成了由民間畫家向文人畫家的轉變,即在生活方式、感情方式和藝術趣味上,轉向了文人藝術家。所謂"完成",不是說他丟弃了民間藝術給予他的東西,祇是說他取得了文人畫家應有的條件和資格。這是一個轉變過程,也是一個過渡時期。在這個過程裏,他兼畫人物、山水、花鳥草蟲,兼及詩、文、書、印;在堅持寫生觀察的同時,主要精力用於全面學習傳統。雖然還多有對古人的摹仿,但作品格趣逐漸雅化,筆墨功力逐漸深厚,風格以八大式的疏簡冷逸為主,富於活力和再次變革的可能性。

一九九六年六月一日

花果寫生冊頁

注

① 《白石老人自傳》第十三頁，齊璜口述，張次溪筆錄。人民美術出版社，一九六二年，北京。

② 《白石老人自傳》第二九頁，龍龔《齊白石傳略》第二〇一二一頁。人民美術出版社，一九五九年，北京。

③ 《齊白石傳略》第三三頁。

④ 《白石老人自傳》第三三頁。

⑤ 《齊白石傳略》第二二頁。

⑥ 同上，第二三頁。

⑦ 同上，第二三頁。

⑧ 《湘潭縣文史》第四輯，政協湘潭縣委員會文史資料研究委員會編，一九八九年一月，湘潭。

⑨ 同注⑥。

⑩ 參見郎紹君《二十世紀中國畫家研究叢書·齊白石》，天津楊柳青書畫社，一九九五年，天津。

⑪ 齊白石《寄園日記》，河北美術出版社，一九八五年，石家莊。

⑫ 一八九八年齊白石曾作《蔬香老圃圖》祝羅氏六十二歲壽，作此圖的一九〇六年，應是羅的七十大壽。

⑬ 海上畫家任預(一八〇一一一八五三)《雲飛破壁圖》，亦用此法，該畫題"背摹新羅山人法"。那麼齊白石此畫法，或許是有所師承的。任預圖見石允文編著《中國近代繪畫》清末篇第一二九頁，漢光文化事業股份有限公司，一九九一年，臺北。

⑭ 同注⑩。

⑮ 同注①。

⑯ 張次溪《齊白石的一生》第一四〇頁，人民美術出版社，一九八九年，北京。

⑰ 參見《齊白石作品集》所選之一九二〇年草蟲冊頁，董玉龍主編，天津人民美術出版社，一九九〇年，天津。

⑱ 《與黎大培鑾書》，轉引自齊佛來《我的祖父齊白石老人》，西北大學出版社，一九八八年，西安。

⑲ 《白石老人自傳》第六五頁。

⑳ 黃苗子《廿七年華始有師——記齊白石畫胡沁園像》，《湘潭文史資料》第三輯第四四頁，一九八四年，湘潭。

㉑ 《齊白石傳略》第四二頁。

㉒ 轉引自張安治《齊白石先生的山水畫》注，見力群編《齊白石研究》第一二四頁，上海人民美術出版社，一九五九年，上海。

㉓ 見《齊白石研究》第一二〇頁。

㉔ 《齊白石傳略》第四二頁。

㉕ 關於這套組畫的創作年代，一些出版物說法不一，但《自傳》、張次溪《齊白石的一生》、龍龔《齊白石傳略》等，都肯定作於一九一〇年。

㉖ 《白石老人自傳》第六一頁。

㉗ 同注⑩。

㉘ 《借山吟館詩草序》，見《齊白石作品集·第三集·詩》，人民美術出版社，一九六三年，北京。

㉙ 胡佩衡、胡橐《齊白石畫法與欣賞》，人民美術出版社，一九五九年，北京

㉚ 俞劍華《中國美術家人名辭典》，上海人民美術出版社，一九八一年，上海。

㉛ 《白石老人自傳》第六四頁；《齊白石傳略》第四一頁。

㉜ 同注㉚。

㉝ 見胡佩衡、胡橐《齊白石畫法與欣賞》附圖十二。

㉞ 見齊白石《寄園日記》第八六一八七頁，河北美術出版社，一九八五年，石家莊。

雕刻

一　工具箱　約一八八二年――一九〇二年　長三五・四厘米　寬二二厘米　高二八・五厘米

二　工具箱浮雕之一

三　工具箱浮雕之二

四　工具箱浮雕之三

五　工具箱浮雕之四

六　雕花床一號床楣　約一八八二年——一九〇二年　長二二七厘米　寬四〇厘米

七　雕花床一號床楣　（局部）

八 雕花床一號床楣 （局部）

九 雕花床一號床屏 （局部）

一〇　雕花床一號床楣 （局部）

一一　雕花床一號床屏（局部）

一三 雕花床一號床屏 （局部）

一四　雕花床二號　約一八八二年——一九〇二年　床通高二三六厘米　寬二一五厘米

一五　雕花床二號床楣（局部）

一六　雕花床二號床楣 （局部）

一八　雕花床二號床屏 （局部）

一九　雕花床二號床屏　(局部)

二〇 雕花床二號床屏 （局部）

二一　雕花床二號床屏　（局部）

雕花床二號床楣 （局部）

二三　雕花床二號床楣 （局部）

二四　雕花床二號床楣（局部）

二五　雕花床二號床楣 （局部）

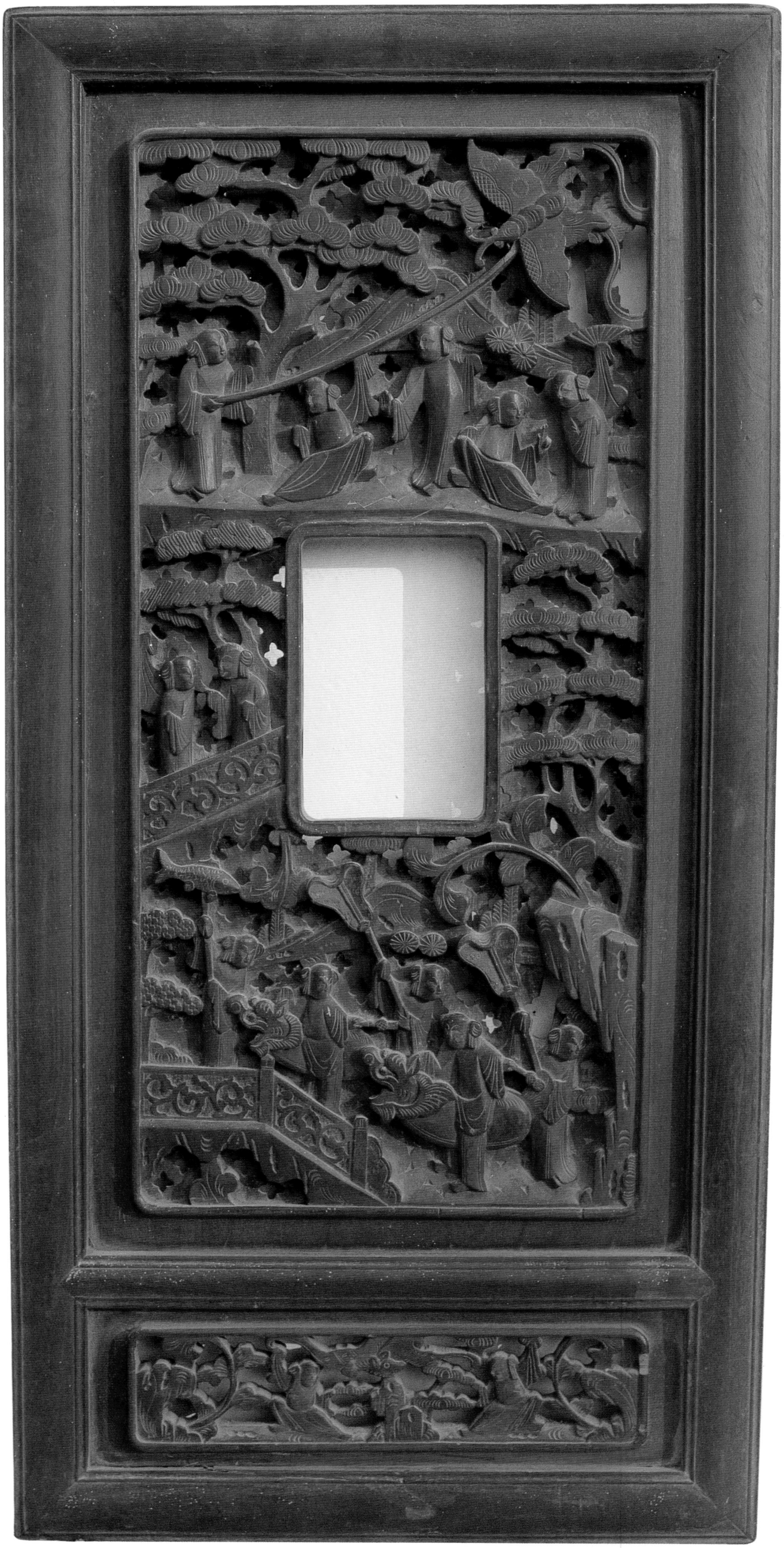

二七

雕花床三號床屏　約一八八二年—一九〇二年　高五九·五厘米　寬二七·五厘米

二八　雕花床三號床屏　（局部）

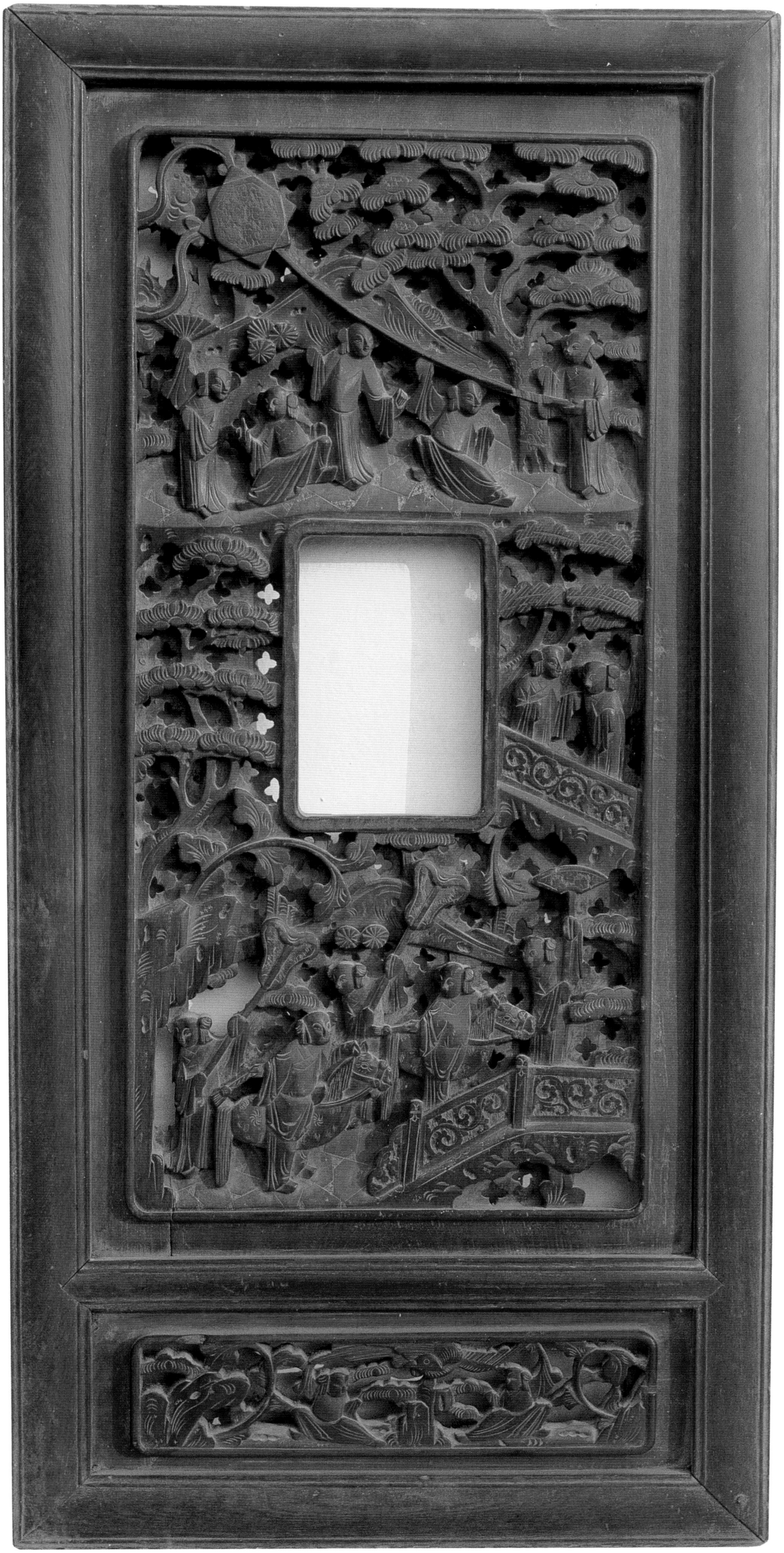

二九　雕花床三號床屏

三〇　雕花床三號床屏　（局部）

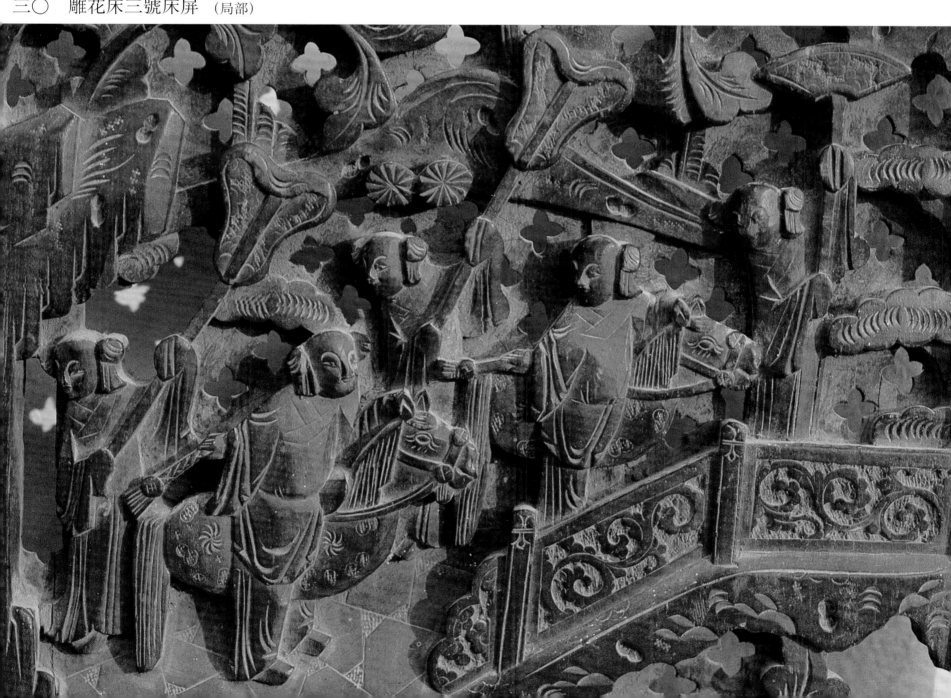

三一　雕花床三號床楣

三二　雕花床三號床楣　（局部）

三三　雕花床三號床楣 （局部）

三四　雕花床三號床楣 （局部）

三八　雕花屏之二 （局部）

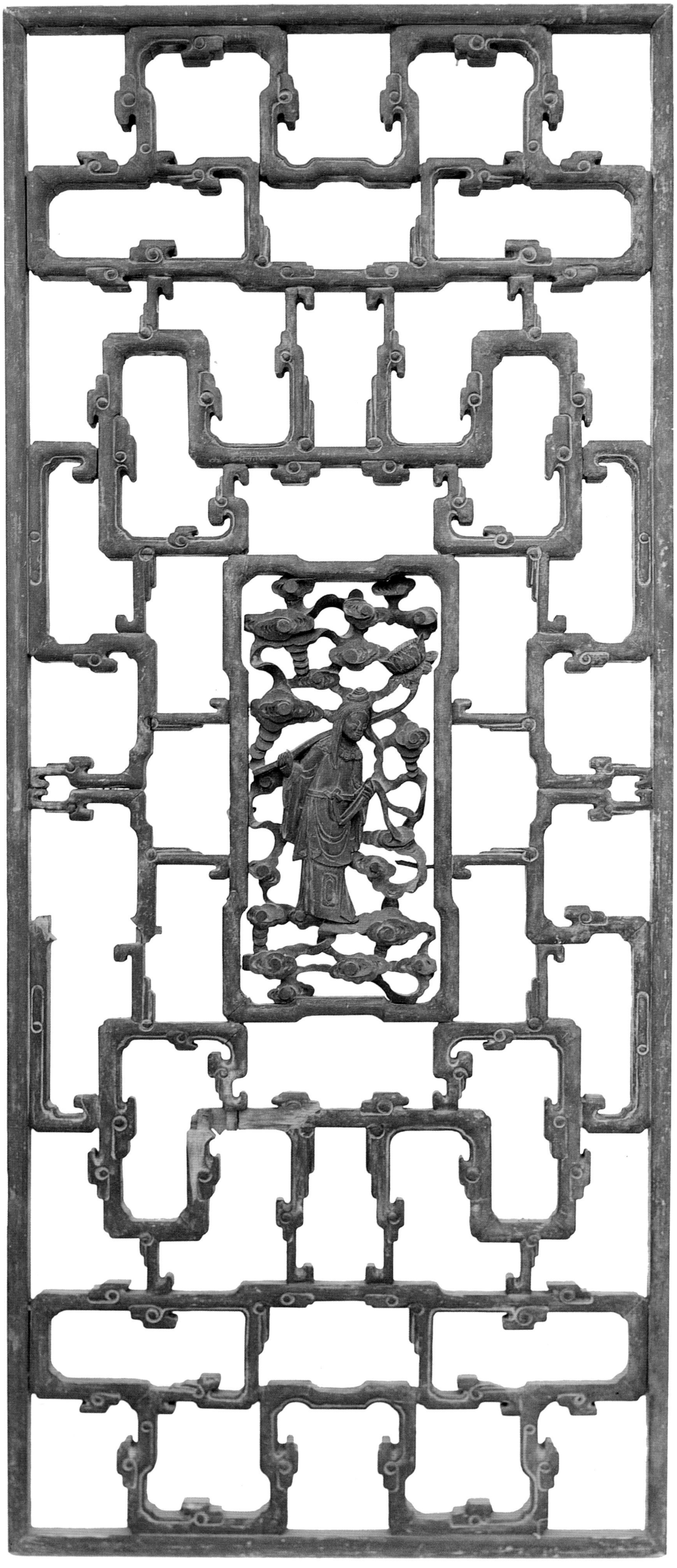

三九　雕花屏之三

四〇　雕花屏之三　（局部）

四一　雕花盆架　約一八八二年——一九〇二年　架高一六二厘米　底寬五四厘米

四二　雕花盆架（局部）

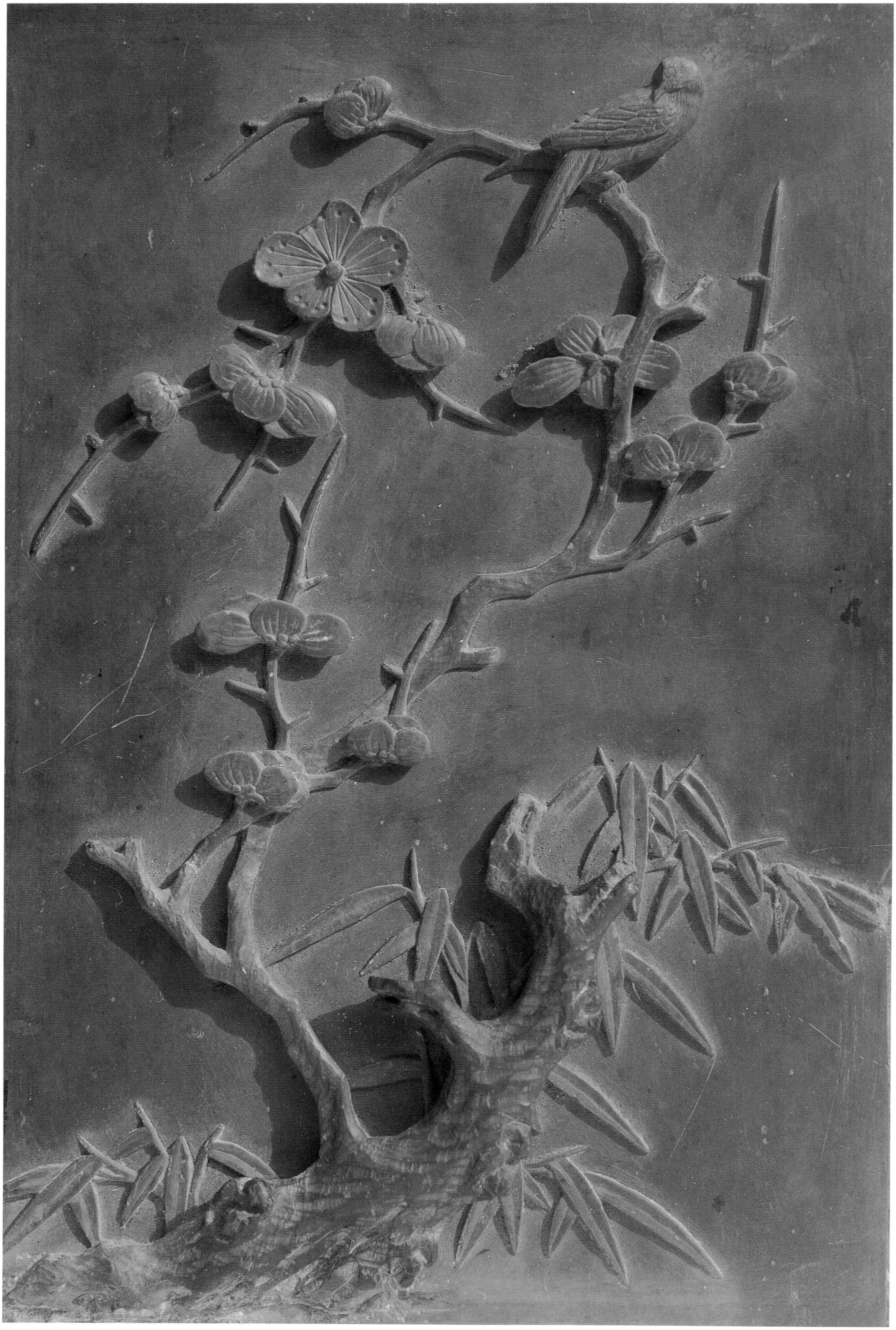

四三　雕花石屏　一九〇三年　長二四·二厘米　寬一六·七厘米

四四　小開片蜘蛛盤　約一八八二年——一九〇二年　直徑二二・五厘米　底徑一二・九厘米

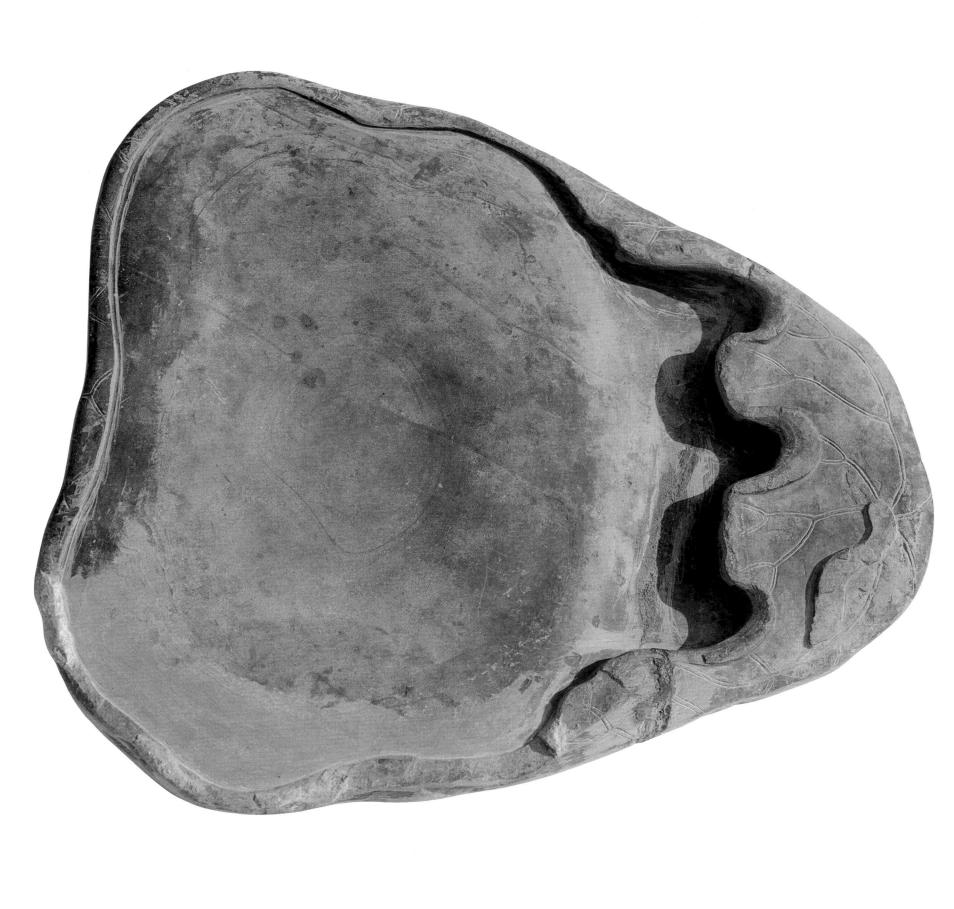

四五　荷葉形楚石硯　約一八九六年　長四〇厘米　寬三三厘米

四六　荷葉形端硯　約一八八二年──一九〇二年　長二四厘米　寬二〇厘米

江南無所有聊贈一枝春

四八　竹刻筆筒　（局部）

明立三題

希哲老先生雅玩

時在庚子孟冬之應

希哲老先生雅玩

齊璜製於借山吟館

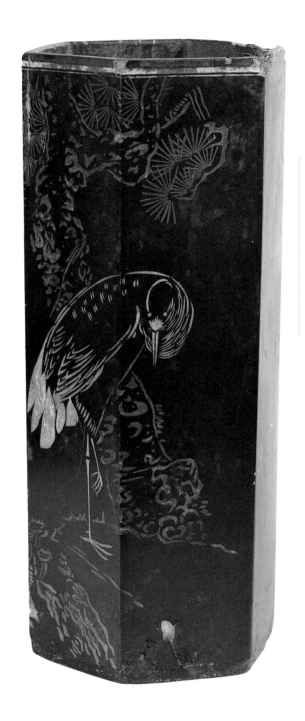

四九　松鶴筆筒　約一八九九年——一九〇五年　高二七·五厘米　口徑一一·五厘米

五〇　福星高照　（竹根雕）　一八八二年　高三五厘米

53

繪畫

一　佛手花果 （扇面）　一八九二年　縱二一厘米　橫四四厘米

三　西施浣紗　約一八九三年　縱九〇厘米　橫三三厘米

龍山七子圖

七子者貞吉羅誠醒吾羅藏言川王訓子詮語道
西木衍宗荻招陳節盟宗也甲午李春迢訪特圖
醒吾老兄出紙一幅屬宗繪圖以紀其事余六局中
人而博覽之廣外蓋招酒後驅使山靈以為兄擞鳥

陵生和三讓英識

五　洞簫贈別圖　一八九四年　縱一五二厘米　橫四五厘米

洞簫贈別圖

江上送君行依依波光欲碧簫于左恨紅豆一生情
吹月明年約登樓何遠彩李臺春柳綠打不
畫黃鶯光緒二十年十一月十六日畫于持園奉
清芬老夫人雅屬

兄京楨並題

5

曉村先生大人清□慶瀨生大孫

七 人物 約一八九四年 縱六五厘米 橫二七·五厘米

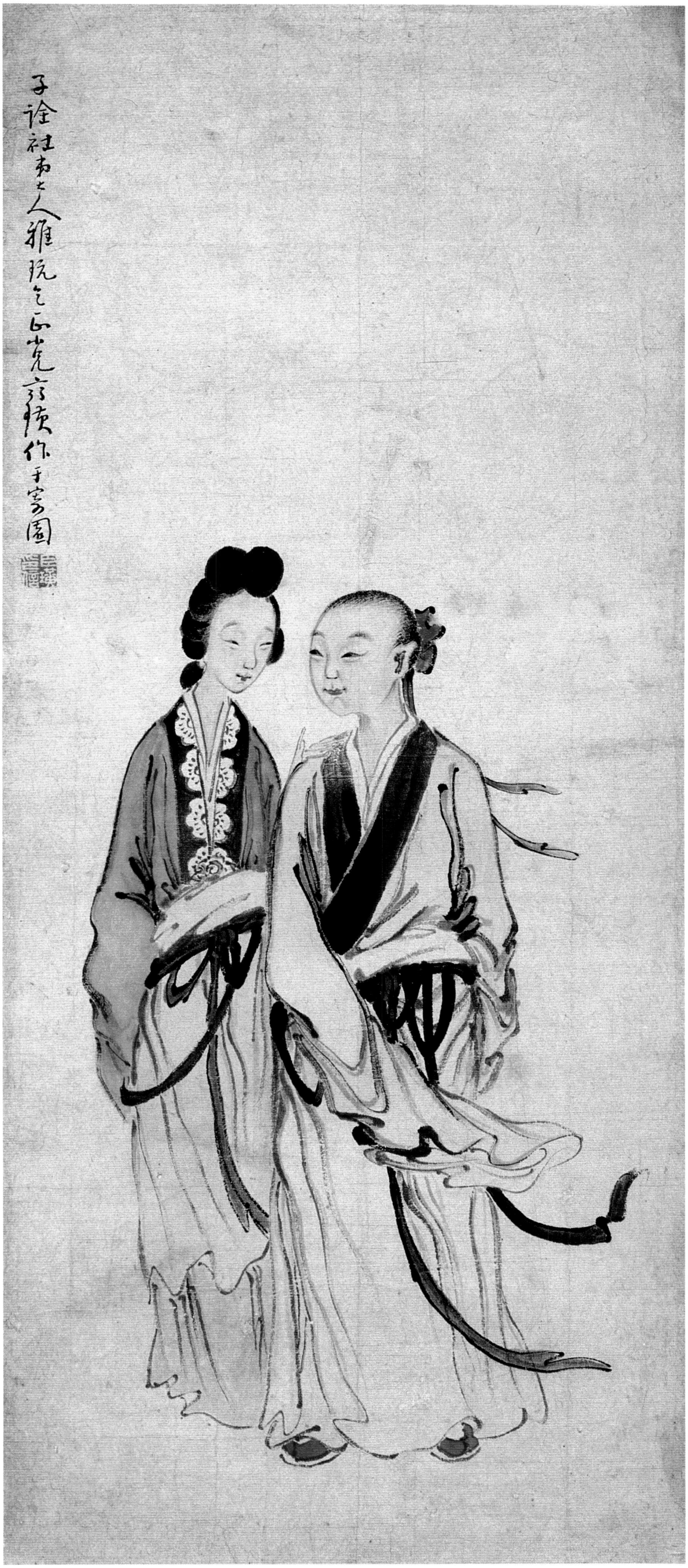

八　蘆雁　約一八九四年　縱四〇厘米　橫七三厘米

歲星偶謫碧天家　金馬門前待詔嗟　壯歲上書驚
漢明廷　謫滴諫勝枚臯　束之減卜筮中　東往之曾偷
天上桃　月若紫珠鉗緼貝　侏儒端菜笑呂曹

臣亮言先帝創業未半而中道崩殂今天下三分益州
疲弊此誠危急存亡之秋也然侍衛之臣不懈於內忠
志之士忘身於外者蓋追先帝之殊遇欲報之於陛下
也誠宜開張聖聽以光先帝遺德恢弘志士之氣不宜
妄自菲薄引喻失義以塞忠諫之路也

繡服蒼簪鶴髮仙安危身繫廿餘年兩京收
第有經綸獨騎從容服膺旋點領宽孫翊箭備
半考門闌帝姻聯敕懷唐室思元老壽考興
高富貴全光終二十年—十一月上浣自畫奉
孝秋老伯大人之命即乞教正 竦亭 橫

一一　郭子儀　一八九四年　縱一三二厘米　橫三二·四厘米

11

麻姑進釀圖

曉村先生夫人流慶時甲午冬月

漸生任預

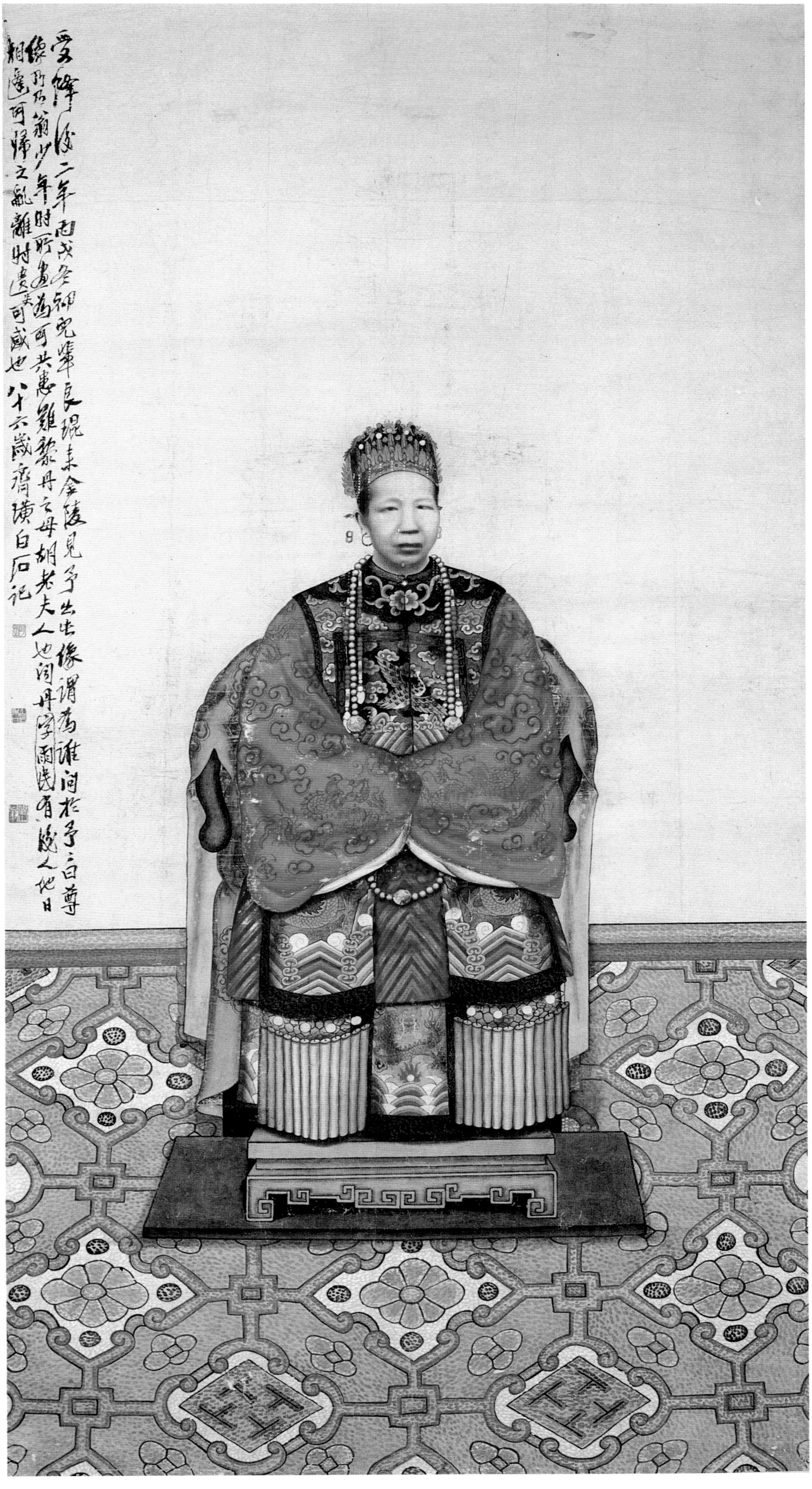

一三　黎夫人像　約一八九五年　縱一二九厘米　橫六九厘米

一四　何仙姑（八仙條屏之一）

約一八九五年　縱一七二厘米　橫四二·五厘米

一五　張果老（八仙條屏之二）約一八九五年　縱一七二厘米　橫四二·五厘米

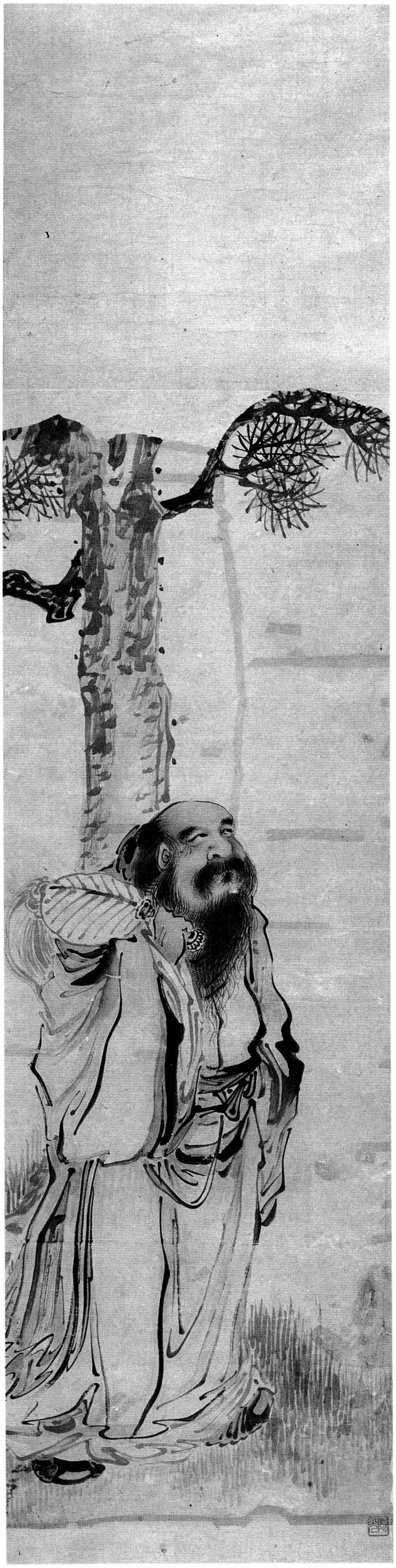

一六　李鐵拐　（八仙條屏之三）　約一八九五年　縱一七二厘米　橫四二·五厘米

一七　曹國舅　（八仙條屏之四）　約一八九五年　縱一七二厘米　橫四二·五厘米

一八　藍采和　（八仙條屏之五）　約一八九五年　縱一七二厘米　橫四二・五厘米

一九　韓湘子

（八仙條屏之六）

約一八九五年　縱一七二厘米　橫四二·五厘米

二〇　柳牛圖　約一八九五年　縱三一厘米　橫四二厘米

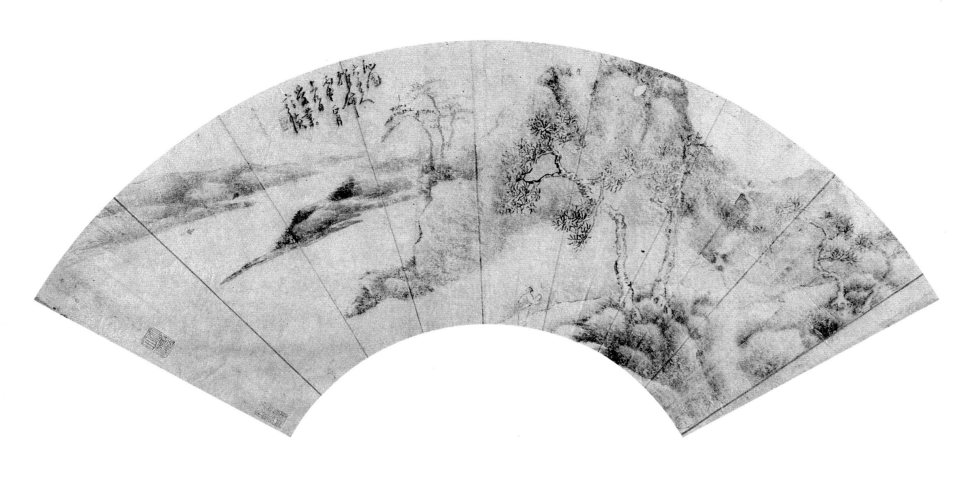

二二　山水（扇面）一八九六年　縱二一厘米　橫五一厘米

一二三 拍球（嬰戲圖條屏之一）一八九七年 縱六六厘米 橫三二厘米

二五　放風箏（嬰戲圖條屏之三）　一八九七年　縱六六厘米　橫三二厘米

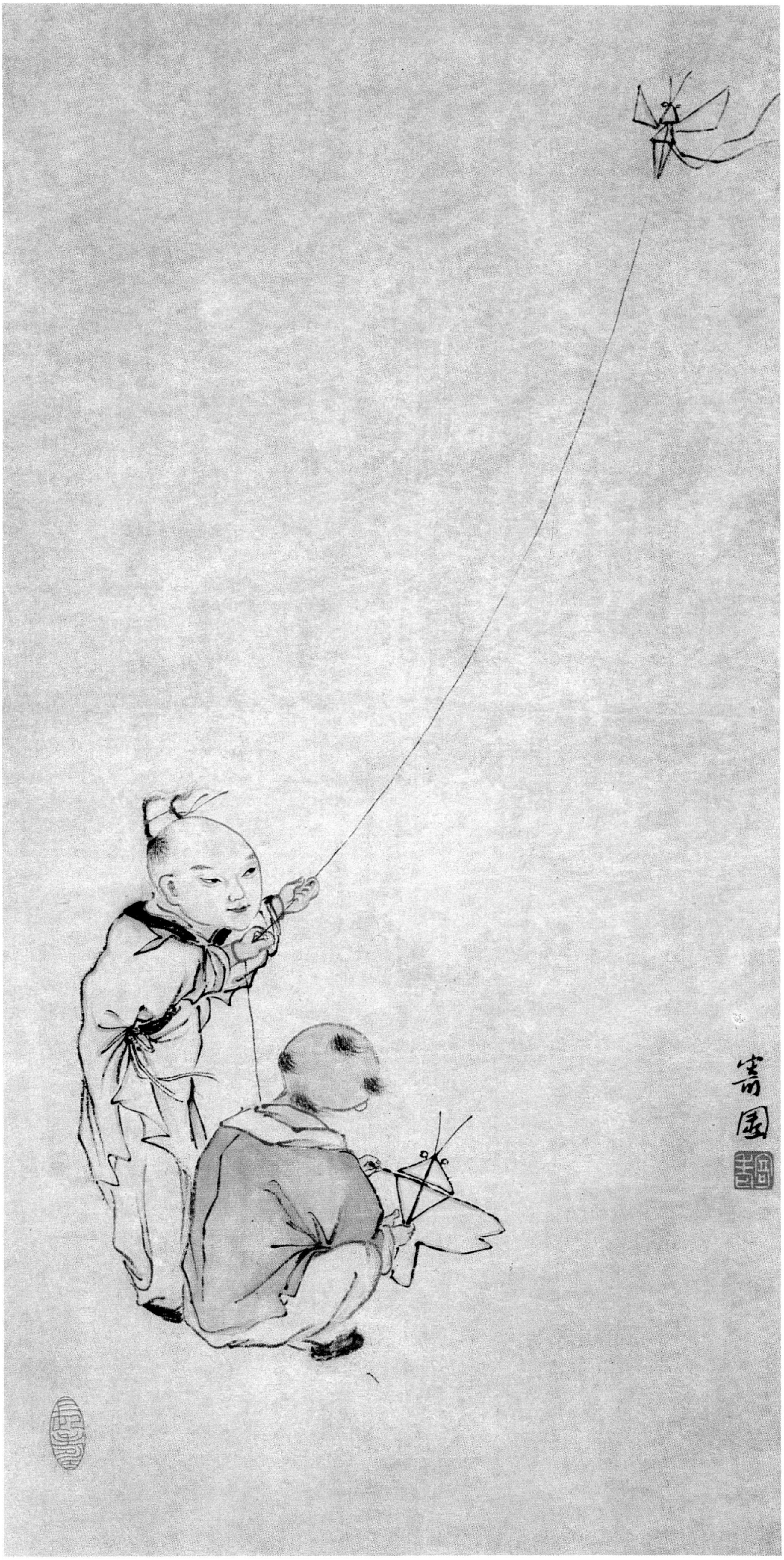

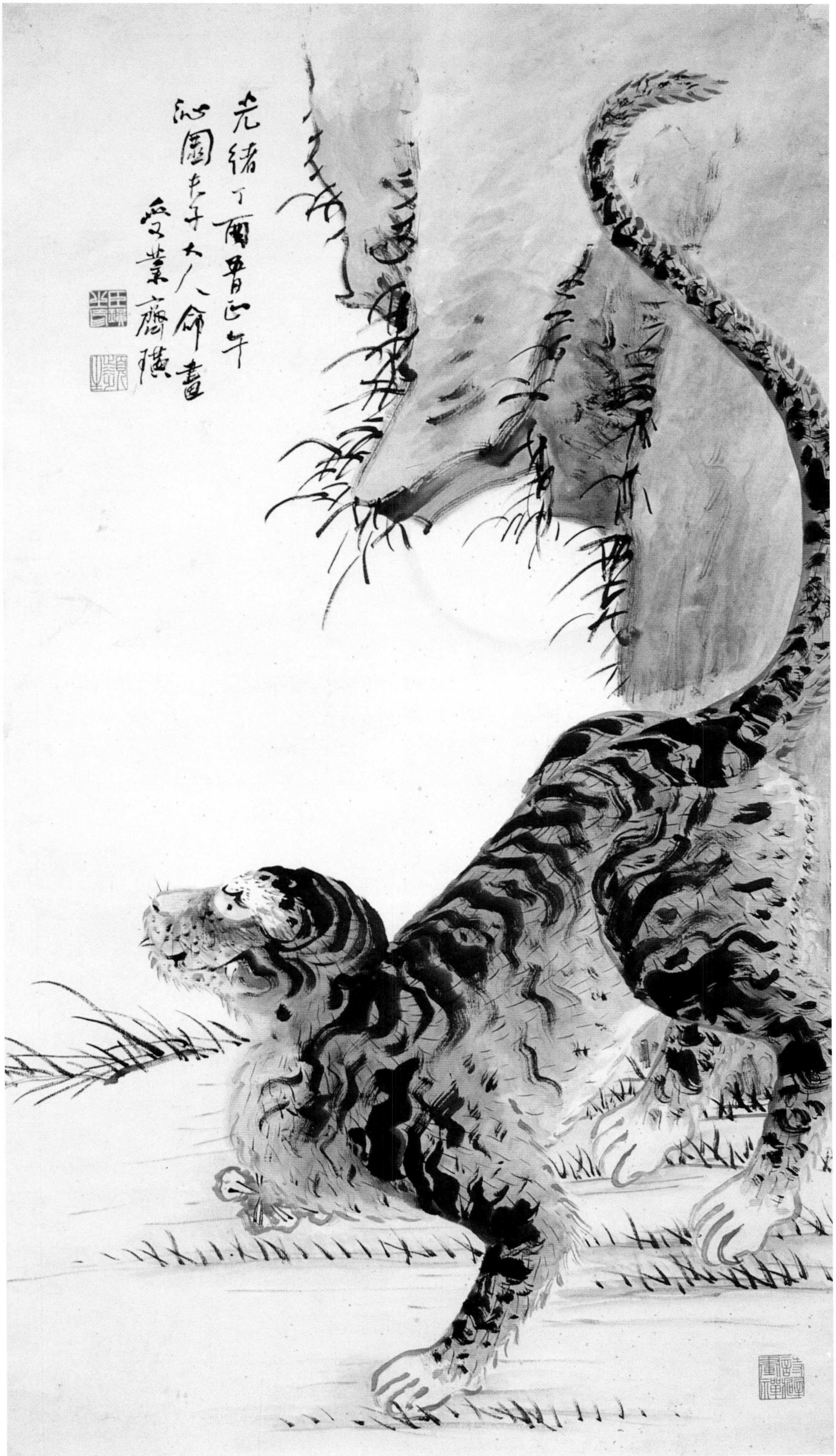

二七 老虎 一八九七年 縱一四六厘米 橫八一・四厘米

二八　緑杉野屋　一八九七年　縦一三四厘米　横三二厘米

一八九七年 縱七三厘米 橫三七・五厘米

三〇　山水　一八九七年　縱一三三·三厘米　橫三一·五厘米

三一 蔬香老圃圖 一八九八年 縱八一厘米 橫一四七厘米

三二　烏巢圖　一八九九年　縱四七厘米　橫八〇厘米

光緒己亥秋畫宣統庚戌冬贈

无想先生橫

三三　紅綫盜盒圖　一八九九年　縱一四六厘米　橫三九·五厘米

余往时喜借傍常或得不洁之币顾画工蕶藏之侪钞劵安能求画子蕶英等余小贝有赠畫後三十年庚午白石

三五　蜘蛛　一九○○年　縱一六·五厘米　横二○·五厘米

三七　觀音（選臨芥子園畫譜之一）　約一八九〇年——一九〇〇年　縱二六·五厘米　橫一六·三厘米

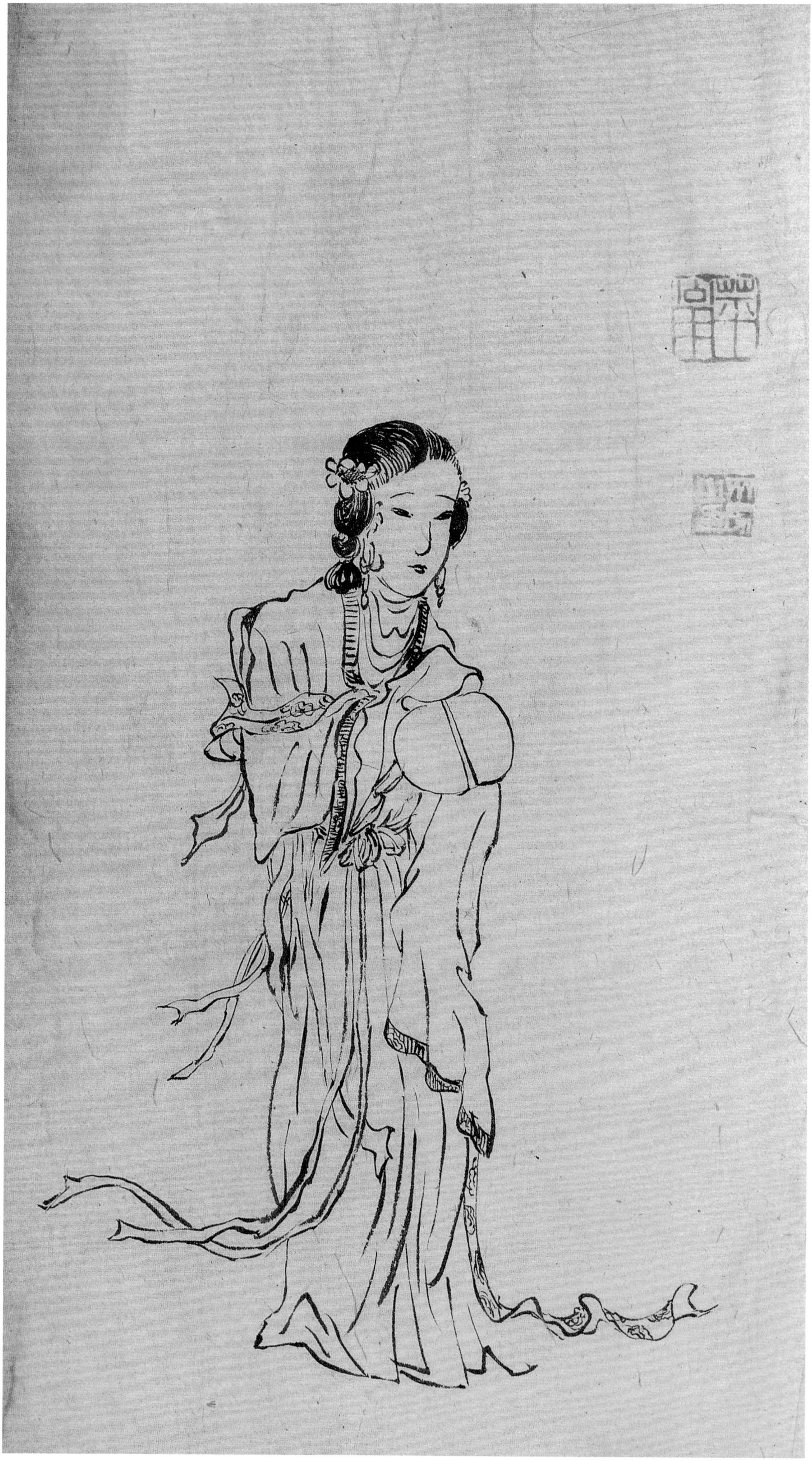

三八　仕女（選臨芥子園畫譜之二）　約一八九〇年——一九〇〇年　縱二六·五厘米　橫一六·三厘米

三九　西施

（選臨芥子園畫譜之三）　約一八九〇年——一九〇〇年　縱二六·五厘米　橫一六·三厘米

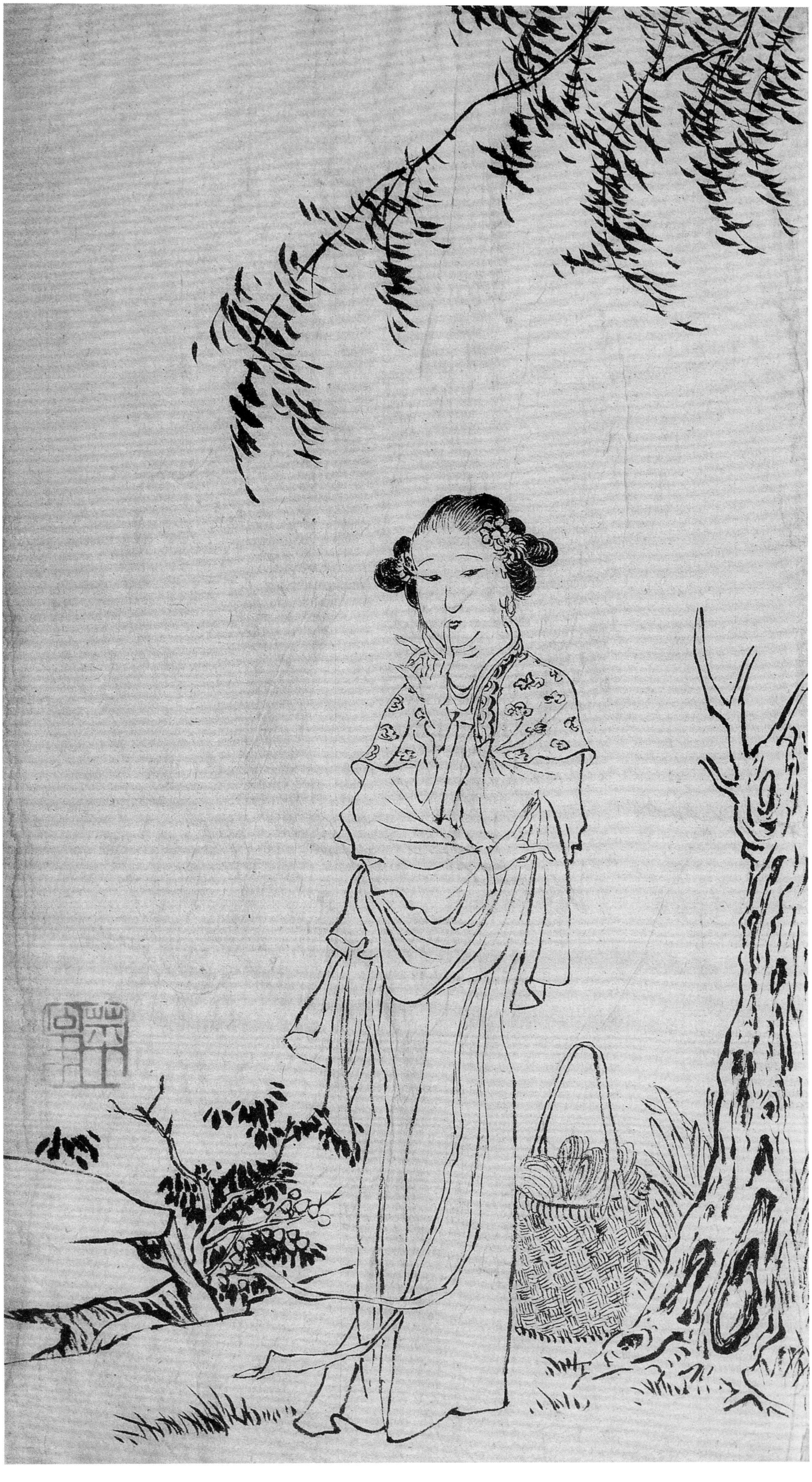

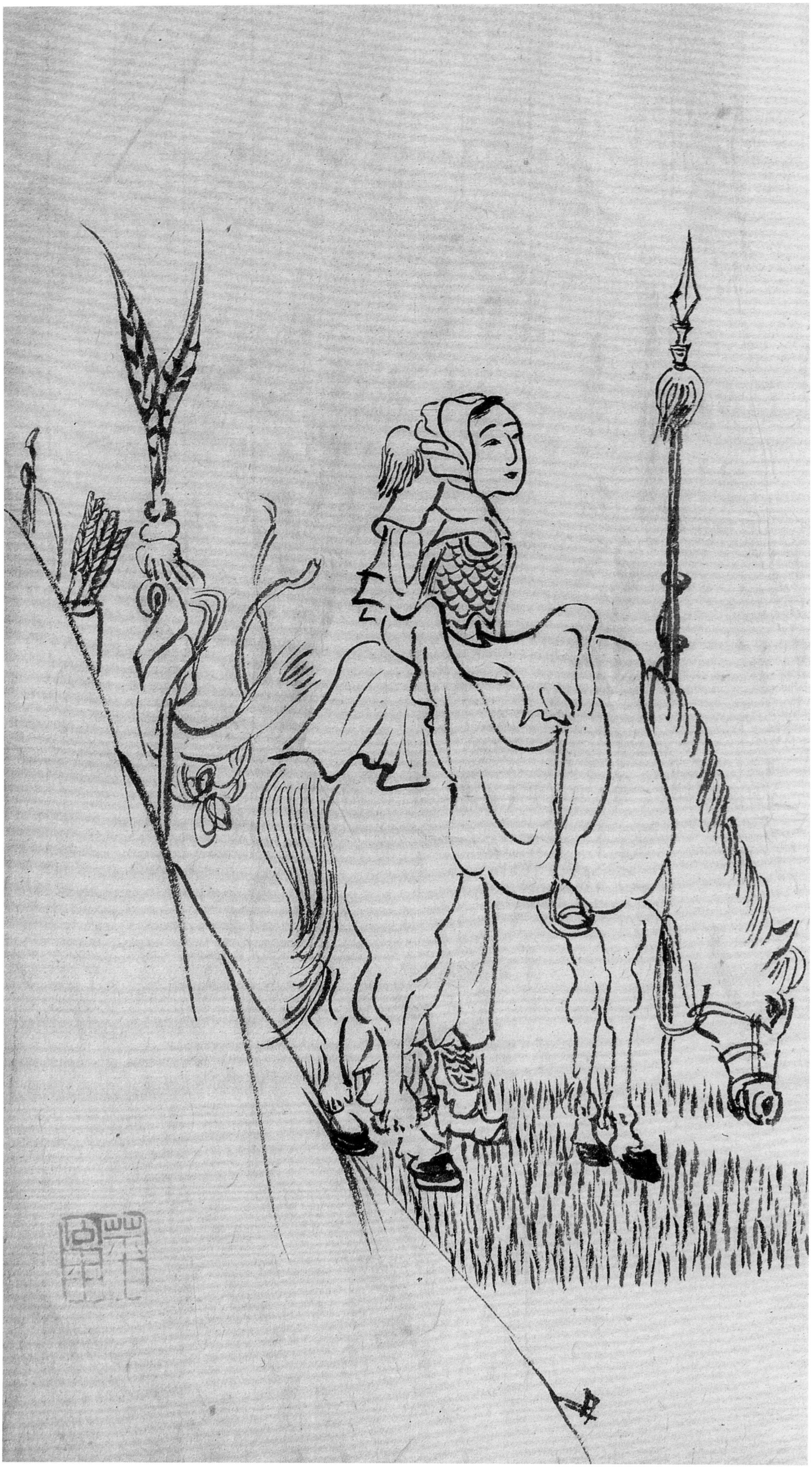

四〇　木蘭從軍（選臨芥子園畫譜之四）　約一八九〇年——一九〇〇年　縱二六·五厘米　橫一六·三厘米

黛玉葬花 （選臨芥子園畫譜之五） 約一八九〇年——一九〇〇年 縱二六·五厘米 橫一六·三厘米

四二 山水 （選臨芥子園畫譜之六） 約一八九〇年——一九〇〇年 縱二六·五厘米 橫一六·三厘米

四三　山水（選臨芥子園畫譜之七）約一八九〇年——一九〇〇年　縱二六·五厘米　橫一六·三厘米

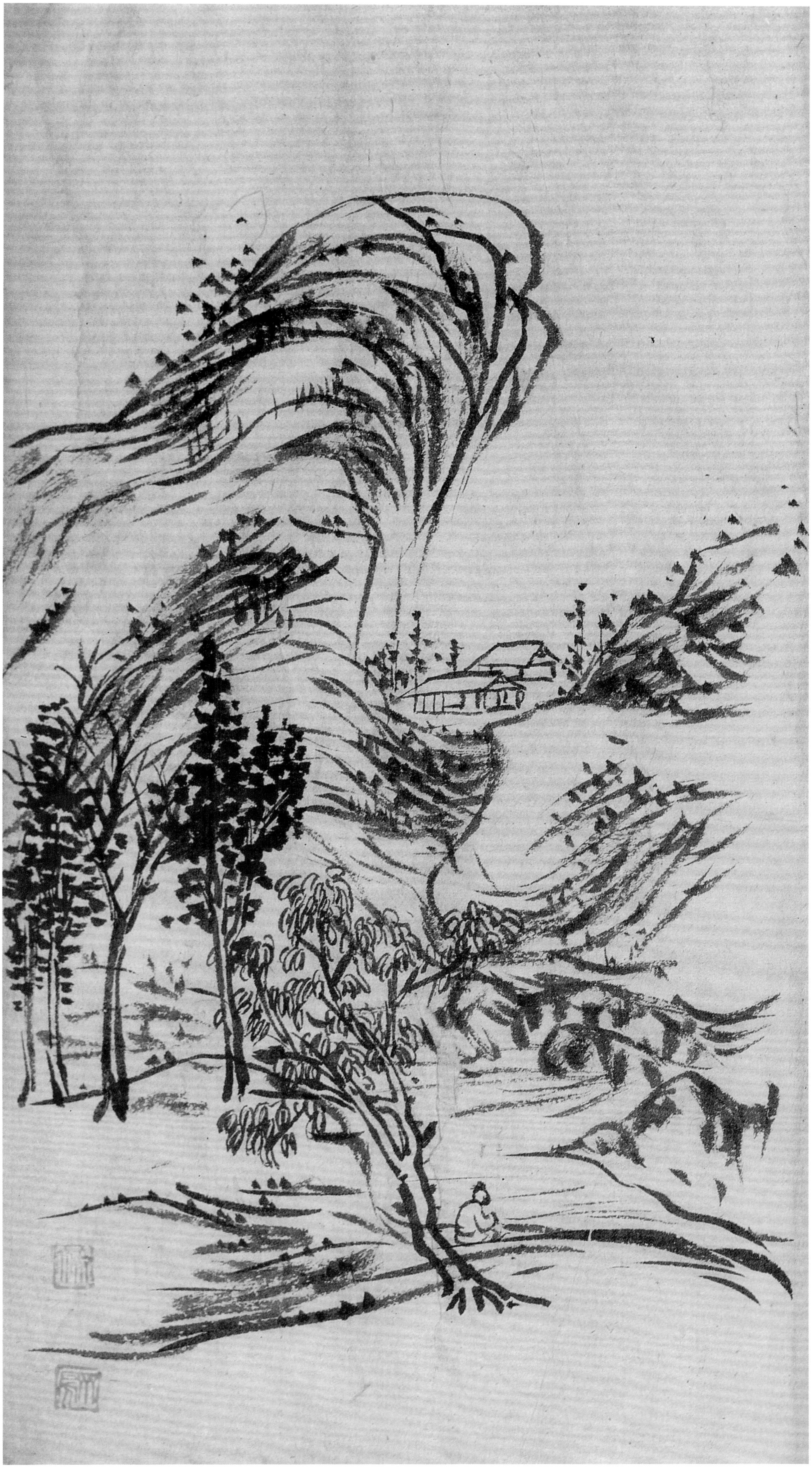

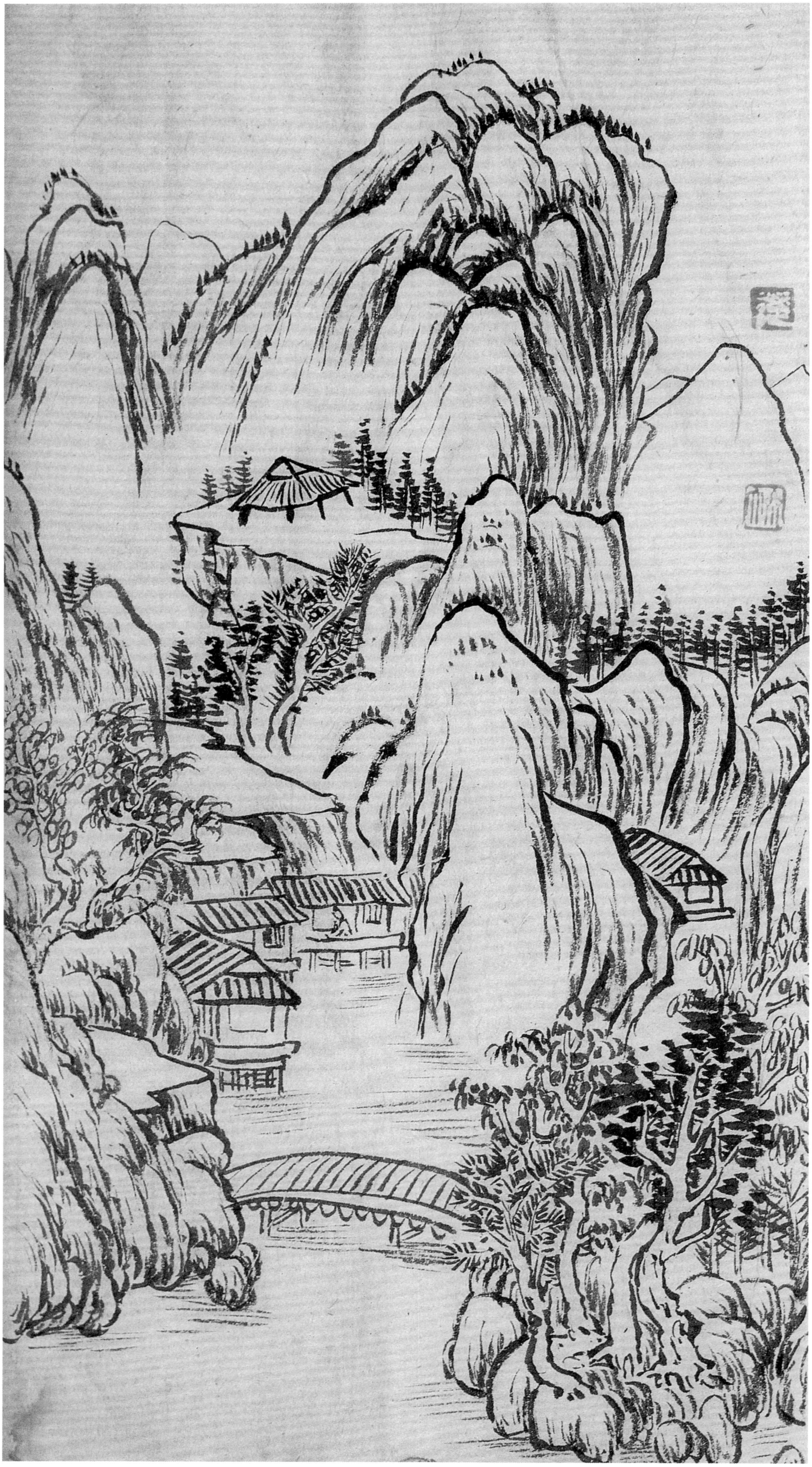

四四　山水（選臨芥子園畫譜之八）　約一八九〇年——一九〇〇年　縱二六・五厘米　横一六・三厘米

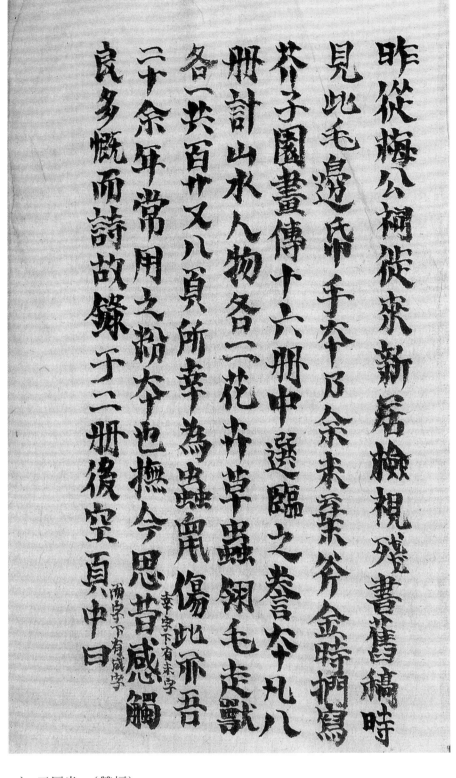

昨從梅公祠從來新居撿視殘書舊稿時
見此毛邊紙一冊乃余來莱葊金時栖寫
芥子園畫傳十六冊中選臨之卷言卒九八
冊計山水人物各一（花卉草蟲翎毛走獸
各一共百廿又八頁所幸為蟲鼠傷此（亦吾
二十余年常用之粉夲也撫今思昔感觸
良多慨而詩故錄于三冊後空頁中日

丹壺鄉邑小名揚
却憶燃松製衣裳忙
塗鴉貨得田和屋
果真鍋內責文章

齊璜補記于寄萍堂新居并題
時在光緒丙午年庚子月甲寅日

四五　選臨芥子園畫譜題記　一九○七年　縱二六‧五厘米　橫一六‧三厘米　（雙幅）

四七　菊花螃蟹圖　約一八九〇年——一九〇〇年　縱九一・三厘米　横四六・一厘米

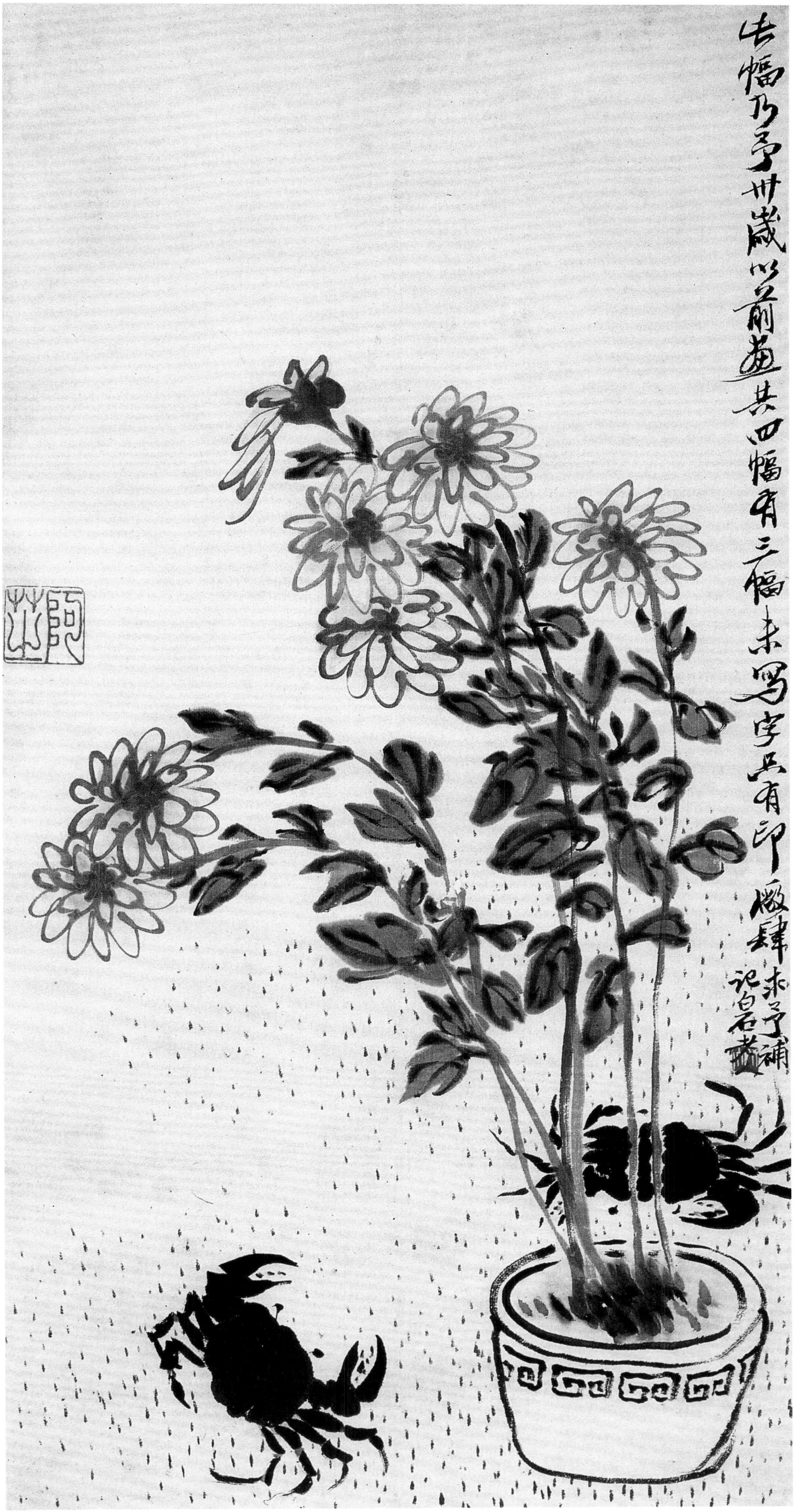

四八　牡丹公雞（條屏之一）　約一八九〇年——一九〇〇年　縱一三八厘米　橫三八厘米

四九　松樹八哥　（條屏之二）　約一八九〇年——一九〇〇年　縱一三八厘米　橫三八厘米

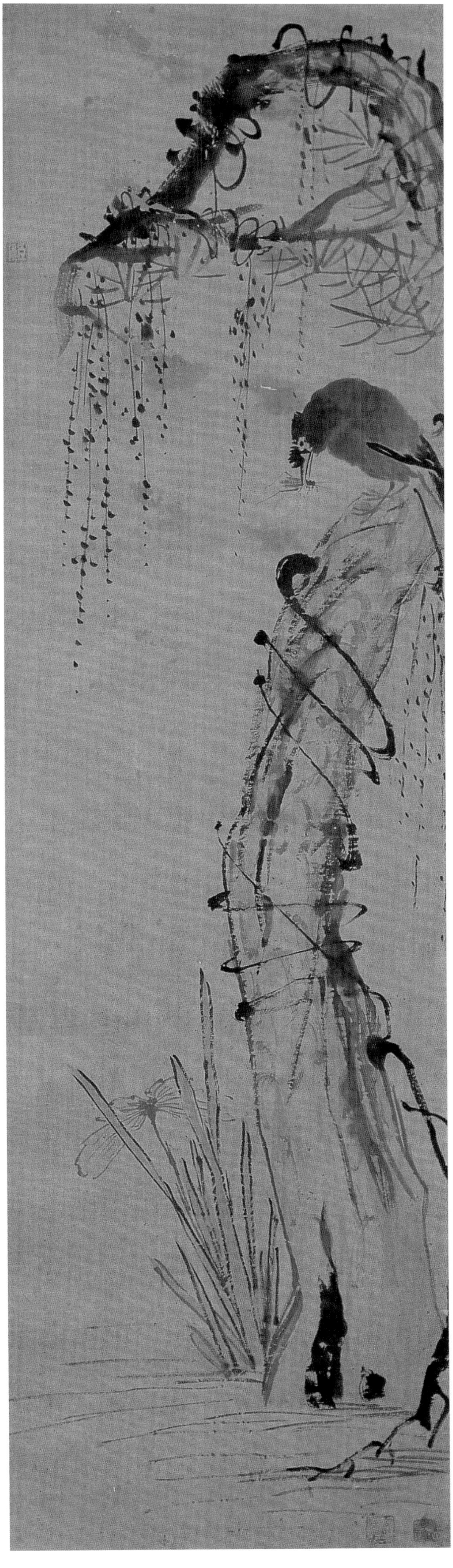

五〇　菊花螃蟹　（條屏之三）　約一八九〇年——一九〇〇年　縱一三八厘米　橫三八厘米

五一　梅花雙雁　（條屏之四）　約一八九〇年——一九〇〇年　縱一三八厘米　橫三八厘米

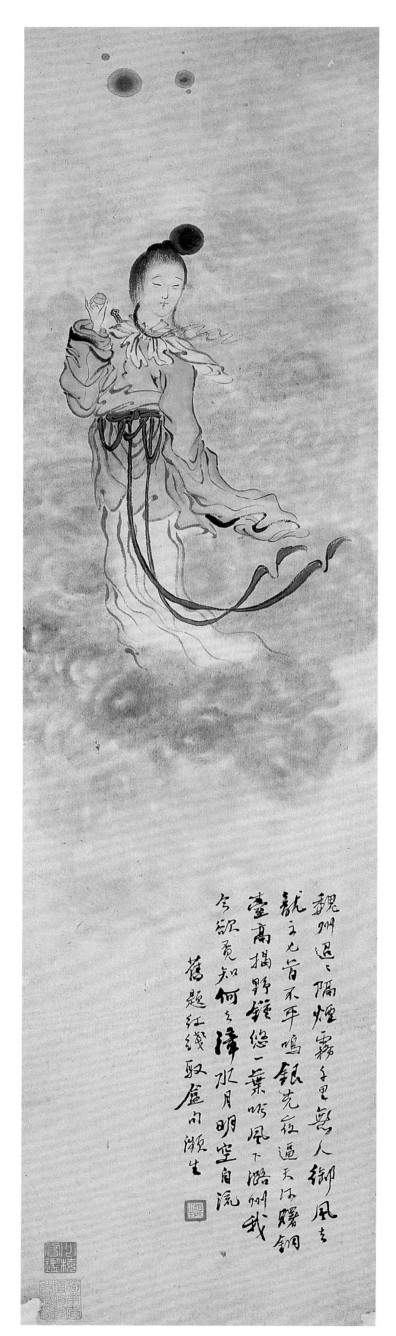

魏州迢迢隔煙霧千里驚人御風去
戲子九皆不平鳴銀光在匣逼天怒贈鋼
臺高揭野鐘悠一葉啼風下瀦州戟
今飮責知何之漳水月明空自流
舊題紅綫取盒 內瀨生

沁園師母五十歲小像時辛丑四月門人齊璜恭寫

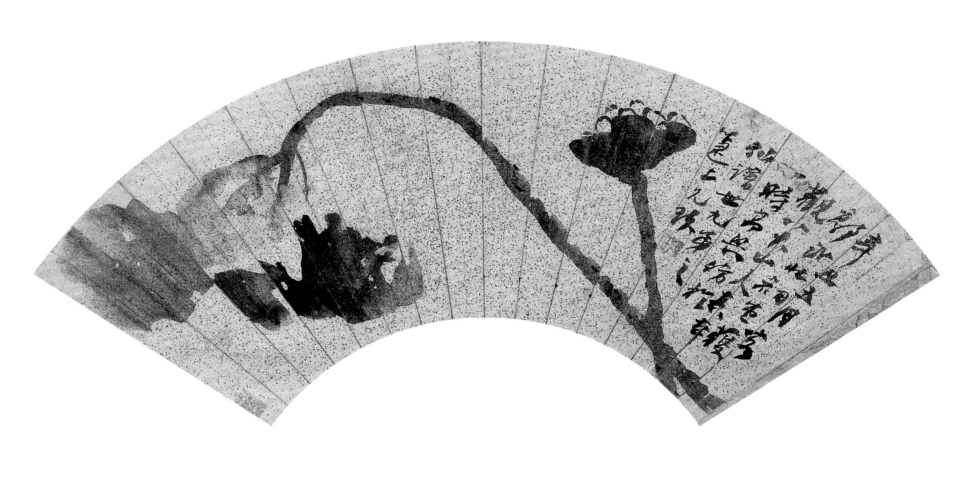

五四　荷葉蓮蓬 （扇面）　一九〇一年　縱二二厘米　橫五〇厘米

五五　蘆雁（扇面）　約一九○一年　縱二一厘米　橫四四厘米

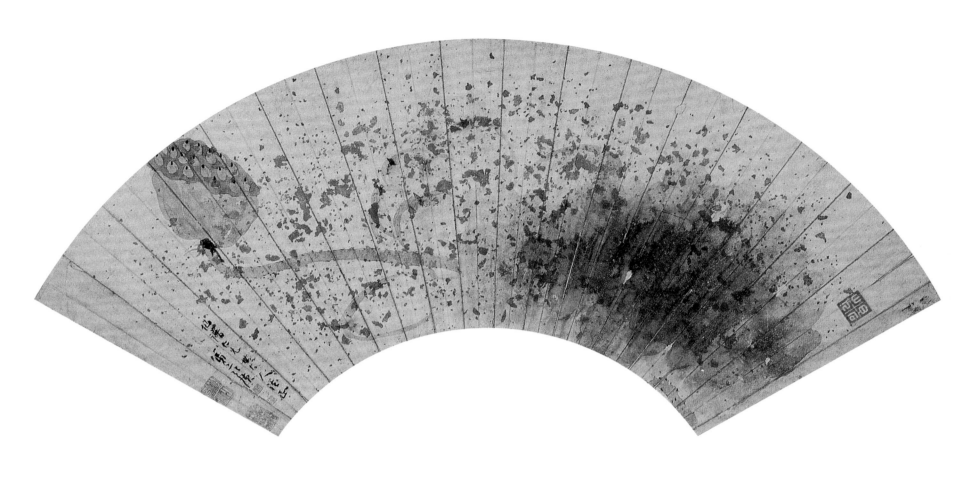

五六　蓮蓬（扇面）　約一九〇一年　縱二三厘米　横四九厘米

五七　白雲紅樹（山水六條屏之一）一九〇二年　縱一四〇厘米　橫三六·四厘米

楓林亭外夕陽斜宕大遠書

屋子

噴泉石窑臨風踏東同歸竹

鳥看

梅花　楓林亭連朱大翁句

偶騎蚨蝶御風還卻嫌輕煖半掩闡繞屋枝斜
苦梅樹印啒渚多梅慶寔安排備圓便足家
凍䐛無色蠻霜華陸身者雪雪香為海天女亂瑣
更散花 自點蒼梅宗掌圖之䔖州

六〇　當門賣酒　（山水六條屏之六）　一九〇二年　縱一四〇厘米　橫三六·四厘米

燕子飛飛日斜風不改野橋花十年此麗將軍府指樹
當門賣酒家為郭五太洊畫小董絕倒司
光緒庚子許秋
輔公老佃司為士人以著附紙宗籛竟趱明年蕁吾
秋後就栲薩山房選紈囤童此帳以舉公沒文職年壽
眼鄰五弟世兄人兩正
就山社長兄瀕生齋後自石小寂英記

六一　山水（條屏之一）約一八九四年——一九〇二年　縱九三·五厘米　横四八·七厘米

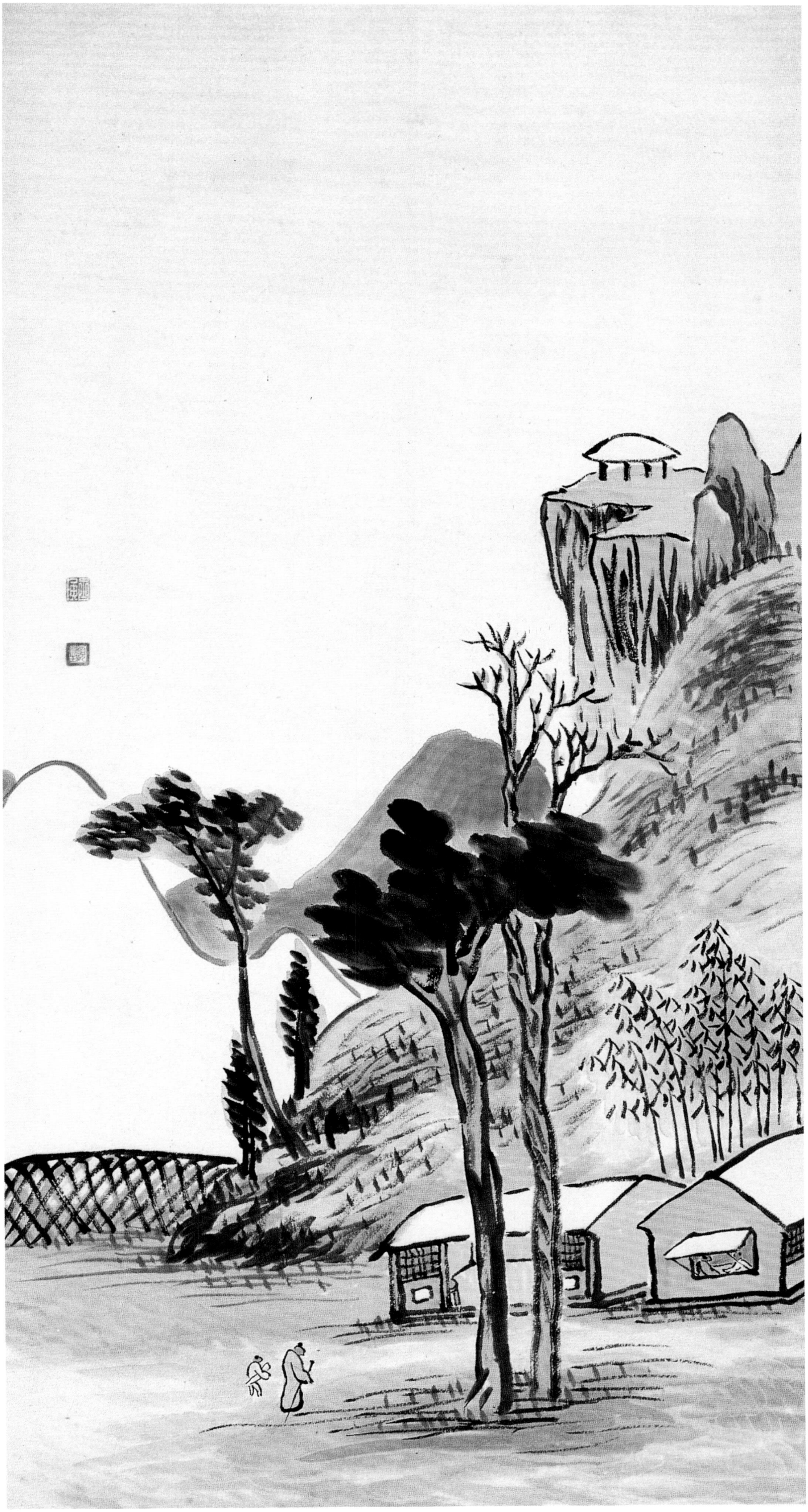

六三　山水　（條屏之三）　約一八九四年——一九〇二年　縱九三·五厘米　橫四八·七厘米

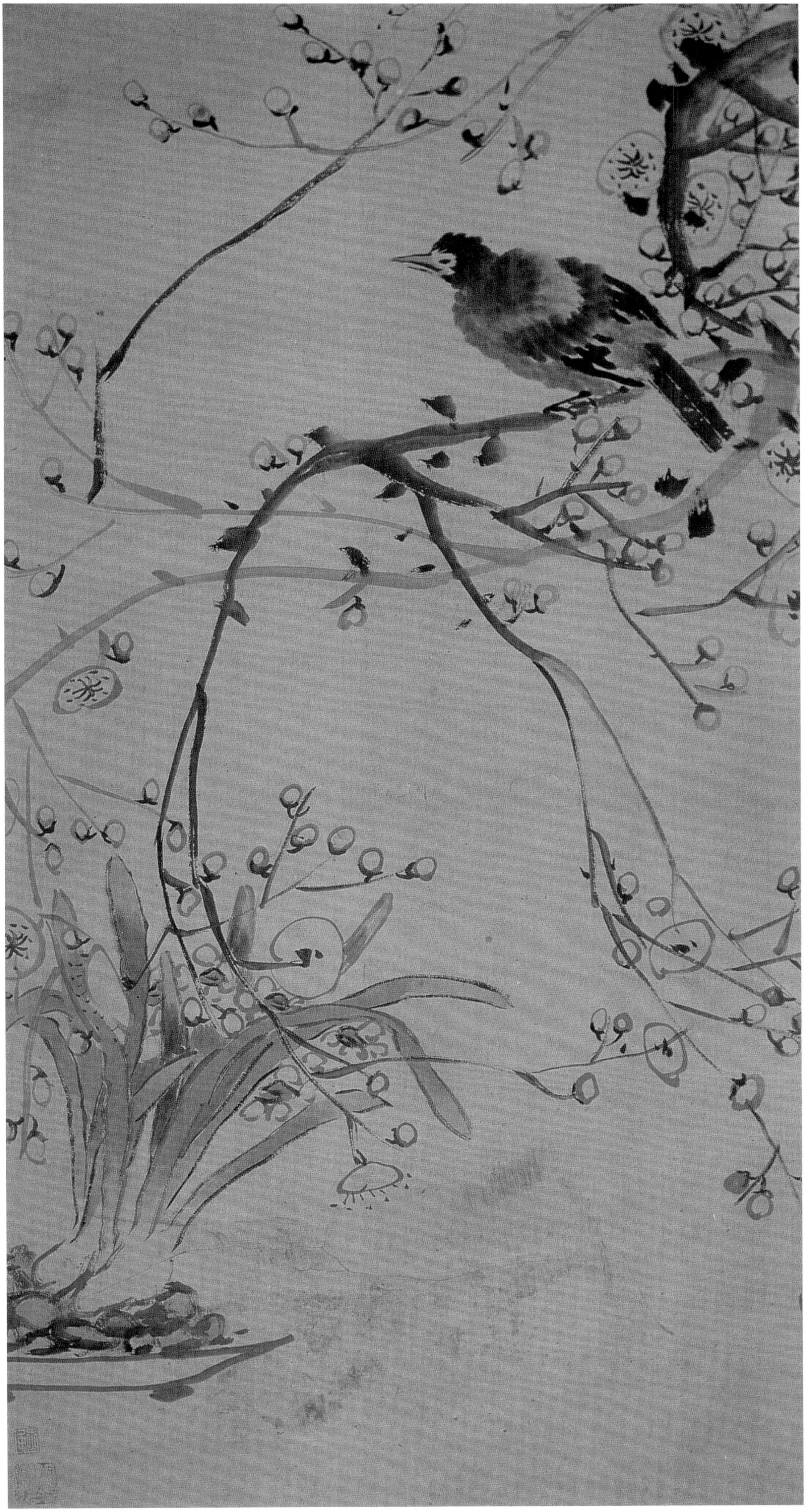

六五　水仙八哥

（花鳥屏之二）約一八九五年——一九〇二年　縱八九厘米　橫四六厘米

（花鳥屏之三）　約一八九五年——一九〇二年　縱八九厘米　橫四六厘米

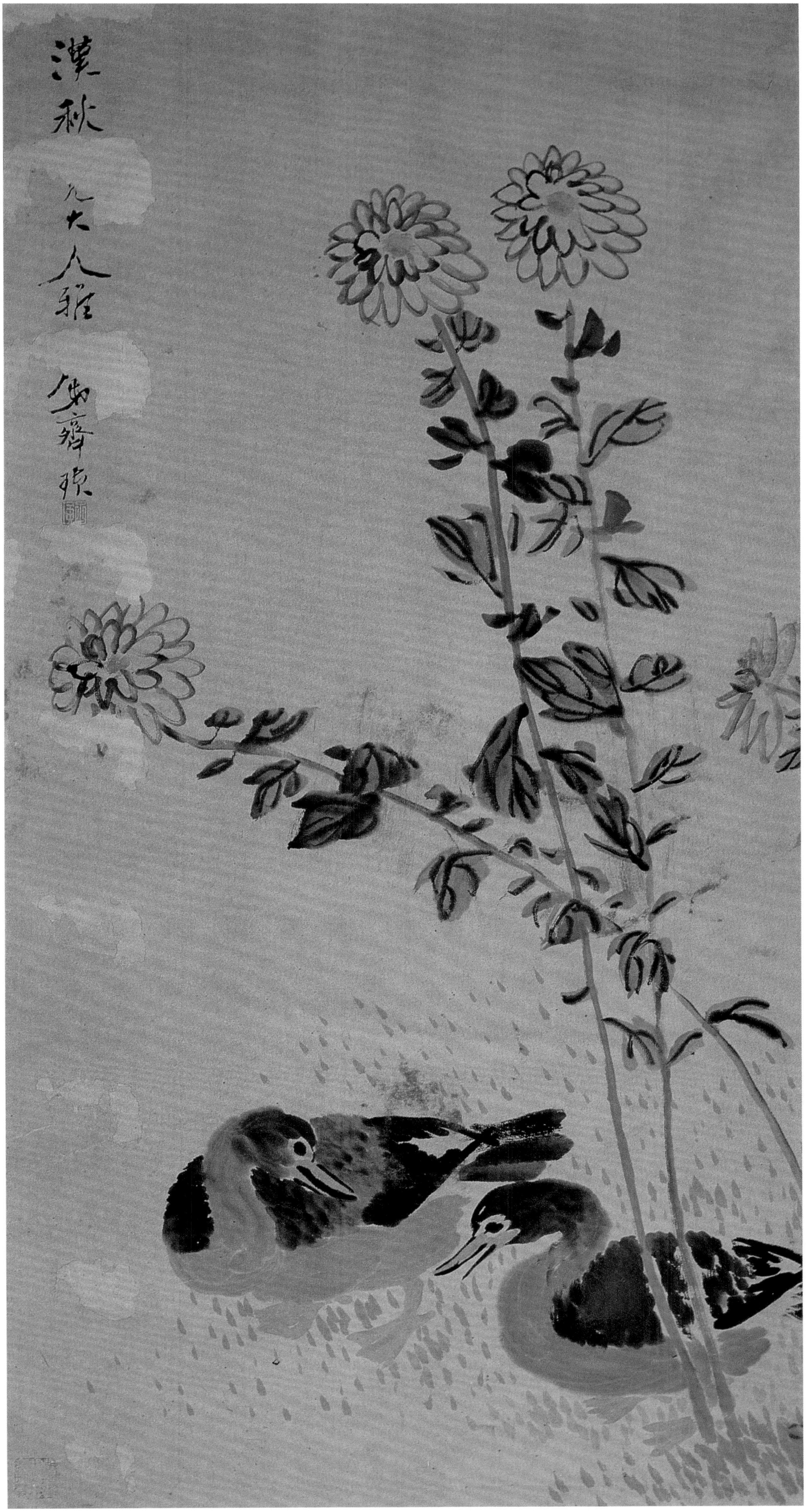

六七　菊花雙雁

（花鳥屏之四）　約一八九五年——一九〇二年　縱八九厘米　橫四六厘米

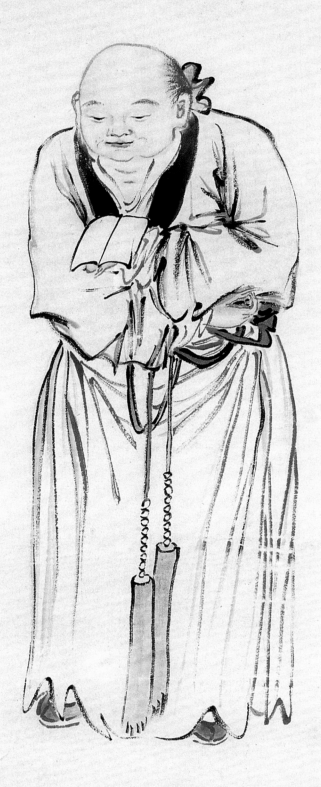

六九　看鶴圖　約一八九四年——一九〇二年　縱七三·五厘米　橫三八厘米

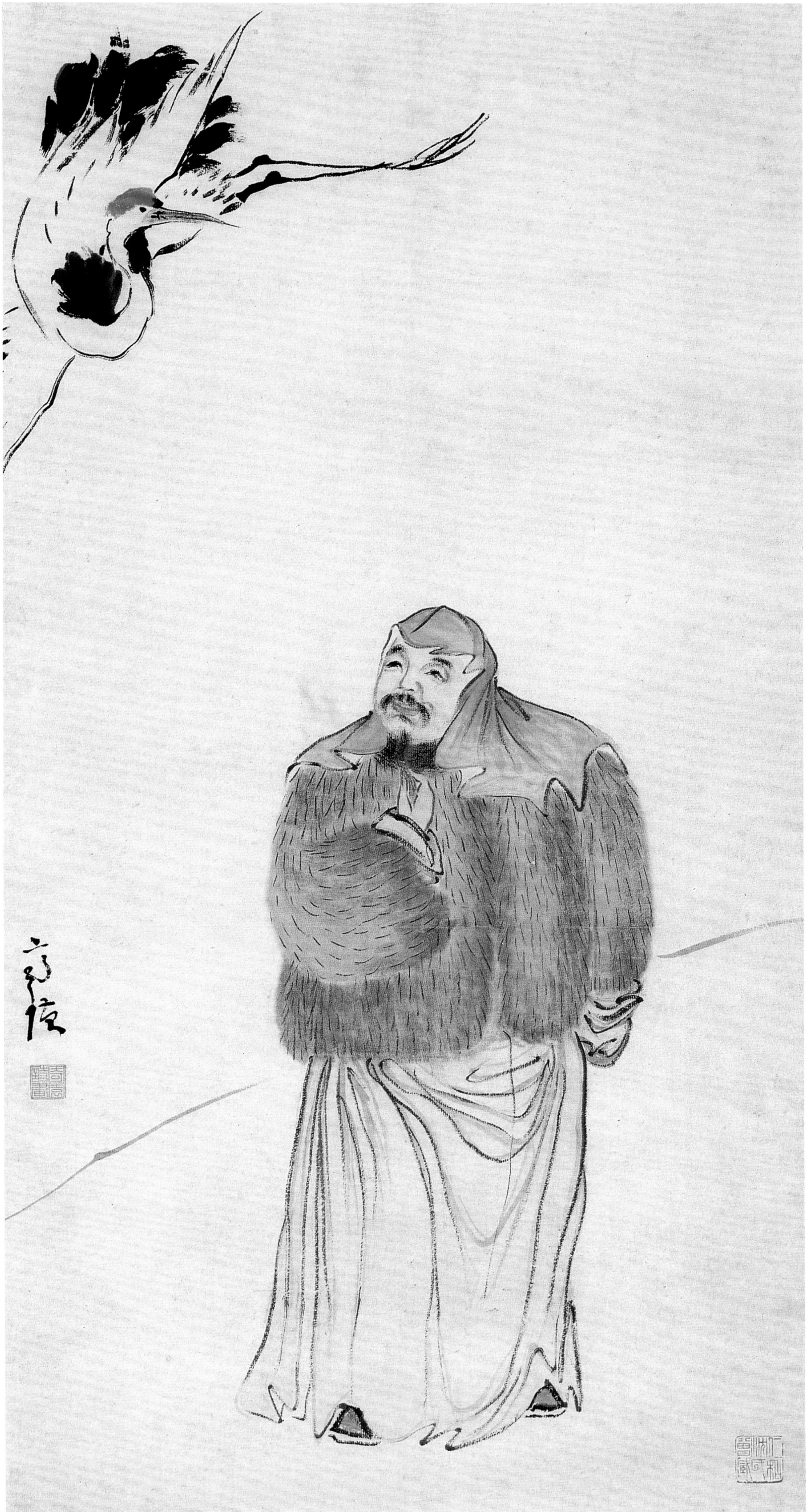

一葦渡江

白石老年時畫不
出來之先幅大約五
紹卅歲所作甲亥白石
始補記

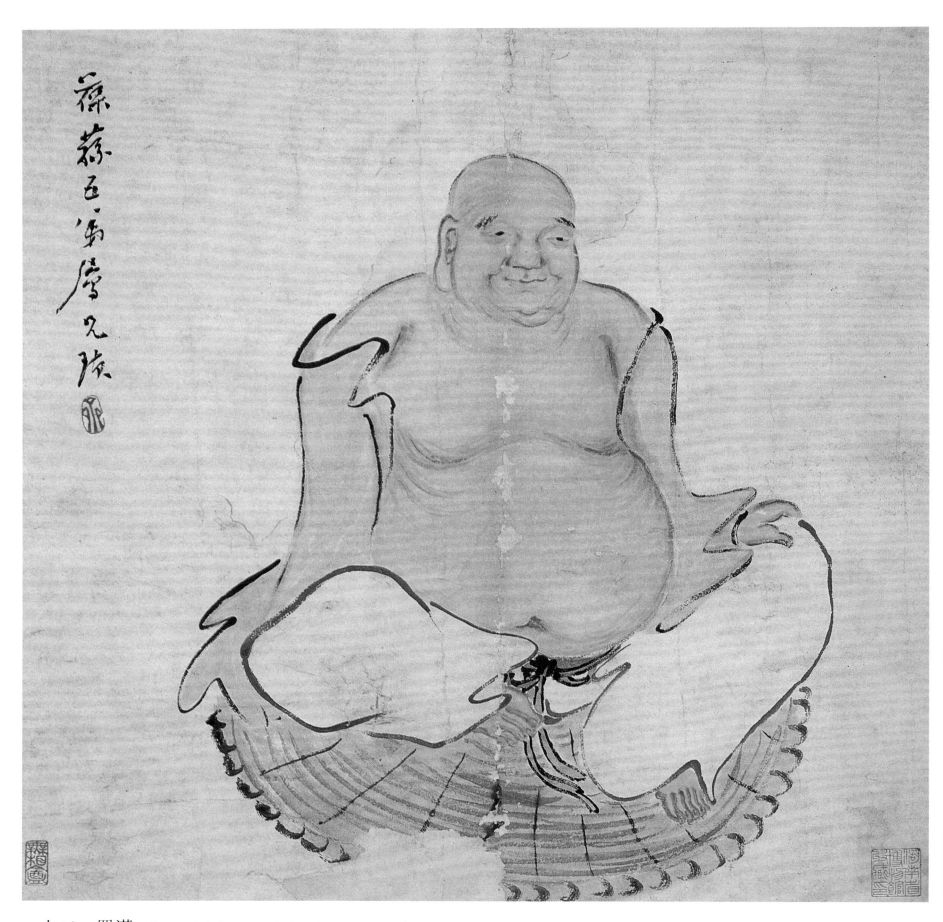

七二　羅漢　約一八九七年——一九〇二年　縱五〇厘米　橫四九厘米

七三　西施浣紗圖　約一八九七年——一九〇二年　縱一二八·六厘米　橫三一·八厘米

七五　華山圖　（團扇）　一九○三年　縱二六厘米　橫二四厘米

賜桃圖

虢山社姪齋璜畫以壽

晉卿老伯時　光緒丙午冬十月

七七　花卉蟋蟀 （團扇）　約一九〇六年　直徑二四厘米

七九　獨秀峰圖　約一九〇六年　縱七五厘米　橫四〇·四厘米

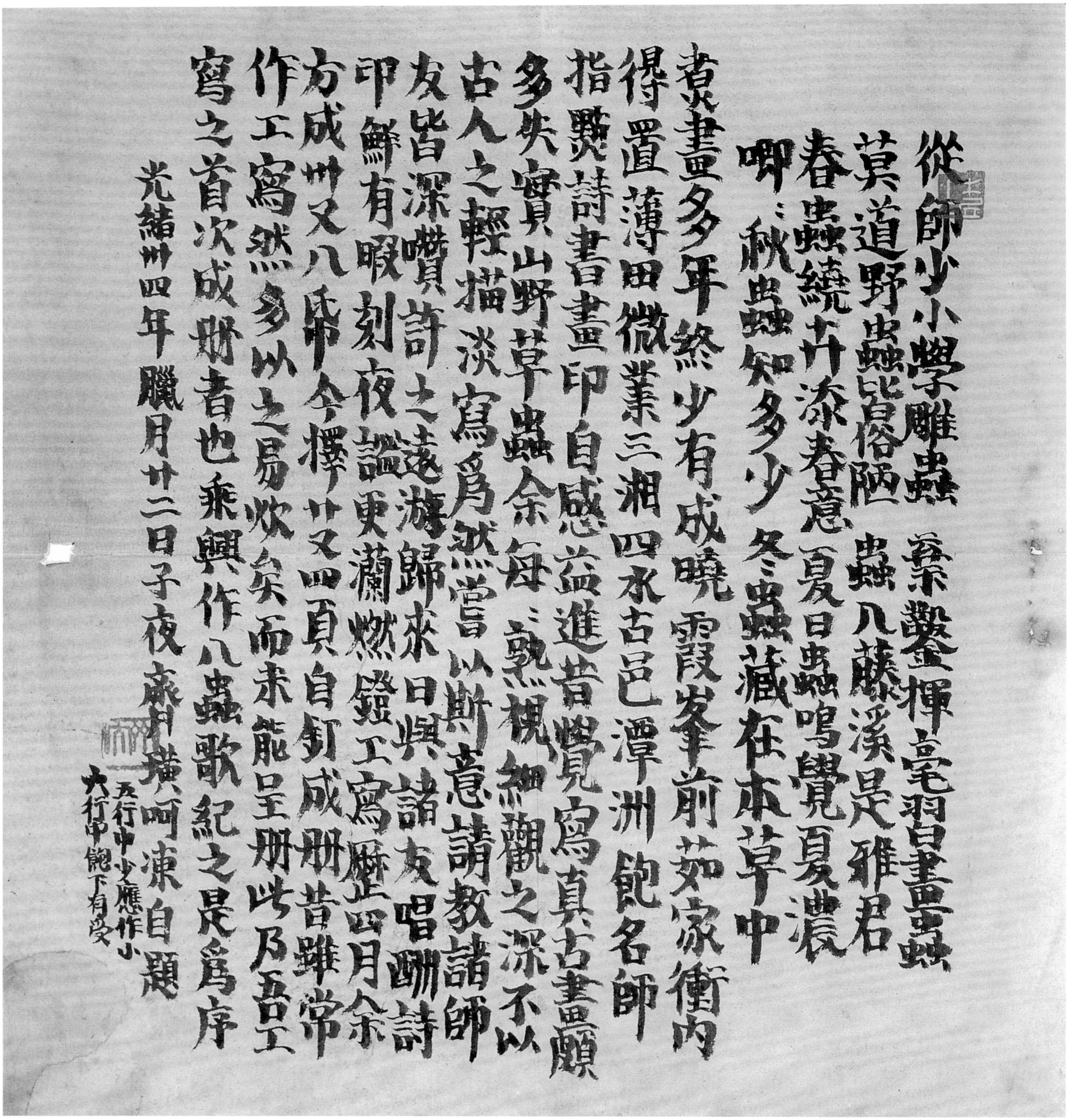

從師少小學雕蟲

莫道野蟲鄙俗陋

春蟲繞艸漆春意

唧唧秋蟲知多少　冬蟲藏在本草中

紫鳌揮毫羽自畫畫蟲

蟲八藤溪是雅君

夏日蟲蟲鳴覺夏濃

余畫畫多年終少有成曉
得置薄田微業三湘四永古邑潭洲飽名師
指覽詩書畫印自感益進昔覺寫真古畫顧
多失實山野草蟲余每三乾視細觀之深不以
古人之輕描淡寫為然嘗以斯意請教諸師
友皆深嘆詩之遠游歸求日與諸友唱酬詩
印鮮有暇刻夜讌更蘭燃鐙工寫歷四月餘
方成卅又八紙中今擇卅又四頁自釘成册昔雖常
作工寫然多以之易歡矣而未能呈册此及吾工
寫之首次成册者也乘興作八蟲歌紀之是為序

光緒卅四年臘月廿二日子夜家白黃阿凍自題

天行中少應作小
六行中飽下有沒

八〇　工筆草蟲册題記　一九〇九年　縱三三·五厘米　橫三二·五厘米

八一　芙蓉蝴蝶　（工筆草蟲册之一）　一九〇八年——一九〇九年　縱三三·五厘米　橫三二·五厘米

八二　玉蘭蝴蝶 （工筆草蟲册之二）　一九〇八年——一九〇九年　縱三三·五厘米　橫三二·五厘米

八三　芙蓉蝴蝶　（工筆草蟲册之三）　一九〇八年——一九〇九年　縱三三·五厘米　橫三二·五厘米

八四　豆荚蝴蝶　（工笔草蟲册之四）　一九〇八年——一九〇九年　縱三三·五厘米　横三二·五厘米

八五　油燈秋蛾 （工筆草蟲冊之五）　一九〇八年——一九〇九年　縱三三・五厘米　橫三二・五厘米

八六　荷花蜻蜓　（工筆草蟲冊之六）　一九〇八年——一九〇九年　縱三三·五厘米　橫三二·五厘米

八七　蓮蓬蜻蜓 （工筆草蟲冊之七）　一九〇八年——一九〇九年　縱三三·五厘米　橫三二·五厘米

八八　竹葉蜻蜓　（工筆草蟲册之八）　一九〇八年——一九〇九年　縱三三・五厘米　横三二・五厘米

八九　長葉蝗蟲 （工筆草蟲冊之九）　一九〇八年——一九〇九年　縱三三·五厘米　橫三二·五厘米

九〇 葉下蚱蜢 （工筆草蟲册之十） 一九〇八年——一九〇九年 縱三三·五厘米 横三二·五厘米

九一　貝葉蟋蟀　（工筆草蟲册之十一）　一九〇八年——一九〇九年　縱三三・五厘米　橫三二・五厘米

九二　竹葉飛蟲 （工筆草蟲冊之十二）　一九〇八年——一九〇九年　縱三三・五厘米　橫三二・五厘米

九三　樹枝秋蟬 （工筆草蟲冊之十三）　一九〇八年——一九〇九年　縱三三·五厘米　橫三二·五厘米

九四　咸蛋蟑螂　（工筆草蟲册之十四）　一九○八年——一九○九年　縱三三·五厘米　橫三二·五厘米

白石老農

九五　芋葉螻蛄 （工筆草蟲册之十五）　一九〇八年——一九〇九年　縱三三·五厘米　橫三二·五厘米

九六　稻穗螳螂 （工筆草蟲冊之十六）　一九〇八年——一九〇九年　縱三三·五厘米　橫三二·五厘米

寄萍堂上主人

九七　蜘蛛飛蛾　（工筆草蟲册之十七）　一九〇八年——一九〇九年　縱三三・五厘米　橫三二・五厘米

九八　葡萄天牛　（工筆草蟲册之十八）　一九〇八年——一九〇九年　縱三三·五厘米　横三二·五厘米

九九　貝葉秋蟲 （工筆草蟲册之十九）　一九〇八年——一九〇九年　縱三三·五厘米　横三二·五厘米

一〇〇　水草螃蟹 （工筆草蟲冊之二十）　一九〇八年——一九〇九年　縱三三·五厘米　橫三二·五厘米

一〇一　貝葉螳螂 （工筆草蟲册之二十一）　一九〇八年——一九〇九年　縱三三·五厘米　橫三二·五厘米

一〇二　水草小蟲 （工筆草蟲册之二十二）　一九〇八年——一九〇九年　縱三三·五厘米　橫三二·五厘米

横時乙酉四月同客東興

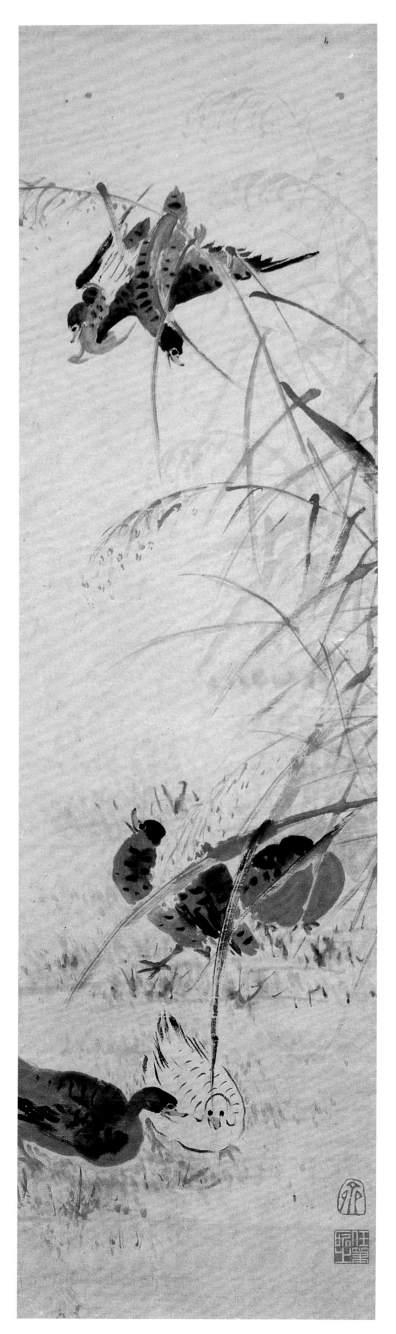

一〇四　蘆雁　約一九〇〇年——一九〇九年　縱一七三厘米　橫四八厘米

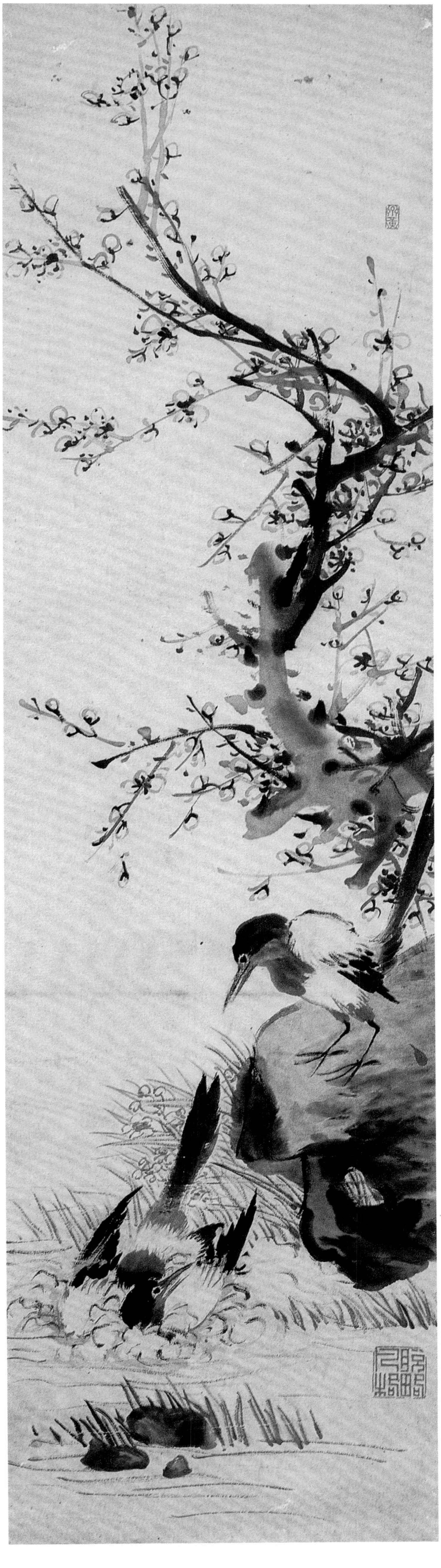

一〇五　梅花喜鵲　約一九〇〇年——一九〇九年　縱一七三厘米　横四八厘米

一〇七　蘭石白兔（花鳥條屏之二）　約一九〇二年——一九〇九年　縱一四七厘米　橫三九・五厘米

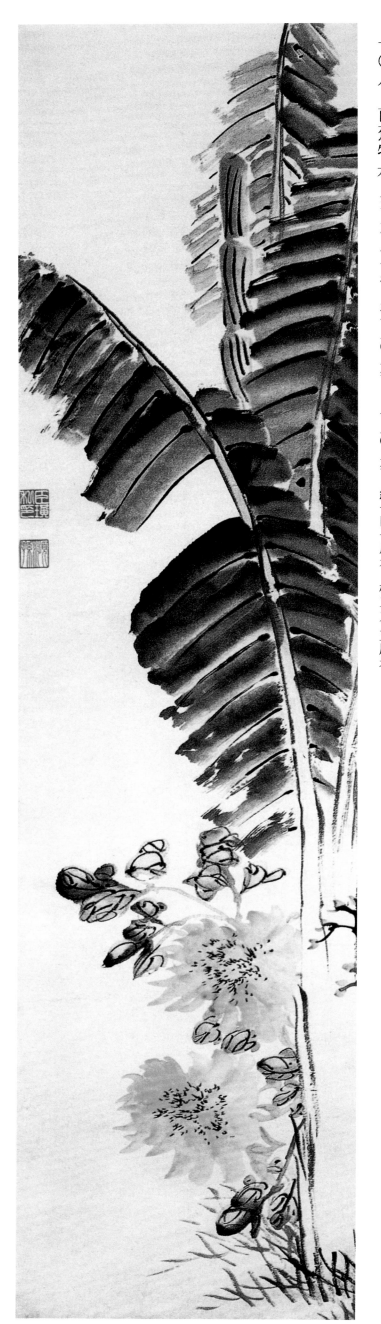

一〇八　芭蕉牡丹　(花鳥條屏之三)　約一九〇二年——一九〇九年　縱一四七厘米　橫三九·五厘米

一〇九　松菊八哥（花鳥條屏之四）　約一九〇二年——一九〇九年　縱一四七厘米　橫三九·五厘米

一〇　黛玉葬花　約一九〇〇年——一九〇九年　縱一〇五厘米　橫三六厘米

一一一 放風箏 約一九〇二年——一九〇九年 縱八一·五厘米 橫三九·五厘米

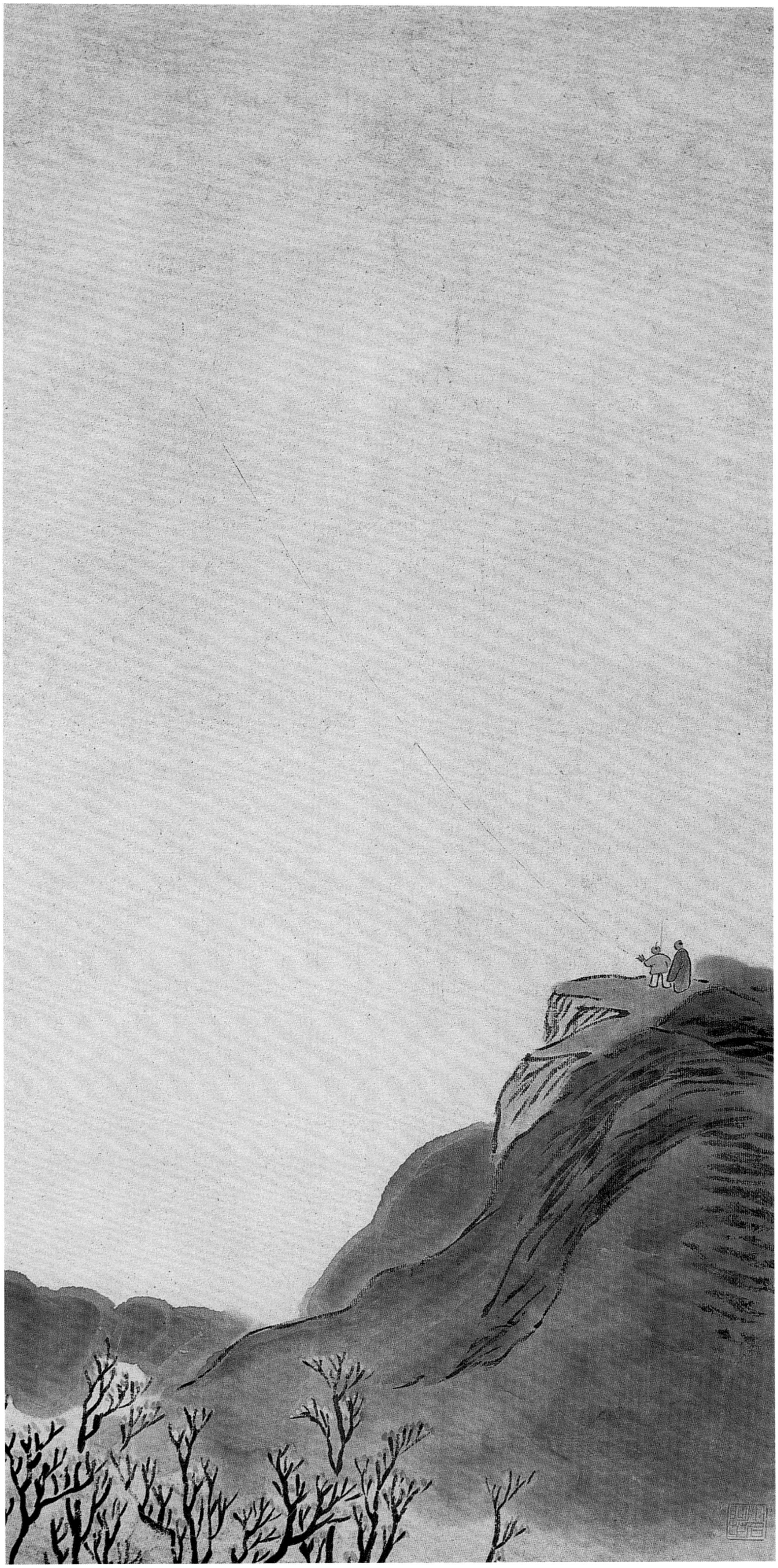

譚文勤公遺像

同郡後學鄭沅恭題

庚戌秋日湘潭蕭瑸敬摹

松山竹馬圖

隨馬揚鞭各　　把持之曾娘戲
少年時如今　　贏得八誇譽
論落長安老　　畫師

形松日宗法明潔
李之耑諺竹村也
鈍山李諫口子

一一三　松山竹馬　（石門廿四景之一）　一九一〇年　縱三四厘米　橫四五厘米

113

古樹歸鴉圖

八哥解語偏饒舌 鸚鵡能言有是非
省卻人間煩惱事 斜陽古樹看鴉歸

一一四　古樹歸鴉　（石門廿四景之二）　一九一〇年　縱三四厘米　橫四五厘米

一一五　石泉悟畫（石門廿四景之三）　一九一〇年　縱三四厘米　橫四五厘米

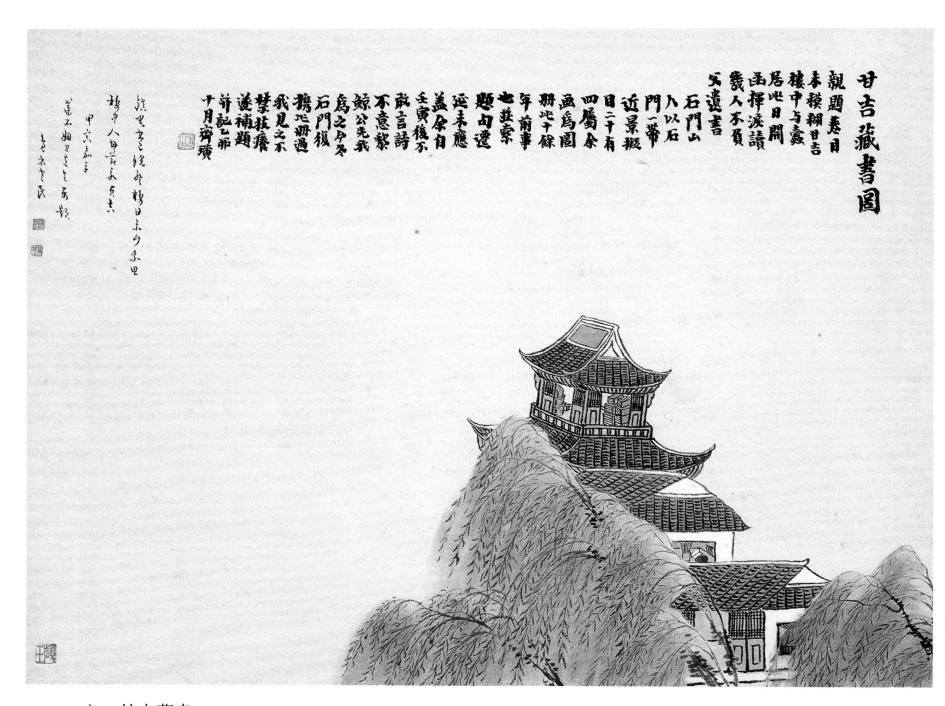

甘吉藏書圖

親題慈目
本籍翔甘吉
樓中與藏
居此日間
函揮淚讀
幾人不負

矢遺書
石門山
入以石
門一帶
近景瓶
日二十有
四屬余
畫為圖
冊此千餘
年前事
也莊嚴
題句遷
遠未應
蓋余自
壬寅後不
敢言詩
不意黎
鯨公先我
為之今冬
石門復
鶴飛冊過
我見之不
禁狂癈
遂補題
前記之邢
十月齊璜

熊世方祝於藉日未夕末里
甲寅春
蓮不烟早早些不報

甲寅八母些未月里

一一六　甘吉藏書（石門廿四景之四）　一九一〇年　縱三四厘米　橫四五厘米

116

石盦五弟正 宣統辛亥八月兄橫

一一七　竹枝游鴨　一九一一年　縱八二厘米　橫三六厘米

祝罄雨霜偕山埠原作此壽
參想堯先生長沙荷華
宣統辛亥夏弟璜

池上共四幅

一一九　仕女條屏之二　一九一一年　縱一〇三厘米　橫三九·五厘米

瀨生

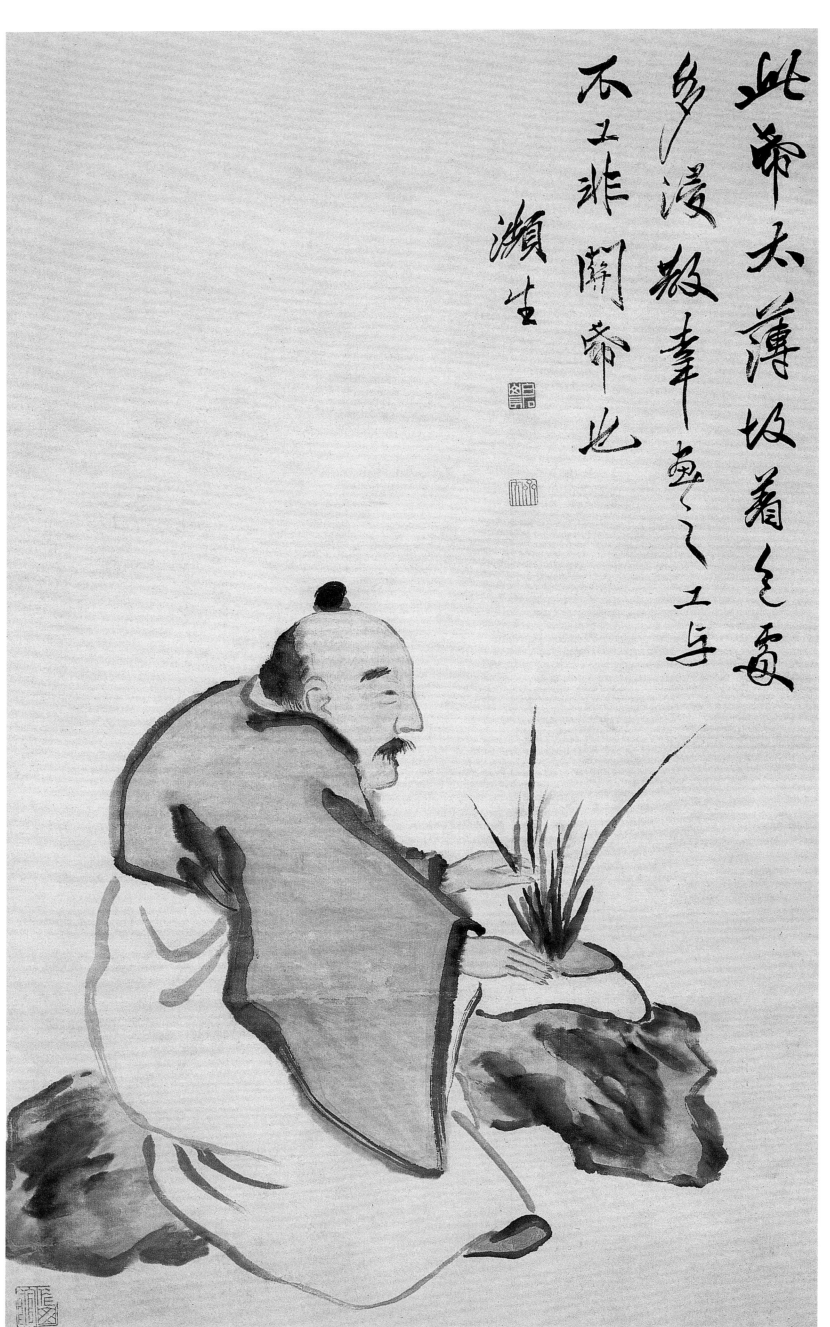

此爺太薄坡着毛裹
多浸敢孛壶〻工与
不工非闘爺也

瀬生

辛亥正月深山晴暢獨步於屋後山石間
折得梅華一枝置之案頭對之覺清與偶蒙為
蓋臣仁兄作此弟齊璜

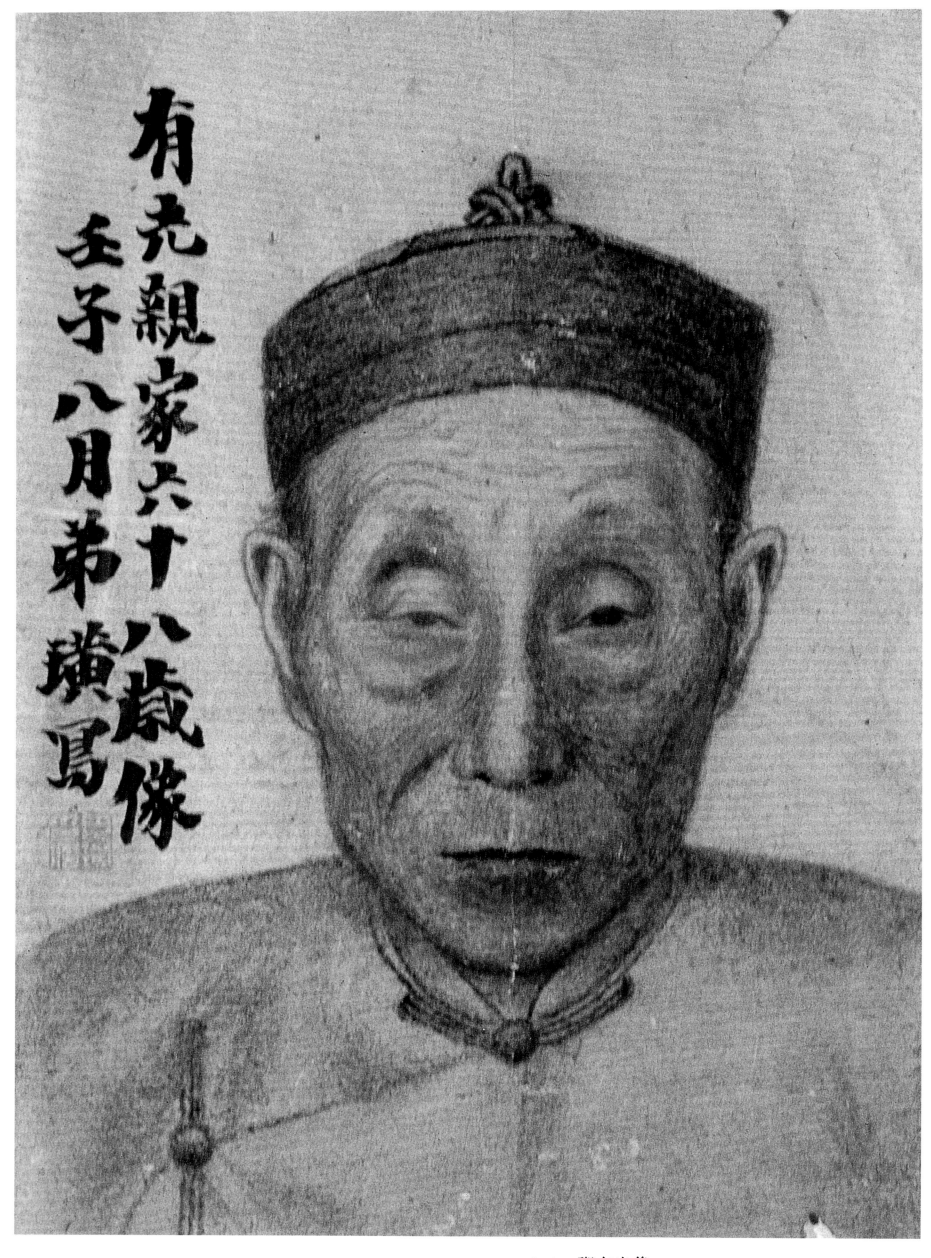

有光親家六十八歲像
壬子八月弟 　　寫

一二二　鄧有光像　一九一二年　縱二一厘米　橫一五厘米

一二三　菖蒲蟾蜍　一九一二年　縱一七四厘米　橫四七厘米

一二四　菖蒲蟾蜍　約一九一二年　縱九一·七厘米　橫二四·八厘米

曾向嵩高豎兩臂　羅偶袒徒光影畫維摩三

摹來覺情年長一益年　真愁世法多下

筆早聞花雨落刦灰方見鬼神　呵龍藏法

樹飄零盡誰爲金人寫髮嬴

余游長安轉京華曾畫莊璧　前詩乃夏午贻生

先朝歌旅舍璧　看齊山人畫達摩作也贻字下先生二字

君兒坐知詩不以爲辱者索橫畫回錄題詞二字

癸丑五月中兒齊璜幷記

在不以二字之下

知詩二字

散花圖　此自造之本畫贈

蓮花山長甲寅三月中頑生

蓮花山長乃
予同宗文章
老作家也
一代傳人張
不易知其名
八十七歲白石

一二七　胡沁園像　約一九一〇年──一九一四年　縱二六厘米　橫一九厘米

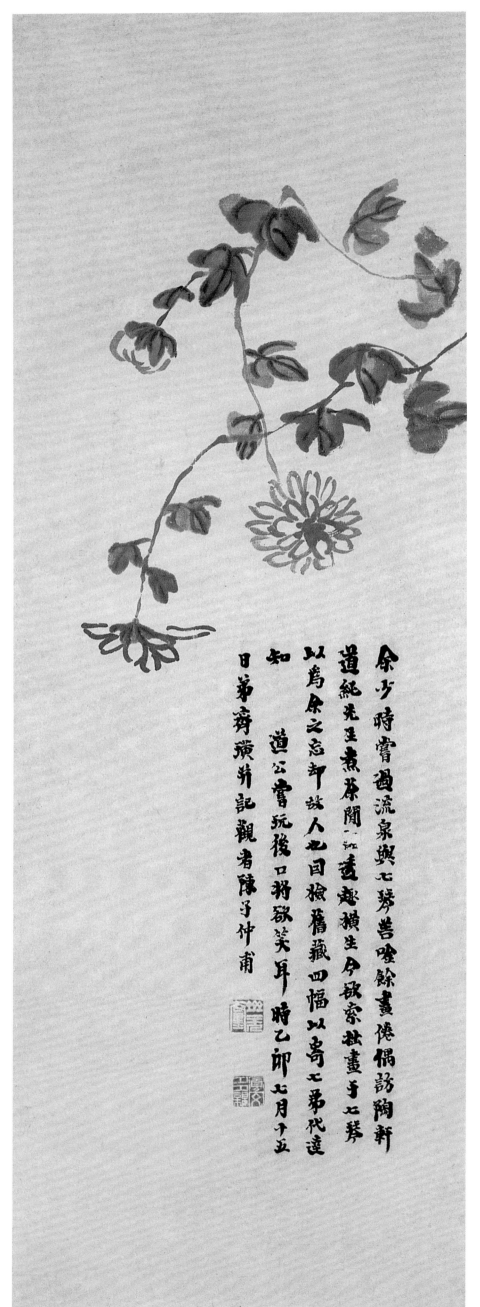

余少時嘗過流泉與亡琴善噬餘畫倦偶訪陶軒
道純先生煮茶閒江遠趣橫生今敬索拙畫于亡琴
以爲余之忘却故人也目撿舊藏四幅以寄亡弟代達
知　道公嘗玩後□將欲笑耳時乙卯七月十五
日菜齋礦芥記觀者陳子仲甫

乙卯冬十月白石老人作于借山館天日暄和時門前芙蓉正開池魚樂游冬暖不獨人喜也容有觀余作畫者欲余爲之記

一三〇　群魚圖　一九一五年　縱二四厘米　橫九四厘米

余自四十以後不喜畫
人物或有酬應必倩兒輩
為之　漢廷大兄之請
曰舊時嘗見余為郭公
慇勤畫此今日比之昔時
不相同也十年前作顏令
閱者以為好矣余覽以為
慚耳此法敷筆鉤成不
假外入畫像法度始存
古趣自以為是人必日自
作高世人可不信也
乙卯十月齊璜並記

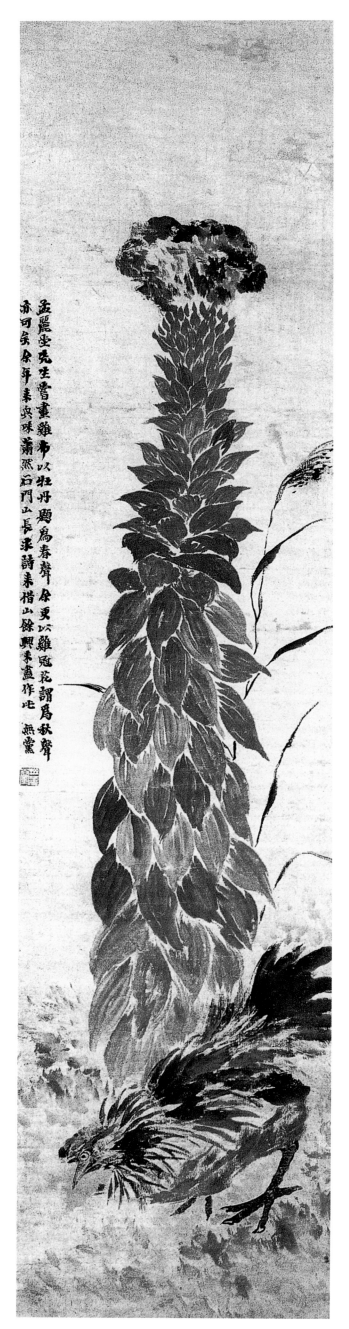

孟麗堂先生嘗畫雞冠以牡丹題爲春聲余更以雞冠花謂爲秋聲清可矣余年來與味蕭然石門山長求詩來楷山餘熙年盡作此

無黨

一三三　凌霄花　約一九〇九──一九一五年　縱一三五厘米　橫三三厘米

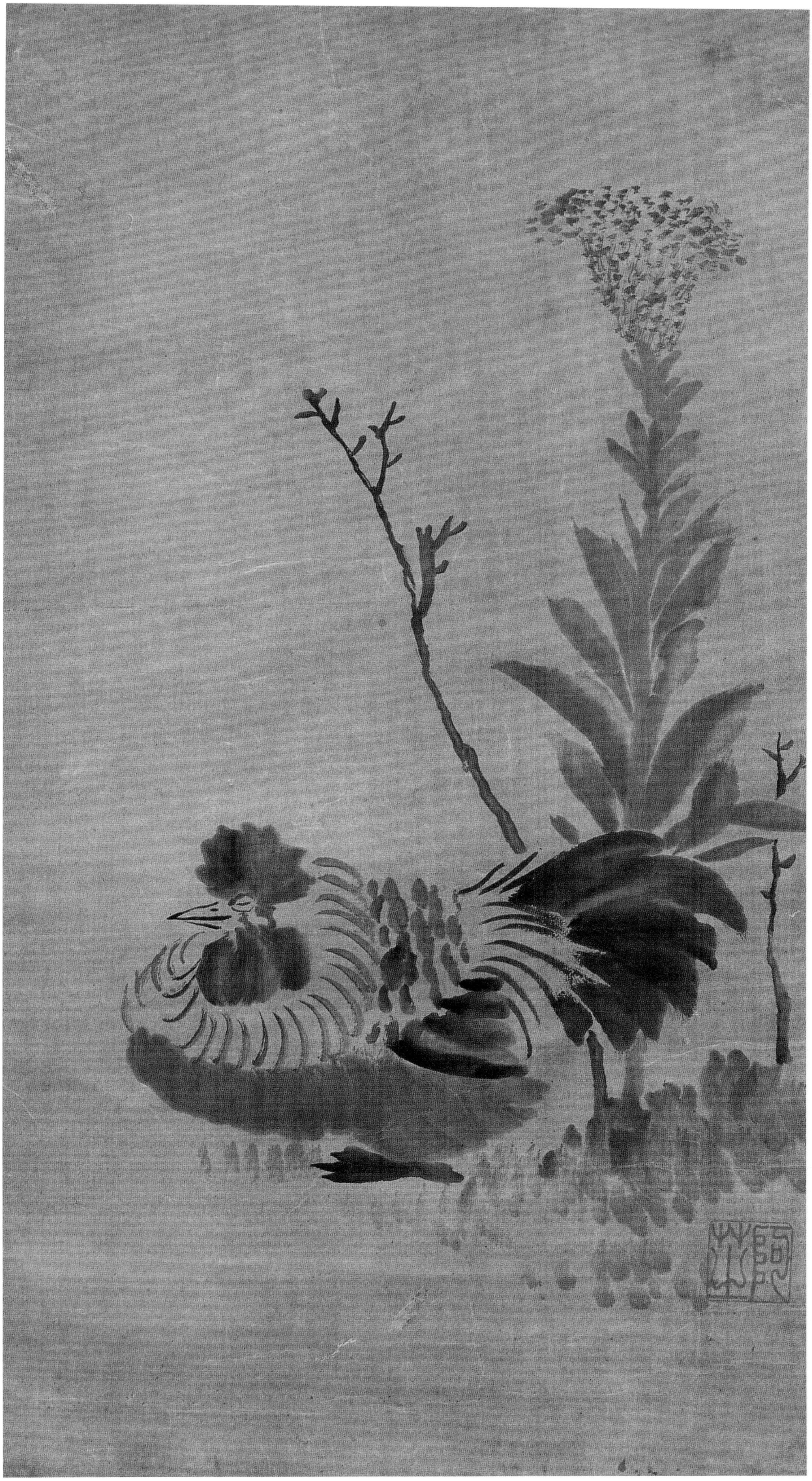

一三五 公鷄·鷄冠花 約一九一五年 縱八六厘米 橫五四厘米

三百石印主者

一三七　荷花　約一九一五年　縱八五厘米　橫三一·五厘米

萬丈塵沙汙日色薄五里停車雲作慈母審鎧
身上衣未到長安未穩著
齊璜

一三八　芙蓉　一九二六年　縱四八·二厘米　橫三二·八厘米

一三九　抱劍仕女　約一九一〇年——一九一六年　縱一一二厘米　橫四二·五厘米

嬌娆呢呢素手輕彈玉君能事祇知名窈
萍門下無雙別因憶京師落雁聲
杏子塢民齋璜

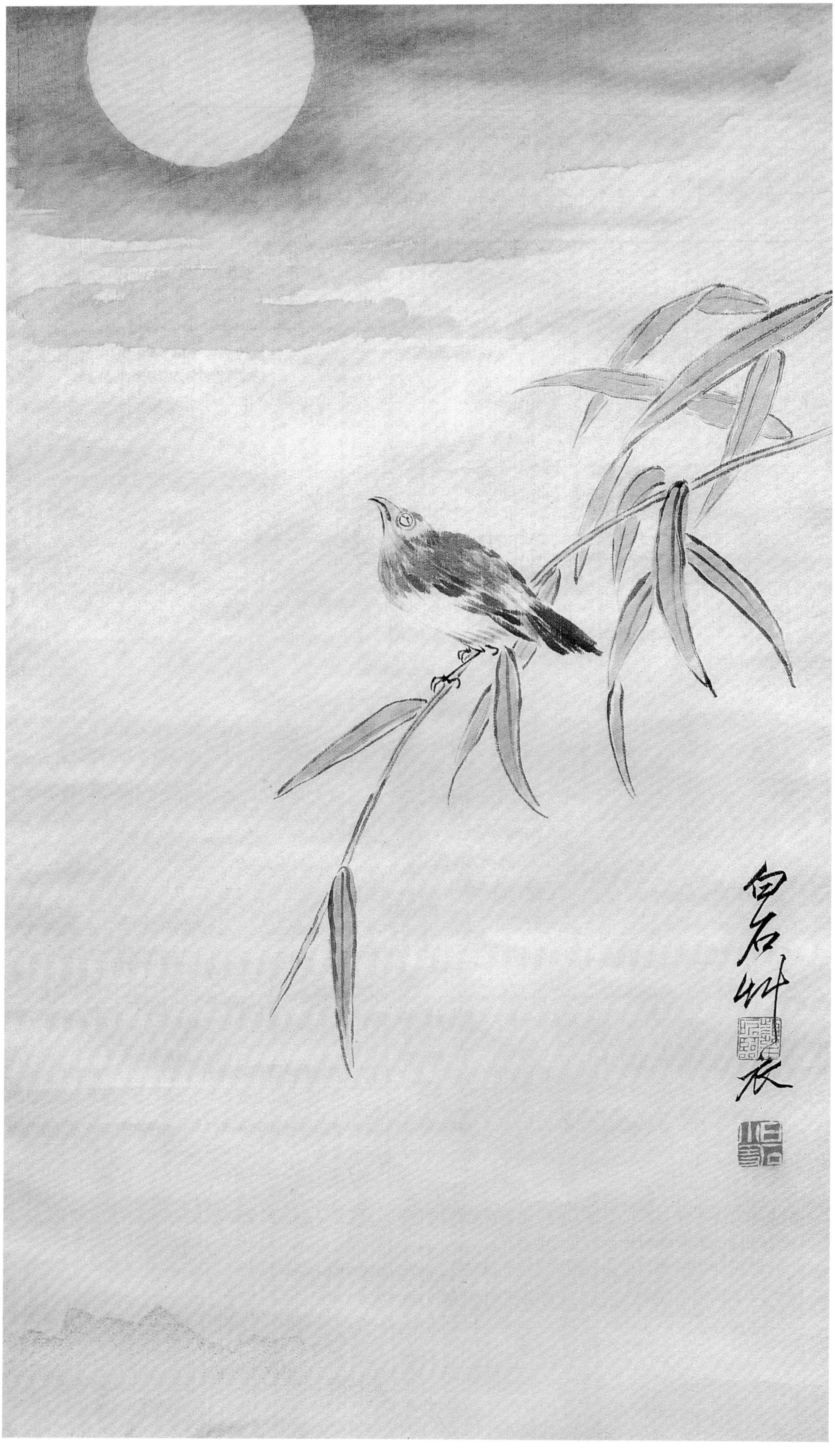

一四二　月下幽禽　約一九一一年——一九一六年　縱七四厘米　横四一厘米

一四三　秋蟲　約一九一一年——一九一六年　縱七五厘米　橫二四厘米

余嘗游京華　相遇李筠盦伊爲匋齋聘之
專購字畫而来者京華收舊字畫者多歸
家筠盦每得真蹟必自先煮磨姑煎邀余同爲
拜賞也惜余是時爲人畫師無暇臨爲册本
以供閒ゝ暮畫省卻多少追思耳　　萍翁

145

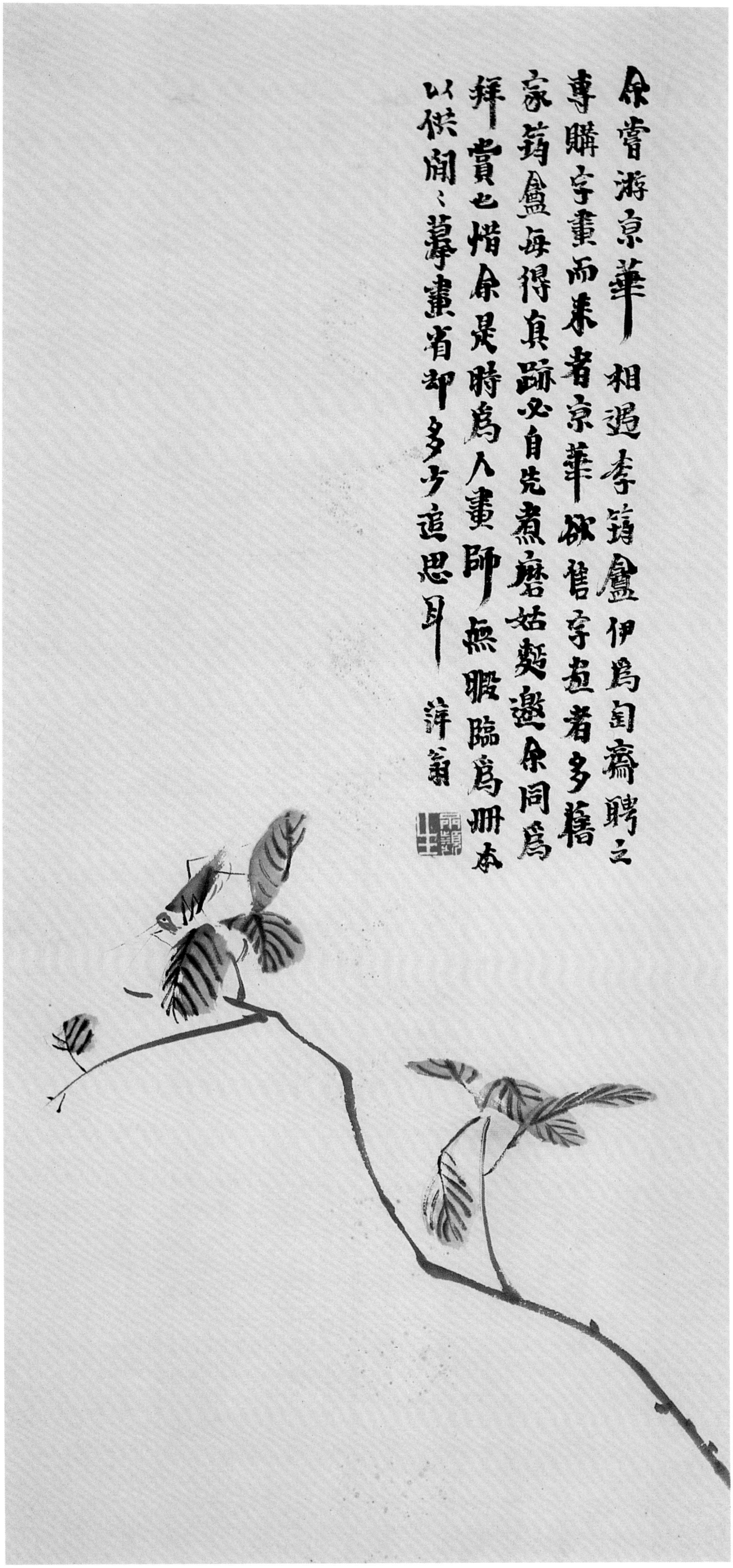

一四七　蘆蟹圖　約一九一〇年——一九一六年　縱八二厘米　橫三六厘米

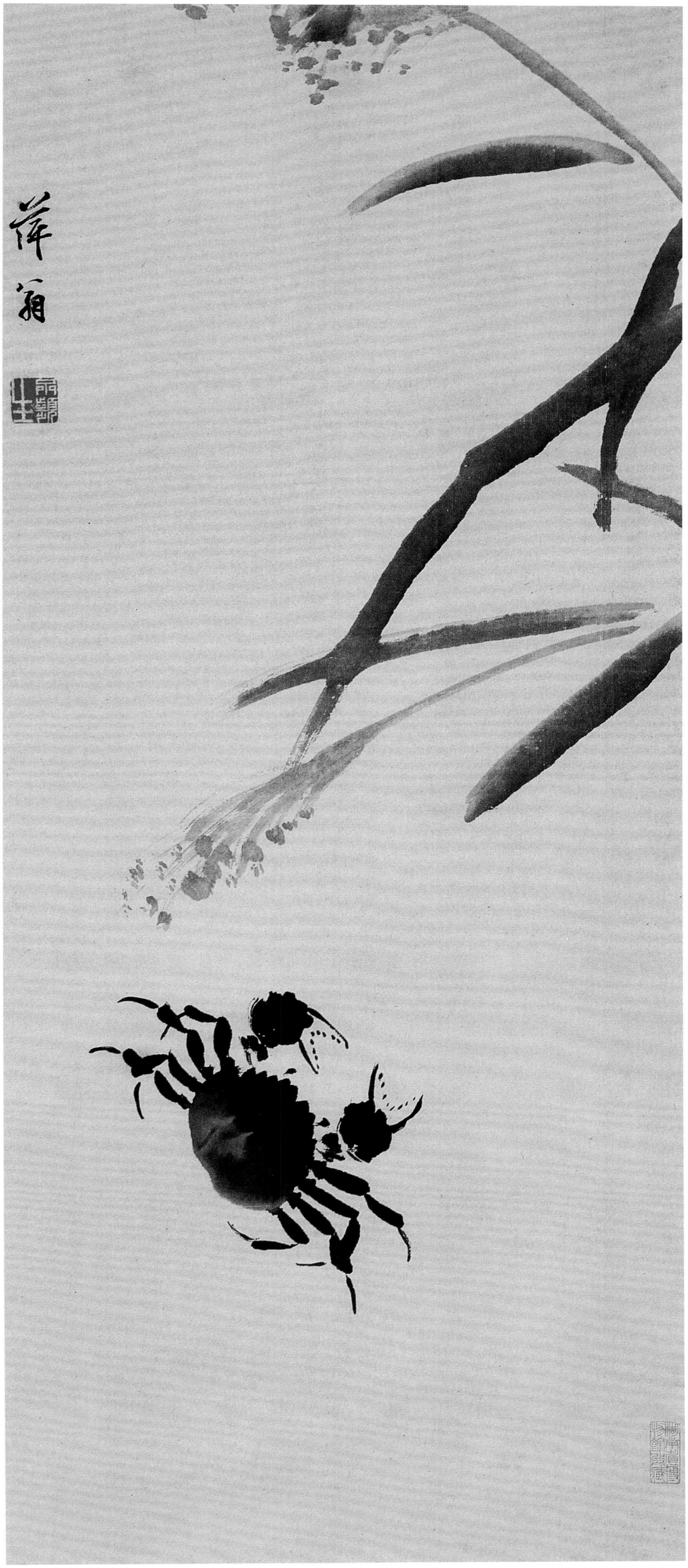

瀕生

148

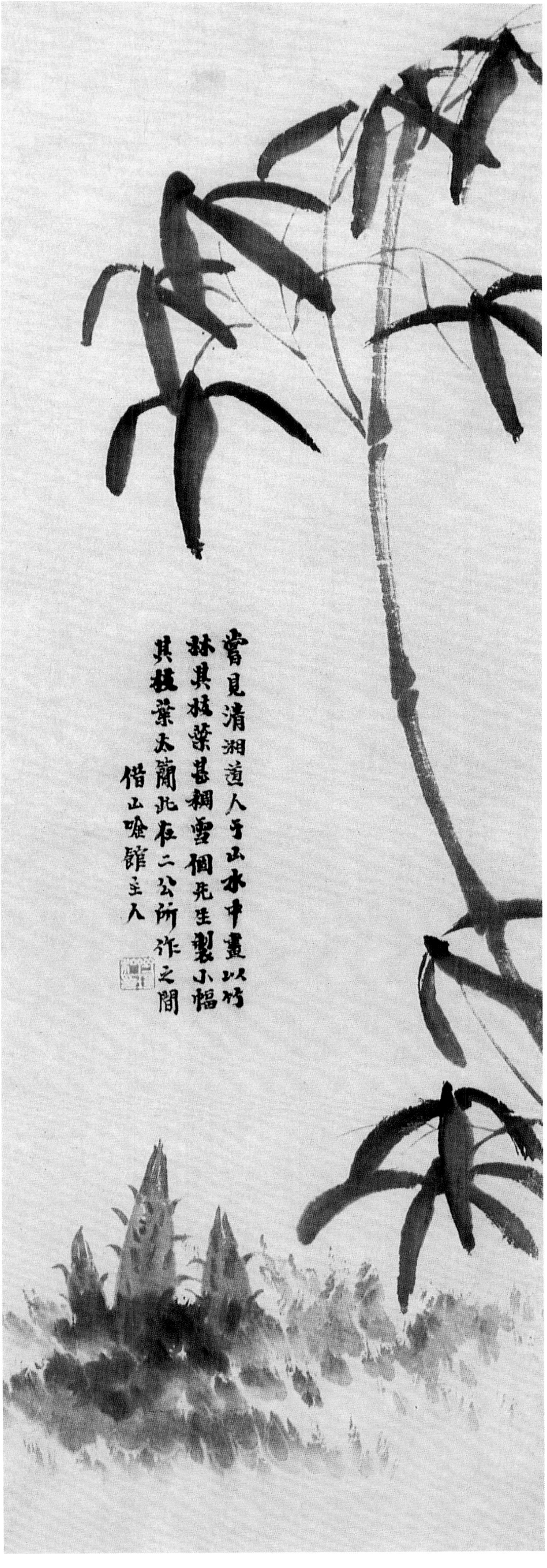
嘗見清湘道人于山水中畫以竹
林其枝葉甚稠雪個先生製小幅
其枝葉太簡此在二公所作之間
借山吟館主人

一四九 竹 約一九一〇年——一九一六年 縱九四·五厘米 橫三二·五厘米

一五〇　芙蓉八哥　一九一七年　縱一三〇厘米　橫六〇厘米

余五年以來常北室避走牽牛
正雁裁事一日黄昏後客窓山雨獨生思家
正陽親家五弟玉相見時驚喜非逗余拇先帰
繼此為别無之作矣丁巳六月十三日兄横并記

一五一　秋館論詩圖　一九一七年　縱二六・二厘米　橫三八・五厘米

余癸卯來京華同客李筠庵戶先生處珂璖板舊拓敷展伴讀且自煮磨拓此且自煮磨拓此舊畫晨多第一回今年來京又得遍臨潛移事一日語馀一日馀語徙事麻榄李松恨先生室屏上瞪諉戶以待馀安得名畫如此瞪諉戶而來豈不令人棄而來豈不令人棄死如此兄獲諸因記之

一五二　小雞野草　（花鳥草蟲冊之一）　一九一七年　縱三九·五厘米　橫四五·七厘米

一五三　荷花翠鳥 （花鳥草蟲册之二） 一九一七年　縱三九·五厘米　橫四五·七厘米

一五四　芙蓉游鴨　（花鳥草蟲册之三）　一九一七年　縱三九·五厘米　橫四五·七厘米

一五五　鷄冠花　（花鳥草蟲冊之四）　一九一七年　縱三九・五厘米　橫四五・七厘米

一五六　母鷄孵雛　（花鳥草蟲册之五）　一九一七年　縱三九·五厘米　橫四五·七厘米

一五七　石井螃蟹　（花鳥草蟲册之六）　一九一七年　縱三九・五厘米　横四五・七厘米

曲江不是曲江水仙自有情
冰残雪後怨此言也成
潜心第最好深知
借山吟館主者

一五八　水仙 （花鳥草蟲册之七）　一九一七年　縱三九·五厘米　橫四五·七厘米

一五九　紡織娘　（花鳥草蟲册之八）　一九一七年　縱三九・五厘米　横四五・七厘米

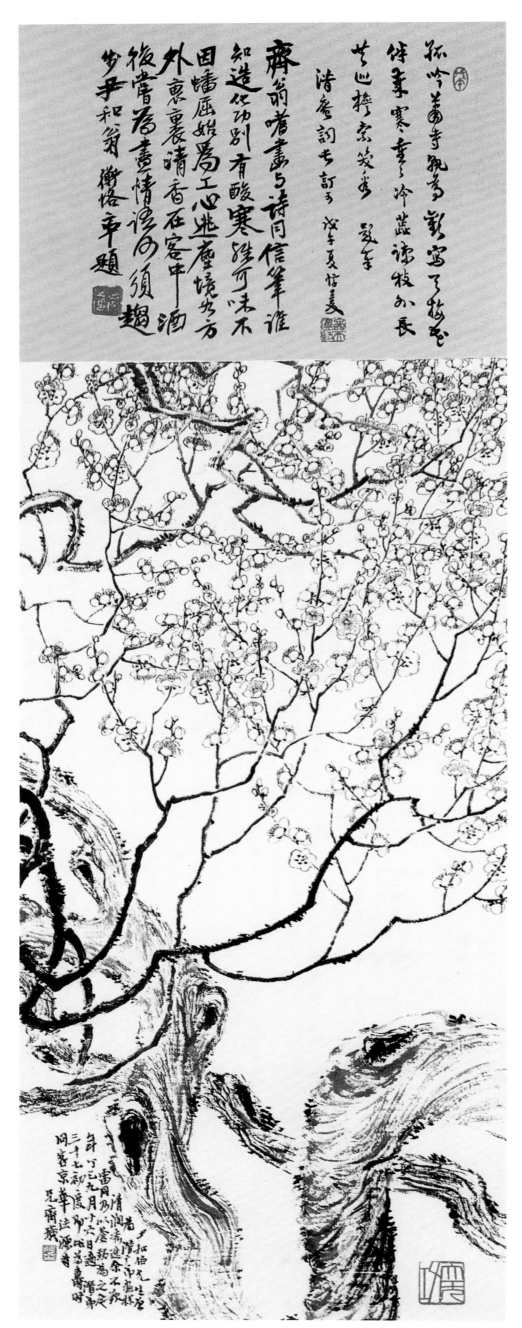

戲擬八大山人。余嘗游南昌有其世，家子以朱雪個畫冊八幀求售二千金，亥之嫂。余意思明其本不子，今猶想慕焉。筆情至名色，玉至青來以目。喜畫此花於子芳知余所便畫處匯不暇時之也聞雅廷家之藏有朱先生之云册余未之見也果芳真蹟余明年又暖頁牟時香鑑當耳盍屯先与丕郎雅华竹丁已九月廿五省元燹白石老人并記

此屏共四幅其畫不一此外
三幅皆陳師曾著墨便有
五采非畫此竟不能為此敗
興或四幅皆不紗佳大不類余
平生所作後之鑒家須省
聚似者矣丁巳十月十百事游字
華還有

白石老人

一六三　秋蟬　（冊頁之一）　一九一七年　縱二九‧五厘米　橫四四厘米

一六四　幽禽 （册頁之二） 一九一七年　縱二九·五厘米　橫四四厘米

出污泥
而不染
余與
張五畬
花與此
迅也前
大并記

此册二十五幅為人擕去
余三撝之墨未

一六五　荷花　（册頁之三）　一九一七年　縱二九・五厘米　橫四四厘米

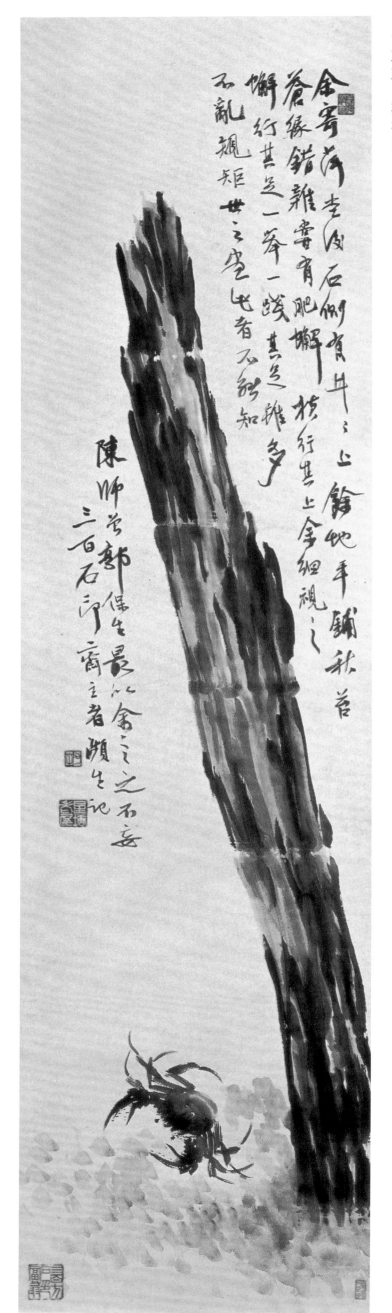

金寄萍老賢弟屬畫石侧有井？止銜钯手鋪秋菩
蒼綠錯雜審育肥蟹横行其止金細視之
懶行其足一筆一踐其足雜多
石亂觚矩世三堂此者不能知

陳師曾郋儒生最知余三之不妄
三百石印齋主者頻生記

一六八　菊花白頭翁 （扇面） 約一九一〇年——一九一七年　縱二一厘米　橫四八厘米

一六九　荷塘清趣　約一九一○年——一九一七年　縱一五六厘米　橫四○厘米

樹棠先生正　弟齊璜

170

171

一七二　蘆鴨　約一九一〇年——一九一七年　縱一六五厘米　橫四七厘米

一七三　日出圖　約一九一〇年——一九一七年　縱一三一‧八厘米　橫六四‧四厘米

甲辰先生之雅意弟齊璜

一七四　白雲紅樹　約一九一〇年——一九一七年　縱一〇六厘米　橫二九厘米

雨後雲山 瀕生

一七五　雨後雲山　約一九一〇年——一九一七年　縱一〇四·五厘米　横二八·五厘米

清秋明月
白石山人

一七七　清秋明月圖　約一九一〇年——一九一七年　縱一〇六厘米　橫二九厘米

古畫本四幅其末一幅有題字未題實有者
白石山人印今有友人求補記之白石山人并九

一七九　山水　（册頁）　約一九一〇年——一九一七年　縱二八厘米　橫二八厘米

一八〇　仿石濤山水 （册頁）　約一九一〇年——一九一七年　縱二七厘米　橫二八厘米

一八一　仿石濤山水　（册頁）　約一九一〇年——一九一七年　縱二七厘米　橫二九厘米

一八二　梅花　約一九一七年　縱三九厘米　橫一六九厘米

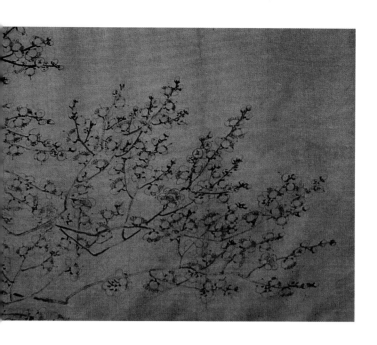

一八三　藤蘿　約一九一七年　縱一二五·二厘米　橫三二·四厘米

丁巳夏秋余重游京華
二滇先生嘗与相聚不索余畫長幅今復見
于長沙過戰事尤熾是誰尚能血慈卵孵之
爲之 先生知我者其毋加責戊午壽弟璜記

一八五 菊石小鳥 一九一八年 縱一二七厘米 橫三四厘米

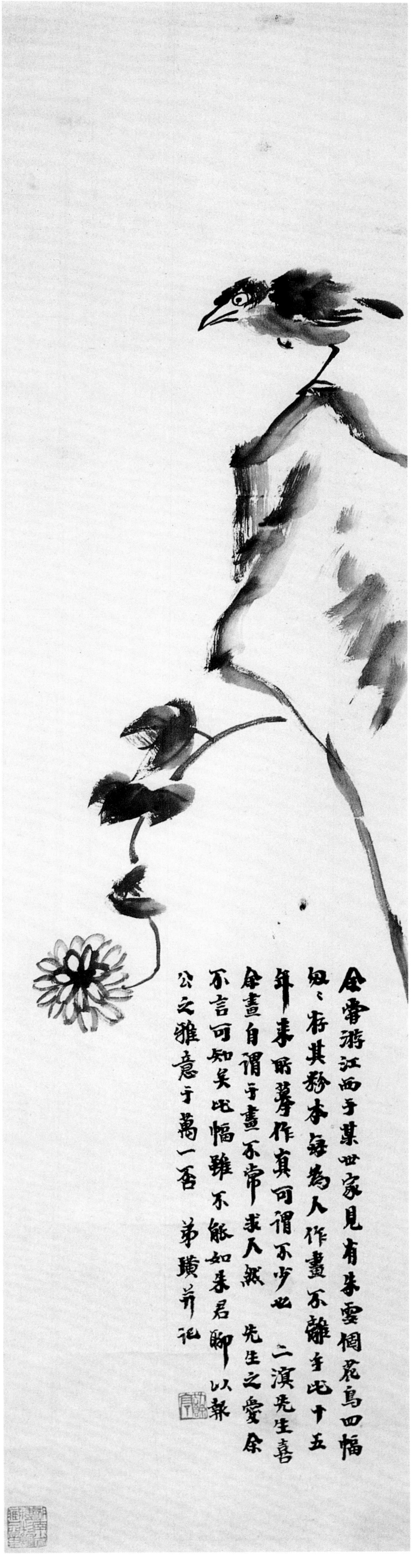
余嘗游江西于某世家見有朱雪個花鳥四幅
幅々存其粉本每為人作畫不離乎此十五
年來所摹作真可謂不少也 二濱先生喜
余畫自謂于畫不常求人然 先生之愛余
不言可知矣此幅雖不能如朱君聊以報
公之雅意于萬一否 弟璜并記

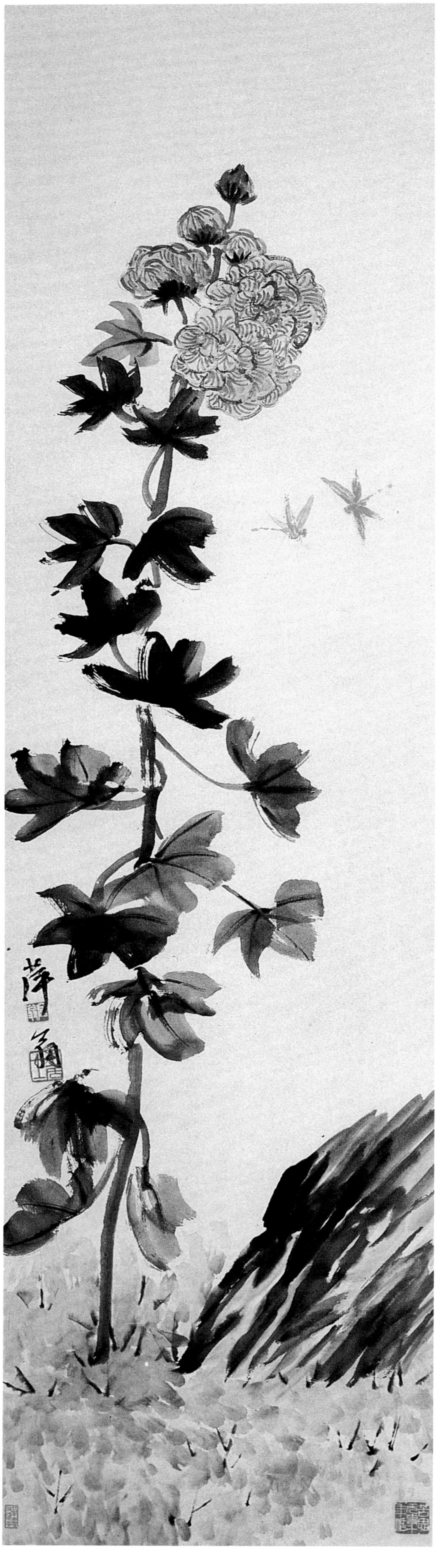

一八六　木芙蓉　約一九一八年　縱一六八·五厘米　橫四五厘米

著録·注釋

雕刻

1882—1902

1. 工具箱
木質　浮雕
35.4×22×28.5cm
約 1882—1902 年
收藏：
湘潭齊白石紀念館

2. 雕花床一號床楣
木質　浮雕
40×227cm
約 1882—1902 年
收藏：
湘潭齊白石紀念館

3. 雕花床二號
木質　透雕
床通高 236cm　寬 215cm
約 1882—1902 年
收藏：
湘潭齊白石紀念館

4. 雕花床三號床屏
木質　透雕
48×205cm
約 1882—1902 年
收藏：
莫鴻勳

5. 雕花屏
木質　透雕
145×60cm
約 1882—1902 年
收藏：
湖南省博物館

6. 雕花盆架
木質　透雕
通高 162cm
底寬 54cm
約 1882—1902 年
收藏：
湘潭齊白石紀念館

7. 雕花石屏
石質　浮雕
24.2×16.7×0.7cm
1903 年
款題：
（屏背面刻）湘綺師莞爾獨不善點金。慣喜攻頑碣。花鳥識天機。阿芝何太拙。弟子瀕生刻。光緒二十九年癸卯冬。

收藏：
湘潭齊白石紀念館

8. 小開片蜘蛛盤
瓷刻
直徑 22.5cm　底徑 12.9cm
約 1882—1902 年
收藏：
胡果存

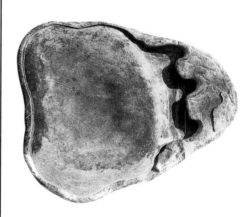

9. 荷葉形楚石硯
石質　雕刻
硯面長 40cm　寬 33cm
約 1896 年
款題：
（硯底刻）丙子六月。沁公夫子寶。門人璜贈。
收藏：
歐陽濂

10. 荷葉形端硯
　石質　雕刻
　硯面長 24cm　寬 20cm
收藏：
　陽光

11. 竹刻筆筒
　楠竹雕刻
　高 28.3cm
　直徑 11.8cm
　周長 35.5cm
　1900 年
款題：
　時在庚子孟冬
以應希哲先生雅
玩。胡立三題。齊璜
製於借山吟館。
他人題記：
　江南無所有。聊贈一枝春。
印章：
　刻楷體"齊璜"
收藏：
　李立

12. 松鶴筆筒
　木胎漆刻
　高 27.5cm　口徑 11.5cm
　約 1899—1905 年
款題：
　湘綺夫子大人雅命。門下齊璜。
收藏：

私人

13. 福星高照
　竹根雕刻
　通高 35cm
　腹寬 14cm
　1882 年
款題：
　福星高照。光緒
壬午年齊純芝製。
收藏：
　侯廣能

14. 壽星騎鹿
　竹根雕刻
　通高 40cm
　腹寬 15cm
　1894 年
款題：
　醒吾長壽。光緒
甲午。白石山人拜。
收藏：
　胡果存

繪畫
1892—1918

1. 佛手花果

扇面
紙本水墨設色
21×44cm
1892 年

款題：

光緒□八年□月。奉夫子大人之命。受業齊璜學。

印章：

□□
收藏印：湖南省博物館收藏（朱文）

收藏：

湖南省博物館

注釋：

款中題"光緒□八年"，有兩種可能。一為十八年（1892 年），一為二十八年（1902 年）。從款書風格、水準看，應是 1892 年（30 歲）所作。1902 年為 40 歲，開始遠遊，書畫風格比此圖成熟。

2. 梅花天竹白頭翁

立軸
紙本水墨設色
91×40cm
1893 年

款題：

笑煞錦鴛鴦。浮沉浴大江。不如枝上鳥。頭白也成雙。夫子大人之命。光緒十九年夏四月。受業齊璜。

印章：

齊伯子（白文）　名璜別號瀕生（朱文）
收藏印：沁園珍藏（白文）

收藏：

遼寧省博物館

注釋：

從題跋、下款和藏印判斷，此圖是奉送胡沁園的。

胡沁園（1847—1914）又名自倬，字漢槎，號鈍叟。湘潭縣中路鋪竹冲韶塘人。乃齊白石第一位花鳥畫老師。胡沁園出身書香門第，雅好詩文書畫，能詩善畫，尤工花鳥草蟲。家中富收藏，名重鄉里。

著錄：

《齊白石畫册》第 1 圖，遼寧省博物館編，遼寧美術出版社，1961 年，瀋陽。

3. 西施浣紗圖

立軸
紙本設色
90×33cm
約 1893 年

款題：

作於沁園精舍。
齊璜製。

印章：

齊伯子（白文）
名璜別號瀕生（朱文）
任憑人說短論長（朱文）

收藏：

首都博物館

注釋：

西施，春秋時越國的美女。亦稱先施、西子、夷光，姓施。初為浣紗女。越王勾踐敗於吳王夫差，範蠡取西施獻於夫差，使其迷醉忘政。越王遂滅吳。後西施從範蠡泛歸五湖。見《吳越春秋・勾踐陰謀外傳》。歷代詩人多有詠詩，民間繪畫中的美女畫，亦多以西施為題。

白石此作，全為工筆勾勒填色，程式化很強，似有所本。

4. 龍山七子圖

立軸
紙本水墨設色
179×96cm
1894 年

款題：

龍山七子圖
七子者。真吾羅斌。醒吾羅羲。言川王訓。子詮譚道。西木胡栗。茯根陳節暨余也。甲午季春過訪時園。醒吾老兄出紙一幅。屬余繪圖以紀其事。余亦局中人。不得置之度外。遂於酒後驅使山靈以為點綴焉。瀕生弟齊璜并識。

印章：

齊伯子（白文）
名璜別號瀕生（朱文）
求真（白文）

收藏：

私人

注釋：

《白石老人自述》云，1894 年，在黎松安家教家館的王仲言發起組織詩社，借五龍山大杰寺為社址，名為"龍山詩社"，白石年最長，被推為社長。"龍山七子"指的正是詩社的 7 個成員。跋中所記"甲午季春過訪時園，醒吾老兄出紙一幅"，證實一，詩社成立於春季，而不是《白石老人自述》中說的"夏天"；證實二，"時園"乃羅醒吾家，亦羅醒吾之號，此正可與《洞簫贈別圖》跋中"作於時園"相互印證，亦可與 1920 年所作《蝦》跋文中的"羅三爺"、"時園藏"相印證。

著錄：

《齊白石繪畫精品集》第 2 頁，人民美術出版社，1991 年，北京。

5. 洞簫贈別圖

立軸
紙本水墨設色
152×45cm
1894 年

款題：

洞簫贈別圖
江上送君行。依依泪欲傾。碧簫千古恨。紅豆一生情。吹月明年約。登樓何處聲。章臺春柳綠。打不盡黃鶯。光緒二十年十一月十六日畫於時園。奉□□老弟大人清賞。兄璜并題。

印章：

齊伯子（白文）　名璜別號瀕生（朱文）　樂此不疲（朱文）

收藏：

中央美術學院

注釋：

此圖上款之名字脫落，但有"畫於時園"字樣。時園即羅醒吾。龍龔著《齊白石傳略》第20頁有"醒吾名天覺，號時園"的介紹，可資證明。《齊白石詩草補編》有《醒吾弟索畫洞簫贈別圖并題》詩一首，與此圖題詩完全一樣。表明此即贈羅醒吾的原圖。羅醒吾乃"龍山七子"之一，政治上主張反清革命，1908年前在廣州做秘密革命工作。1920年齊白石居北京還有作品相贈。

6．壽（字畫合一）

立軸

紙本

145×79cm

約 1894—1895 年

款題：

曉村先生大人志慶。瀕生齊璜。

印章：

齊璜印信(白文)

字渭清號瀕岑(朱文)

收藏：

湖南省圖書館

注釋：

此圖與《麻姑進釀圖》同是贈送曉村先生的，款書風格、畫法也都極爲接近，應是同年同時爲同一目的所作。其創作年代亦斷爲1894—1895年間。以人物、山水組成"壽"字，是民間藝術的典型樣式。圖中所繪應爲"八仙"（實繪7人），取"群仙祝壽"之意。

7．人物

立軸

紙本水墨設色

65×27.5cm

約 1894 年

款題：

子銓社弟大人雅玩。乞正。小兄齊璜作於寄園。

印章：

臣璜印信(白文)

收藏：

中國美術館

注釋：

"子銓"即譚子荃，名道，"龍山七子"之一。是羅真吾的內兄，湘潭射埠人。此圖中的兩個人物與《洞簫贈別圖》如出一轍，畫法也極爲相似，應是同一時期之作。"寄園"是白石年輕時的號之一，亦是居住地的稱謂。

8．蘆雁

橫幅

紙本水墨設色

40×73cm

約 1894 年

款題：

晋卿老伯。世侄璜。

收藏：

中央美術學院

9．東方朔

立軸

紙本水墨設色

133.3×32.7cm

1894 年

款題：

歲星偶謫碧天高。金馬門前待詔勞。壯歲上書驚漢(武)。明廷譎諫勝枚皋。來來試卜篋中棗。往往曾偷天上桃。目若懸珠齒編貝。侏儒端莫笑吾曹。第二行明字上有武。

印章：

齊伯子（白文）　名璜別號瀕生（朱文）

收藏：

中國美術館

注釋：

東方朔，漢武帝時人，官位低而常近皇帝，語好詼諧，而直言敢諫。詩中典故多出自《漢書·東方朔傳》。這是目前所見齊白石最早以東方朔爲題的畫作。

著錄：

《齊白石繪畫精品選》第206頁，董玉龍主編，人民美術出版社，1991年，北京。

10．諸葛亮

立軸

紙本水墨設色

132.5×33cm

1894 年

款題：

屢顧茅廬感使君。隆中策早定三分。南陽(漁)魚出欣逢水。西蜀龍飛便得雲。持己一生惟謹慎。出師兩表見忠勤。何圖永鎮蠻方後。遺恨空屯北伐軍。

印章：

齊伯子(白文)　名璜別號瀕生

收藏印:仁和沈氏曾藏

收藏：

夏衍原藏，現藏浙江省博物館。

11．郭子儀

立軸

紙本水墨設色

132×32.4cm

1894 年

款題：

綉服華簪鶴髮仙。安危身繫廿餘年。兩京次第看烽熄。單騎從容服虜旋。點領兒孫朝笏滿。中書門閥帝姻聯。放懷唐室思元老。壽考勖高富貴全。光緒二十年十一月上九日。畫奉麥秋老伯大人之命。即乞教正。侄齊璜。

印章：

齊伯子（白文）　名璜別號瀕生（朱文）

收藏：

中國美術館

注釋：

郭子儀（697—781），唐玄宗時爲朔方節度使，平安史之亂功第一。吐蕃、回紇分道來犯，子儀免冑見其大酋，回紇酋舍兵下馬而拜。遂與回紇會軍，破吐蕃。以一身繫時局安危者20年，累官至太尉、中書令，封汾陽郡王，號尚父。此圖與前面的《東方朔》、《諸葛亮》在選題、尺寸、畫法、題詩各方面都相一致，應是同一套條屏中的三件。如果是四條屏，另一件尚不知去處。詩題中用典頗多，似非白石所作。

著錄：

《齊白石作品集》第 4 圖，董玉龍主編，天津人民美術出版社，1990 年，天津。

12 麻姑進釀圖

立軸
紙本水墨設色
130×67.5cm
1894 年

款題：

麻姑進釀圖
曉村先生大人誌慶。時甲午冬月。瀕生齊璜。

印章：

古潭州齊璜（白文） 瀕生氏（朱文）

收藏：

中央美術學院

注釋：

麻姑：神話中的仙女名，年十八九，手纖長似鳥爪，能擲米成珠。見晉葛洪《神仙傳》。民間傳說有"麻姑獻壽"、"麻姑進釀"之類，均是祝壽之意。

13 黎夫人像

立軸

紙本工筆重彩
129×69cm
約 1895 年

款題：

受降後二年丙戌冬初。兒輩良琨來金陵見予。出此像。謂爲誰。問於予。予曰。尊像乃乃翁少年時所畫。爲可共患難黎丹之母胡老夫人也。聞丹有後人。他日相逢。可歸之。亂離時遺失。可感也。八十六歲齊璜白石記。

印章：

阿芝（朱文） 白石老人（白文）
借山翁（朱文）

收藏：

遼寧省博物館

注釋：

"黎夫人像"畫的是黎丹的母親黎胡氏。黎丹（1873—1938）是湘潭皋山黎培敬的長孫（培敬號簡堂，咸豐進士，做過貴州學臺、藩臺，光緒初作過江蘇撫臺），字雨民，是胡沁園的外甥，白石最早的詩友之一。黎丹之母應是胡沁園的姐妹，故白石跋中稱"胡老夫人"。黎錦熙《齊白石年譜》第 6 頁按："陳家壠及竹冲一帶，胡姓聚族而居，大都巨富，爲宋胡安國後，與黎姓通婚姻。白石少時，於兩家因緣最深。"《白石詩草》卷六題畫松詩自注："余少時極貧，黎雨民過訪，信宿不去，夜無燈油，常以松節燒火談詩。"

著錄：

《齊白石畫冊》第 2 圖，遼寧省博物館編，遼寧美術出版社，1961 年，瀋陽。

14 何仙姑（八仙條屏之一）

條屏
紙本水墨設色
172×42.5cm
約 1895 年

印章：

收藏印：歐陽舜聰（朱文）

收藏：

陽光

15 張果老（八仙條屏之二）

條屏
紙本水墨設色
172×42.5cm
約 1895 年

印章：

收藏印：陽光（朱文）

收藏：

陽光

16 李鐵拐（八仙條屏之三）

條屏
紙本水墨設色
172×42.5cm
約 1895 年

收藏：

陽光

17 曹國舅（八仙條屏之四）

條屏
紙本水墨設色
172×42.5cm
約 1895 年

印章：

收藏印：陽光（朱文）

收藏：

陽光

18 藍采和（八仙條屏之五）

條屏
紙本水墨設色
172×42.5cm
約 1895 年

19 韓湘子（八仙條屏之六）

條屏
紙本水墨設色

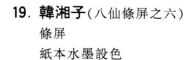

172×42.5cm

約 1895 年

款題：

漢亭仁兄大人雅屬即正。瀕生弟齊璜。

印章：

瀕生（朱文）

璜印（白文）

收藏印：歐陽舜聰（朱文）

收藏：

陽光

注釋：

這六屏爲湘潭陽光先生家藏。陽光複姓歐陽，據他本人對筆者介紹，他自小過繼給伯父，而伯母是胡沁園家的女兒。其父歐陽舜聰喜文物收藏，且與胡家多有來往。"文革"被抄家，《八仙條屏》被撕毀兩條，這是餘下的六條。"韓湘子"條款中所説"漢亭仁兄"，是湘潭的士紳，陽光的本家。

從繪畫風格和款題書法判斷，此條屏約作於 1895 年前後。

20. 柳牛圖

橫幅

紙本水墨

31×42cm

約 1895 年

款題：

齊璜

印章：

臣璜（白文）　瀕生（朱文）

收藏：

湖南省博物館

注釋：

齊白石畫牛，最早師承湘潭地方畫家王可山。龍龔著《齊白石傳略》説："……齊白石不光向活着的老師學習，還用最大的努力向死去的老師學習，向民間畫家學習。……其中於他最有益處的要算乾嘉年間的湘潭幾位民間畫家：王可山、胡何光昺和陳竹林。王可山是湘潭南鄉人，以畫牛名重鄉里。"

21. 三公百壽圖

橫幅

紙本水墨設色

90.6×176.9cm

1896 年

款題：

沁園夫子大人五秩之慶。受業齊璜。

印章：

齊璜（白文）　瀕生（朱文）

願花常好月長圓人長壽（白文）

收藏：

遼寧省博物館

注釋：

沁園夫子乃胡沁園，胡排行三，鄉里人稱"三相公"、"壽三爺"。此畫取名"三公百壽"，是祝三相公長命百歲之意，以慶其 50 大壽。胡沁園生於 1847 年，因此，這件作品是 1896 年所作無疑。

著錄：

《齊白石畫册》第 3 圖，遼寧省博物館編，遼寧美術出版社，1961 年，瀋陽。

22. 山水

扇面

紙本水墨

21×51cm

1896 年

款題：

沁園夫子大人雅命。丙申正月上九日受業齊璜。

印章：

□

收藏印：沁園心賞（朱文）　湖南省博物館收藏（朱文）

收藏：

湖南省博物館

23. 拍球（嬰戲圖條屏之一）

立軸

紙本設色

66×32cm

1897 年

款題：

夢松庵主

印章：

夢松盦（朱文）　一不爲少（白文）

收藏：

中央美術學院

24. 玩銅錢（嬰戲圖條屏之二）

立軸

紙本設色

66×32cm

1897 年

款題：

瀕生

印章：

璜印（白文）

瀕生（朱文）

和氣（朱文）

收藏：

中央美術學院

25. 放風箏（嬰戲圖條屏之三）

立軸

紙本設色

66×32cm

1897 年

款題：

寄園

印章：

寄老（白文）

長壽（朱文）

收藏：

中央美術學院

著錄：

《齊白石畫集》第 2 圖，嚴欣强、金岩編，外文出版社，1990 年，北京。

26. 踢毽子（嬰戲圖條屏之四）

立軸

紙本設色

66×32cm

1897 年

款題：

光緒丁酉。白石草衣齊璜爲蝶盦先生之屬。

印章：

白石草衣（白文）

璜（朱文）

三十以外之作（白文）

收藏：

中央美術學院

注釋：

此四條是齊白石贈黎蝶庵的。黎蝶庵亦爲湘潭皋山黎家人，乃黎鯨庵的四弟，名承福，字壽承，號鐵安。"夢松庵主"、"夢松庵"、"寄圍"等皆此時期白石之號。從繪畫風格可看出清末某些人物畫家如錢吉生（慧安）的影響。參見郎紹君《齊白石》（天津楊柳青畫社，1995年）。

27. 老虎

立軸

紙本水墨設色

146×81.4cm

1897 年

款題：

光緒丁酉五日正午。沁園夫子大人命畫。受業齊璜。

印章：

臣璜之印（白文）　瀕生（朱文）

詩癖畫禪（朱文）

收藏：

遼寧省博物館

28. 綠杉野屋

立軸

紙本水墨淡色

134×32cm

1897 年

款題：

綠杉野屋。齊大。

印章：

齊大（白文）　　可無

不可無一（白文）

收藏：

北京市文物公司

注釋：

"柵"即杉。此圖乃1897年白石寄黎鯨庵（薇蓀）於四川的四條屏之一。其它三幅亦藏於北京文物公司。其中《小橋詩思》題"光緒丁酉十月畫寄鯨庵明府蜀中。瀕生齊璜。"亦刊於《齊白石書畫集》。

著錄：

《齊白石繪畫精萃》第24圖，秦公、少楷主編，吉林美術出版社，1994年，長春。

《齊白石書畫集》第22圖，人民美術出版社，1986年，北京。

29. 李鐵拐

立軸

紙本設色

73×37.5cm

1897 年

款題：

丁酉九月。齊璜作於寄圍。

印章：

齊璜長壽（白文）

白石山人（朱文）

收藏印：仁和沈氏曾藏（朱文）

收藏：

浙江省博物館

30. 山水

立軸

紙本

133.3×31.5cm

約 1897 年

款題：

齊大

印章：

寄父（白文）

收藏：

四川省博物館

31. 蔬香老圃圖

橫幅

紙本水墨淡彩

81×147cm

1898 年

款題：

蔬香老圃圖。光緒二十四年春三月。世侄齊璜爲晉卿老伯大人六十二歲壽。

印章：

齊璜（白文）　長壽（朱文）

英雄本色（朱文）

收藏：

遼寧省博物館

注釋：

黎錦熙《齊白石年譜》光緒十五年（1889）注："羅真吾、醒吾弟兄亦世族。其父軍職家居，喜文墨，號蔬香老圃。"龍龔《齊白石傳略》記"龍山詩社前期的集會地點是白泉棠花村羅家"，白石常到羅家去，與蔬香老圃羅晉卿相熟。此祝壽之作，將羅晉卿置於山林村圍間，暗示畫面主人耽情山林的情志。

著錄：

《齊白石畫冊》第4圖，遼寧省博物館編，遼寧美術出版社，1959年，瀋陽。

32. 烏巢圖

橫幅

紙本水墨

47×80cm

1899 年

款題：

烏巢圖

光緒己亥十月初二日。龍山社長齊璜爲真吾醒吾廬墓作。

印章：

收藏印：沁園賞鑑（白文）

收藏：

中央美術學院

注釋：

"烏巢"古稱烏鳥反哺，以喻孝親之人子。晉傅咸《申懷賦》："盡烏鳥之至情，竭歡敬於膝下。"這裏借喻廬墓。古人於父母或師長死後，服喪期間在墓旁搭蓋小屋居住，守護墳墓，謂之廬墓。此圖是"爲真吾、醒吾廬墓作"，稱其廬墓爲"烏巢"，正比喻他們的孝行。

33. 紅綫盜盒圖

立軸

紙本設色

146×39.5cm

1899 年

款題：

光緒己亥秋畫。宣統庚戌冬贈無想先生。璜。

印章：

白石草衣（朱文）

收藏：

上海中國畫院

注釋：

紅綫，傳說中的唐代女俠。原係潞州節度使的青衣，後掌箋表。時魏州節度使田承嗣欲并潞州，紅綫乃夜至魏郡，盜走田承嗣床頭金盒，以示儆戒，後承嗣謝罪，願結姻親。紅綫辭去，不知所終。又見唐袁郊《甘澤謠·紅綫》。又見唐楊巨源《紅綫傳》。明代有《紅綫女》雜劇，近代有梅蘭芳編演的京劇《紅綫盜盒》。齊白石據民間傳統描繪手持金盒的紅綫，將她神化——能騰雲駕霧，凌空飛行。這又與一般小說傳奇中的劍俠形象有所不同了。

34. 鯉魚

立軸

紙本水墨淡色

150.6×50.8cm

約 1889—1899 年

款題：

潤生弟屬。兄齊璜。

此幅乃予二十歲時之作。九十以後重見。其中七六十年（六七十年）筆墨自有是非。把筆記之。不勝太息。九十一白石尚在客。

白石二十歲後無此二小印矣。又記。

印章：

臣璜之印（白文）　瀕生（朱文）

借山翁（朱文）　木人（朱文）

收藏：

中國美術館

注釋：

此圖收入《齊白石作品集》等書時，均據白石 91 歲的題跋斷爲"二十歲時"（1882 年），實誤。白石在同一年又題"白石二十歲後無此二小印矣"——指的是畫上所鈐"臣璜之印""瀕生"二小印。事實是，"齊璜"之名和"瀕生"之號，乃白石 1889 年（27 歲）拜師胡沁園、陳少蕃後，由胡、陳二師命取的。因此二小印衹能刻於該年或該年之後（參見《白石老人自傳》第 31 頁）。故此畫最早也應作於 1889 年。年逾 90 的老人回憶年輕時之作，難免記憶錯誤。

著錄：

《齊白石作品集》第 1 圖，董玉龍主編，天津人民美術出版社，1990 年，天津。

《中國畫》第二期第 21 頁，中國古典藝術出版社，1958 年，北京。

35. 蜘蛛

册頁

紙本水墨

16.5×20.5cm

1900 年

款題：

余往時喜舊紙。或得不潔之紙。願畫工蟲藏之。今妙如女弟求畫工蟲。共尋六小頁爲贈。畫後三十年庚午。白石。

印章：

平翁（白文）

收藏：

北京榮寶齋

36. 春江水暖鴨先知

立軸

紙本設色

70×33cm

約 1900 年

印章：

收藏印：湖南省博物館藏品章（朱文）

湖南省文物管理委員會收藏（朱文）

收藏：

湖南省博物館

37. 觀音（選臨芥子園畫譜之一）

册頁

紙本墨筆勾勒

26.5×16.3cm

約 1890—1900 年

印章：

齊房（朱文）　苹翁（朱文）

收藏：

私人

38. 仕女（選臨芥子園畫譜之二）

册頁

紙本墨筆勾勒

26.5×16.3cm

約 1890—1900 年

印章：

　苹翁(朱文)　齊房之印(白文)

收藏：

　　私人

39. 西施(選臨芥子園畫譜之三)

　册頁

　紙本墨筆勾勒

　26.5×16.3cm

　　約 1890—1900 年

印章：

　苹翁(朱文)

收藏：

　　私人

40. 木蘭從軍(選臨芥子園畫譜之四)

　册頁

紙本墨筆勾勒

26.5×16.3cm

約 1890—1900 年

印章：

　苹翁(朱文)

收藏：

　私人

41. 黛玉葬花(選臨芥子園畫譜之五)

　册頁

　紙本墨筆勾勒

　26.5×16.3cm

　約 1890—1900 年

印章：

　苹翁(朱文)

收藏：

　　私人

42. 山水(選臨芥子園畫譜之六)

　册頁

　紙本墨筆勾勒

　26.5×16.3cm

　約 1890—1900 年

印章：

　齊房(朱文)　齊大(朱文)

收藏：

　　私人

43. 山水(選臨芥子園畫譜之七)

　册頁

紙本墨筆勾勒

26.5×16.3cm

約 1890—1900 年

印章：

　齊大(朱文)　齊房(朱文)

收藏：

　私人

44. 山水(選臨芥子園畫譜之八)

　册頁

　紙本墨筆勾勒

　26.5×16.3cm

　約 1890—1900 年

印章：

　齊大(朱文)　老苹(朱文)

收藏：

　　私人

45. 選臨芥子園畫譜題記

　册頁

　紙本

26.5×16.3cm

1907 年

款題：

昨從梅公祠徙來新居。檢視殘書舊稿時見此毛邊紙手本。乃余未弃斧金時抈寫芥子園畫傳十六冊中選臨之謄本。凡八冊。計山水人物各二。花卉草蟲翎毛走獸各一。共百廿又八頁。所幸爲蟲鼠傷（幸字下有未字）。此亦吾二十餘年常用之粉本也。撫今思昔感觸良多。慨而詩（而字下有成字）。故錄於二冊後空頁中。曰

丹毫鄉邑小名揚。

却憶燃松製稿忙。

涂鴉貨得田和屋。

果真鍋內煮文章。

齊璜補記於寄萍堂新居并題。時在光緒丙午年庚子月甲寅日。

印章：

齊璜（朱文）

收藏：

私人

注釋：

《白石老人自傳》説，他 20 歲（1882年）得到一部乾隆年間彩色版的《芥子園畫譜》，用數月時間影勾下來，釘爲 16 本。後來"翻來覆去的臨摹了好幾遍，畫稿積存了不少"（第 26 頁）。此臨本跋説余未弃斧金時抈寫芥子園畫傳十六冊中選臨之謄本"，即應是《自傳》所説"臨摹好幾遍"中的畫稿。此跋寫於 1907 年 1 月 5 日（即丙午年庚子月甲寅日——11 月 21 日）。所言"昨從梅公祠徙來新居"應是 11 月 20 日。文字口氣、所述搬家、臨摹等事均與自傳所述相符，仿金農體也正是 1907 年前後白石書法的主要體式。所臨芥子園圖，均爲乾隆版，而非後人的臨摹修訂、增擴版。但畫稿用筆之熟練，筆力之堅實多變，絶非初學畫者所能爲，而應是白石較晚的臨本——約 1888 年或更晚的臨本。跋文説"此二十餘年常用之粉本"，祇可理解爲對學芥子園後過去時間的泛稱，不宜理解爲 1882 年。

46. 梅花喜鵲

立軸

紙本水墨

127×33cm

約 1895—1900 年

款題：

彛老仁世丈大人雅令，白石山人

齊璜畫。

印章：

濱生（白文）

白石山人（白文）

收藏印：湖南省博物館藏品章（朱文）

湖南省文物管理委員會收藏（朱文）

收藏：

湖南省博物館

47. 菊花螃蟹圖

立軸

紙本設色

91.3×46.1cm

約 1890—1900 年

款題：

此幅乃予卅歲以前畫。共四幅。有三幅未寫字。祇有印。廠肆求予補記。白石老人。

印章：

阿芝（朱文）　齊大（白文）

收藏：

中國美術館

注釋：

白石重題約在 30 年代中後期，自言是"三十歲以前畫"，僅爲約估。白石1889 年 27 歲拜胡沁園爲師學畫花鳥，從繪畫的熟練程度看，應是 1890 年至1900 年間之作。

著錄：

《齊白石作品集》第 2 圖，董玉龍主編，天津人民美術出版社，1990 年，天津。

48. 牡丹公鷄（條屏之一）

立軸

紙本水墨設色

138×38cm

約 1890—1900 年

印章：

收藏印：沁園賞鑑（白文）

收藏：

湖南省圖書館

49. 松樹八哥（條屏之二）

立軸

紙本水墨設色

138×38cm

約 1890—1900 年

印章：

臣璜（白文）

收藏印：沁園賞鑑（白文）

湖南省中山圖書館珍藏（朱文）

收藏：

湖南省圖書館

50. 菊花螃蟹（條屏之三）

立軸

紙本水墨設色

138×38cm

約 1890—1900 年

印章：

臣璜（白文）

收藏印：沁園賞鑑（白文）

湖南省中山圖書館珍藏（朱文）

收藏：

湖南省圖書館

51. 梅花雙雁（條屏之四）

立軸

紙本水墨設色

138×38cm

約 1890—1900 年

款題：

璧臣仁兄大人雅正。弟齊璜。

印章：

臣璜（白文）

收藏印：湖南省中山圖書館珍藏（朱文）

收藏：

湖南省圖書館

注釋：

此條屏與中國美術館藏《菊花螃蟹》風格相若，尤與其中的一幅在內容、構圖、書法上如出一轍，應是同一母題的變體書，且作於同一時期。"臣璜"、"沁園鑒賞"二印表明，此四條屏必作於 1889 年之後，并經胡沁園觀看指教過，故其創作年代，同《菊花螃蟹》在 1890 年至 1900 年間。

52. 紅綫取盒圖

立軸

紙本設色

88×23cm

約 1900 年

款題：

魏州迢迢隔烟霧。千里無人御風去。龍文匕首不平鳴。銀光夜逼天河曙。銅壺高揭野鐘悠。一葉吟風下潞州。我今欲覓知何去。漳水月明空自流。舊題紅綫取盒句。瀕生。

印章：

瀕生(朱文)

收藏印：少梅賞鑑(白文)

湖南省博物館收藏印(朱文)

收藏：

湖南省博物館

53. 沁園師母五十小像

立軸

紙本水墨工筆設色

65.3×37.7cm

1901 年

款題：

沁園師母五十歲小像。時辛丑四月。門人齊璜恭寫。

印章：

臣璜印信(白文)

延年益壽(朱文)

收藏：

遼寧省博物館

54. 荷葉蓮蓬

扇面

紙本水墨

22×50cm

1901 年

款題：

辛丑五月客郭武壯祠堂。獲觀八大山人真本。一時高興。仿於仙譜世九弟之箑上。兄璜。

印章：

瀕生(朱文)

收藏印：湖南省博物館收藏(朱文)

收藏：

湖南省博物館

注釋：

郭武壯祠堂，應是湘潭郭人漳(葆生)之父郭松林祠堂。這是迄今所見白石仿八大最早之作。當時因未帶紙、色，畫在胡仙譜的扇子上。龍龔《齊白石傳略》附圖12"與胡仙譜信"述及"……一昨由□□老寓寄來佳箋，用八大山人真本墨荷摹應大命，自覺可觀，倩弟永寶用，勿輕着。并代倩郭五公子摹山谷老人書，遂成完璧。"其中摹八大墨荷於扇上一事，與此扇之書、題相合，信中所說之畫應即此扇面。

55. 蘆雁

扇面

紙本水墨設色

21×44cm

約 1901 年

款題：

仙譜九弟世大人正。小兄璜。

印章：

璜(白文)

收藏印：湖南省博物館收藏

收藏：

湖南省博物館

注釋：

仙譜，即胡仙譜(亦寫仙連)，白石恩師胡沁園之長子，與白石要好。龍龔《齊白石傳略》第25頁記，胡沁園曾延請湘潭畫家蕭薌陔(曾教白石畫肖像)到家教胡仙譜學裱畫技術，白石也跟着學。遼寧博物館藏《梅花圖卷》(見《齊白石畫册》，遼寧省博物館編，1961

年)就是齊白石贈胡仙譜的(1905年)。《齊白石作品集·詩》第12頁有"過沁園訪仙譜"詩："用意東風着色勻，尋芳人過沁園頻。枝頭鳥識山林樂，梢上花含富貴春。訪舊記當三月暮，論交已自十年親。師門闊別情難遣，且喜重來歲序新。"

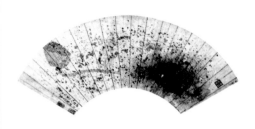

56. 蓮蓬

扇面

紙本墨彩

23×49cm

約 1901 年

款題：

仙譜仁兄世大人法正。弟齊璜。

印章：

齊(白文)　璜(朱文)

白石山人(白文)

收藏印：沁園鑑賞(朱文)

湖南省博物館收藏(朱文)

收藏：

湖南省博物館

57. 白雲紅樹（山水六條屏之一）

條幅

紙本水墨設色

140×36.4cm

1902 年

款題：

我亦人稱小鄭虔。杏衫淪落感華顛。山林安得太平老。紅樹白雲相對眠。題馮□山先生所畫白雲紅樹圖近作。

印章：

臣璜之印(白文)　瀕生(朱文)

收藏：

私人

著錄：

《中國嘉德' 95春季拍賣會，中國書畫》第66號，1995年，北京。

58. 楓林亭外（山水六條屏之二）

條幅

紙本水墨設色

140×36.4cm

1902 年

款題：

　　楓林亭外夕陽斜。

　　老大逢君更可嗟。

　　記否兒時風雪裏。

　　同騎竹馬看梅花。

　　楓林亭逢朱大舊句。

印章：

　　臣璜之印（白文）

　　瀕生（朱文）

收藏：

　　私人

注釋：

　　“楓林亭”是湘潭的一個地名——距齊白石出生的杏子塢星斗塘衹有 3 里多路，白石幼年時常到那裏玩耍。他 8 歲讀村館，就在楓林亭附近的王爺殿。筆者曾到楓林亭一帶考察，所見景色皆爲丘陵、小山與水塘，沒有畫中那樣寬闊如湖的水面。這表明白石此圖并不是來自寫生，而是來自傳統山水圖式，這也正是齊白石早期山水畫的基本特質。那時期的山水，由芥子園入門，并一度從師於地方畫家譚溥（荔仙）。其用功在臨摹前人圖式方面，故有上述特質。遠遊後開始大量寫生，畫風開始轉變。從這個意義上看，這套條屏正可視作白石山水畫轉變的分水嶺。

著錄：

　　《中國嘉德’95 春季拍賣·中國書畫》第 66 號，1995 年，北京。

59.萬梅香雪（山水六條屏之三）

　　條幅

　　紙本水墨設色

　　140×36.4cm

　　1902 年

款題：

　　偶騎蝴蝶御風還。

　　初雪輕寒半掩關。

　　繞屋橫斜萬梅樹。

　　却從清夢悔塵寰。

　　安得蒲團便是家。

　　凍梨無己鬢霜華。

　　墜身香雪春如海。

　　天女無須更散花。

　　自題萬梅家夢圖二絕句。

印章：

　　臣璜之印（白文）　　瀕生（朱文）

收藏：

　　私人

著錄：

　　《中國嘉德’95 春季拍賣·中國書畫》第 66 號，1995 年，北京。

60.當門賣酒（山水六條屏之六）

　　條幅

　　紙本水墨設色

　　140×36.4cm

　　1902 年

款題：

　　燕子飛飛落日斜。

　　春風不改野橋花。

　　十年壯麗將軍府。

　　獨樹當門賣酒家。

　　爲郭五人漳畫山水并題舊句。

　　光緒庚子仲秋。輔公老伯司馬大人以書附紙索璜畫。越明年暮春，公沒。又明年季秋，璜就柏蔭山房選絕句畫此六幀，以奉服鄒五弟世大人兩正。龍山社長兄齊璜白石草衣并記。

印章：

　　臣璜之印（白文）

收藏：

　　私人

注釋：

　　跋文中所説 “輔公老伯司馬大人”，似指湘潭胡輔臣，輔臣乃胡沁園本家。其子胡石庵，名復初，即應是跋中所説之“服鄒五弟”。“復初”與“服鄒”音同（湖南話）。《白石老人自述》談及 1896 年經歷時曾説：“沁園師的本家胡輔臣，介紹我到皋山黎桂塢家去畫像。”表明齊白石與胡輔臣認識很早。跋文下款署“龍山社長兄齊璜白石草衣”，則表明“服鄒”與龍山詩社關係密切——查龍山七子，除白石外，其餘六人皆無此名號，唯社外詩友胡石庵名“復初”，這又可作爲一旁證。

　　1902 年農曆十月，齊白石第一次遠遊（西安、北京）。這套六條屏作於當年“季秋”，恰是遠遊之前。其風格畫法與美術研究所藏《松庵説劍圖》（1901 年）幾無二致，代表了他遠遊前山水畫的成就和面貌。

著錄：

　　《中國嘉德’95 春季拍賣·中國書畫》第 66 號，1995 年，北京。

61.山水（條屏之一）

　　立軸

　　紙本水墨設色

93.5×48.7cm

約 1894—1902 年

印章：

　　齊璜（白文）　　瀕生（朱文）

收藏：

　　天津藝術博物館

62.山水（條屏之二）

　　立軸

　　紙本水墨設色

　　93.5×48.7cm

　　約 1894—1902 年

印章：

　　齊璜（白文）

收藏：

　　天津藝術博物館

63.山水（條屏之三）

　　立軸

紙本水墨設色

93.5×48.7cm

約 1894—1902 年

款題：

文生大兄先生正。瀕弟璜作。

印章：

齊璜（白文） 瀕生（朱文）

收藏：

天津藝術博物館

64. 鷄（花鳥屏之一）

立軸

紙本水墨設色

89×46cm

約 1895—1902 年

印章：

齊璜（白文）

收藏印：湖南省中山圖書館珍藏（朱文）

收藏：

湖南省圖書館

65. 水仙八哥（花鳥屏之二）

立軸

紙本水墨設色

89×46cm

約 1895—1902 年

印章：

齊璜（白文）

收藏印：湖南省中山圖書館珍藏（朱文）

收藏：

湖南省圖書館

66. 桂花喜鵲（花鳥屏之三）

立軸

紙本水墨設色

89×46cm

約 1895—1902 年

印章：

齊璜（白文）

收藏印：湖南省中山圖書館

珍藏（朱文）

收藏：

湖南省圖書館

67. 菊花雙雁（花鳥屏之四）

立軸

紙本水墨設色

89×46cm

約 1895—1902 年

款題：

漢秋仁兄大人雅屬。弟齊璜。

印章：

齊璜（白文）

收藏印：湖南省中山圖書館珍藏（朱文）

收藏：

湖南省圖書館

68. 童子讀書圖

立軸

紙本墨筆設色

73.3×37.8cm

約 1895—1902 年

款題：

齊璜

印章：

璜印（白文）

收藏印：仁和沈氏曾藏（朱文）

收藏：

夏衍原藏，現藏浙江省博物館。

69. 看鶴圖

立軸

紙本設色

73.5×38cm

約 1894—1902 年

款題：

齊璜

印章：

寄園詩畫（朱文）

收藏印：仁和沈氏曾藏（朱文）

收藏：

浙江省博物館

70. 一葦渡江圖

立軸

紙本水墨設色

124×32.3cm

約 1895—1902 年，

1947 年丁亥補記。

款題：

一葦渡江。白石老年時畫不出來也。此幅大約在白石卅歲所作。丁亥白石始補記。

印章：

齊（朱文） 齊白石（白文）

吾年八十七矣（白文）

木人（朱文） 悔鳥堂（朱文）

收藏：

遼寧省博物館

71. 羅漢

立軸

紙本墨筆設色

48×32cm

約 1897—1902 年

款題：

　白石山人畫

印章：

　白石草衣（白文）

收藏：

　北京榮寶齋

注釋：

　此圖與湖南博物館藏羅漢（彌勒佛?）如出一轍,應源自同一畫稿,或即是該圖的勾留稿本。

72. 羅漢

立軸

紙本墨筆設色

50×49cm

約 1897—1902 年

款題：

　葆蓀五弟屬。兄璜。

印章：

　齊（朱文）　無相盦（朱文）

　收藏印：湖南省博物館收藏印（朱文）

收藏：

　湖南省博物館

注釋：

　此圖是郭葆蓀（即郭葆生）屬畫的。郭葆蓀名人漳(?—1922 年)，字葆生,湖南湘潭人。其父郭松林爲清末將領，他承世蔭得道員，歷任山西道臺、江西及兩廣巡防營統領。1907 年任廣東巡防營統領，駐守欽、廉二州。喜收藏書畫。《白石老人自傳》稱在 1897 年(丁酉)與郭相識。後來他力勸白石遠遊，并在欽、廉二州三次接待白石。已知此圖大同小异者 3 幅，其中乙卯(1915 年)款的一幅有白石長跋，跋中說"十年前"爲郭慈庵(即葆生)畫此，即應指此幅。推算起來，此圖應作於 1897 年至 1900 年間。

73. 西施浣紗圖

立軸

紙本水墨設色

128.6×32.8cm

1897—1902 年

款題：

　真如同社弟玩雅。兄璜。

印章：

　臣璜（白文）

收藏：

　遼寧省博物館

74. 黛玉葬花圖

立軸

紙本設色

137×38mm

1897—1902 年

款題：

　白石山人畫以付兒輩珍藏。

　前款字乃予三十年后欲學何蝯翁之書時所書。何能得似萬一。八十七歲重見一笑。白石題。丁亥。

印章：

　臣璜之印（白文）　瀕生造稿（白文）

　借山翁（白文）　白石（朱文）

收藏：

　中國展覽交流中心

注釋：

　題中何蝯翁即晚清書法家何紹基。

　何紹基(1799—1873)字子貞，號東洲，晚號蝯叟。湖南道州人。《白石老人自傳》中說："我起初寫字，學的是館閣體，到了韶塘胡家讀書以后，看了沁園、少蕃兩位老師，寫的都是道光年間我們湖南道州何紹基一體的字，我也跟着他們學了。"跋中"乃予三十年後"之"年"字應爲"歲"字。

著錄：

　《齊白石繪畫精萃》第 97 圖，秦公、少楷主編，吉林美術出版社，1994年，長春。

75. 華山圖

團扇

水墨設色

26×24cm

1903 年

款題：

看山須上最高樓。勝地曾經且莫愁。碑後火殘存五嶽。樹名人識過青牛。日晴合掌輸山色。雲近黃河學水流。歸卧南衡對圖畫。刊文還笑夢中游。沁公夫子大人教。門下齊璜。

印章：

　臣璜之印（朱文）

　收藏印：沁園心賞（白文）

收藏：

　遼寧省博物館

注釋：

　《白石老人自傳》第 50 頁記："三月初，我隨午詒一家，動身進京，路過華陰縣，登上了萬歲樓，面對華山，看個盡興。……到晚晌，畫了一幅華山圖。"

　第 53 頁"胡沁園師見了我畫的《華山圖》，很爲賞識，贊不絕口，拿來一把團扇，叫我縮寫在他的扇面上，我就很經意的給他畫了。"所説即此圖。

著錄：

　《齊白石畫册》第 5 圖，遼寧省博物館編，遼寧美術出版社，1961 年，瀋陽。

76. 賜桃圖

立軸

紙本設色

168×92cm

1906 年

款題：

賜桃圖。龍山社侄齊璜畫以壽晉卿老伯。時光緒丙午冬十月。

印章：

璜印（朱文）　白石山人（白文）

齊（朱文）

願花常好月長圓人長壽（白文）

收藏：

遼寧省博物館

注釋：

此圖是爲羅晉卿（白石好友羅真吾之父）祝壽之作。1898年（戊戌）白石曾作《蔬香老圃》以賀羅晉卿62歲壽。作此圖的1906年，恰是羅的70大壽。《賜桃圖》畫的是王母賜桃的傳說。《太平御覽·神異經》："東北有樹焉，高五十丈，其葉長八尺，廣四五尺，名曰桃。其子徑三尺二寸，小狹核，食之令人知壽。"古代傳說中的女神西王母過壽，開蟠桃會，食之可增壽。明雜劇《蟠桃會》有句云："九天閶闔開黃道，千歲金盤獻壽桃。"齊白石畫王母賜桃，是祝羅晉卿長壽之美意。

著錄：

《齊白石畫册》第8圖，遼寧博物館編，遼寧美術出版社，1961年，瀋陽。

77. 花卉蟋蟀

團扇

紙本水墨設色

直徑 24cm

約 1906 年

款題：

沁園師母命。門人璜。

印章：

臣璜（白文）

收藏：

遼寧省博物館

注釋：

此圖無年款。遼寧博物館定爲1906年。1906年春夏，白石在廣東欽州，秋天回到湘潭，直至春節後再赴欽

州。如果此圖確作於1906年，應是在秋冬間，在家鄉所畫。其間，白石買下了茹家冲住宅和20畝水田，造寄萍堂，攜家遷入新居。在白石可靠的現存作品中，此圖是較早全用沒骨法的一例。

著錄：

《齊白石畫册》第7圖，遼寧省博物館編，遼寧美術出版社，1961年，瀋陽。

78. 獨秀峰

立軸

紙本水墨

84×21cm

約 1906 年

款題：

孟方五兄法正。弟璜。

印章：

阿芝（朱文）

收藏：

陝西省美術家協會

79. 獨秀峰圖

立軸

紙本水墨設色

75×40.4cm

約 1906 年

款題：

斗秋仁弟正。兄璜爲山水寫照。

印章：

臣璜之印（白文）　瀕生（朱文）

收藏：

中國美術館

注釋：

獨秀峰，又名紫金山，在廣西桂林市區，平地拔起，孤峰屹立。南朝宋詩人顏延之曾有"未若獨秀者，峨峨郛邑間"句，因而得名。"獨秀奇峰"爲桂林十六景之一。山的西麓有一條蜿蜒曲

折的石磴道，可攀緣而上。山下有明靖江王殘址。齊白石1905年應廣西提學使汪頌年之邀遊桂林，居半年之久。《白石老人自述》第61頁記："光緒三十二年（丙午·1906年），我四十四歲，在桂林過了年，打算要回家，畫了一幅獨秀山圖。"《獨秀山圖》收入《借山圖册》。此圖不是收入借山圖册的那幅，應是據第一次寫生改畫的。另一幅爲孟方所畫《獨秀峰》全以水墨，但構圖與此圖大同小異，應出於同一母本，從畫法看，水墨者似略早。

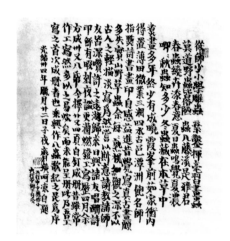

80. 工筆草蟲册題記

册頁

紙本

33.5×32.5cm

1909 年

款題：

從師少小學雕蟲。

弃鑿揮毫學畫蟲。

莫道野蟲皆俗陋。

蟲入藤溪是雅君。

春蟲繞卉添春意。

夏日蟲鳴覺夏濃。

唧唧秋蟲知多少。

冬蟲藏在本草中。

煮畫多年終少有成。曉霞峰前茹家冲內得置薄田微業。三湘四水古邑潭州飽名師指點。詩書畫印自感益進。昔覺寫真古畫頗多失實。山野草蟲余每每熟視細觀。深不以古人之輕描淡寫爲然。嘗以斯意請教諸師友。皆深贊許之。遠遊歸來。日與諸友唱酬詩印。鮮有暇刻，夜謐更闌。燃燈工寫，歷四月餘方成卅又八紙。今擇廿又四頁自釘成册。昔雖常作工寫。然多以之易炊矣。而未能呈供。此乃吾工寫之首次成册者也。乘興作八蟲歌紀之。是爲序。

光緒卅四年臘月廿二日子夜。齊璜呵凍自題。

五行中少應作小。六行中飽下有
受。
印章：
　　木居士（白文）　齊大（朱文）
收藏：
　　私人
注釋：
　　此册最後的序極爲重要，它説明：
一、此册是在茹家冲新家中"燃燈工
寫"的；二、從秋至冬12月22日午夜，
"歷時四月餘"方得完成；三、它是白石
"首次成册"的草蟲册。
　　《白石老人自傳》述及1908年時，
稱秋間由廣東返湘潭。《寄園日記》記，
至1909年2月再次赴廣東。這表明白
石於1908年秋至1909年初在家，與上
序相符。文效、仁愷編《齊白石簡要年
表》記"是年秋，回湘潭，臨張叔平畫"，
可作爲旁證。
　　此册題款與序文均用金農體，與
記載及同時期其它白石作品的金體書
相符，而"老萍"、"白石山民"、"木居
士"、"寄萍堂主人"、"白石老農"、"萍
翁"等款號，也與歷史相一致。
　　白石最初從胡沁園習畫草蟲（見
《自傳》第32頁），所謂"弃鑿揮毫學畫
蟲"應指此。張次溪《齊白石的一生》説
白石在1898年前"後從一位沈姓畫師
處得到一部草蟲畫稿"，"他的草蟲後
來就出了名"。從這部册子可以看出，
1908年白石的工筆草蟲已逼肖真蟲，
畫法上還可略見明暗暈染（如竹竿、蟹
身、花葉等）。這種畫法，直至1920年
的草蟲册仍有痕跡（參見《齊白石作品
集》，董玉龍主編，天津人民美術出版
社，1990年）。

81. 芙蓉蝴蝶（工筆草蟲册之一）
　　册頁
　　紙本工筆設色
　　33.5×32.5cm
　　1908—1909年

款題：
　　白石
印章：
　　齊璜（朱文）
收藏：
　　私人

82. 玉蘭蝴蝶（工筆草蟲册之二）
　　册頁
　　紙本工筆設色
　　33.5×32.5cm
　　1908—1909年
款題：
　　齊璜
印章：
　　瀕生（朱文）
收藏：
　　私人

83. 芙蓉蝴蝶（工筆草蟲册之三）
　　册頁
　　紙本
　　33.5×32.5cm
　　1908—1909年
款題：
　　萍翁
印章：
　　齊璜（朱文）
收藏：
　　私人

84. 豆莢蝴蝶（工筆草蟲册之四）
　　册頁
　　紙本工筆設色
　　33.5×32.5cm
　　1908—1909年
款題：
　　白石
印章：
　　齊璜（朱文）
收藏：
　　私人

85. 油燈秋蛾（工筆草蟲册之五）
　　册頁
　　紙本工筆設色
　　33.5×32.5cm
　　1908—1909年
款題：
　　白石
印章：
　　齊璜（朱文）
收藏：
　　私人

86. 荷花蜻蜓（工筆草蟲册之六）
　　册頁
　　紙本工筆設色
　　33.5×32.5cm
　　1908—1909年
款題：

星塘老屋後人

印章：

木人（朱文）

收藏：

私人

87. 蓮蓬蜻蜓（工筆草蟲冊之七）

册頁

紙本工筆設色

33.5×32.5cm

1908—1909年

款題：

瀕生

印章：

木居士（白文）

收藏：

私人

88. 竹葉蜻蜓（工筆草蟲冊之八）

册頁

紙本工筆設色

33.5×32.5cm

1908—1909年

款題：

白石山民

印章：

瀕生（朱文）

收藏：

私人

89. 長葉蝗蟲（工筆草蟲冊之九）

册頁

紙本

33.5×32.5cm

1908—1909年

款題：

杏子塢老農

印章：

齊大（朱文）

收藏：

私人

90. 葉下蚱蜢（工筆草蟲冊之十）

册頁

紙本工筆設色

33.5×32.5cm

1908—1909年

款題：

情奴

印章：

齊大（朱文）

收藏：

私人

91. 貝葉蟋蟀（工筆草蟲冊之十一）

册頁

紙本工筆設色

33.5×32.5cm

1908—1909年

款題：

情奴

印章：

齊大（朱文）

收藏：

私人

92. 竹葉飛蟲（工筆草蟲冊之十二）

册頁

紙本工筆設色

33.5×32.5cm

1908—1909年

款題：

老白

印章：

齊大（朱文）

收藏：

私人

93. 樹枝秋蟬 (工筆草蟲冊之十三)
　　册頁
　　紙本工筆設色
　　33.5×32.5cm
　　1908—1909 年
款題：
　　老齊
印章：
　　齊大（朱文）
收藏：
　　私人

94. 鹹蛋蟑螂 (工筆草蟲冊之十四)
　　册頁
　　紙本工筆設色
　　33.5×32.5cm
　　1908—1909 年
款題：
　　齊璜
印章：
　　木居士（白文）
收藏：
　　私人

95. 芋葉螻蛄 (工筆草蟲冊之十五)
　　册頁
　　紙本工筆設色
　　33.5×32.5cm
　　1908—1909 年
款題：

　　白石老農
印章：
　　木居士（白文）
收藏：
　　私人

96. 稻穗螳螂 (工筆草蟲冊之十六)
　　册頁
　　紙本工筆設色
　　33.5×32.5cm
　　1908—1909 年
款題：
　　齊璜
印章：
　　木居士（白文）
收藏：
　　私人

97. 蜘蛛飛蛾 (工筆草蟲冊之十七)
　　册頁
　　紙本工筆設色
　　33.5×32.5cm
　　1908—1909 年
款題：
　　寄萍堂上主人
印章：
　　木居士（白文）
收藏：
　　私人

98. 葡萄天牛 (工筆草蟲冊之十八)
　　册頁
　　紙本工筆設色
　　33.5×32.5cm
　　1908—1909 年
款題：
　　木居士
印章：
　　齊大（朱文）
收藏：
　　私人

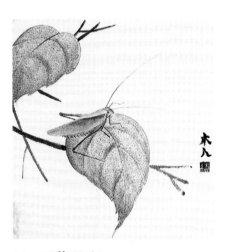

99. 貝葉秋蟲 (工筆草蟲冊之十九)
　　册頁
　　紙本工筆設色
　　33.5×32.5cm
　　1908—1909 年
款題：

木人

印章：

　　木居士(白文)

收藏：

　　私人

100. 水草螃蟹(工筆草蟲册之二十)

册頁

紙本工筆設色

33.5×32.5cm

1908—1909 年

款題：

　　白石山人

印章：

　　齊大(朱文)

收藏：

　　私人

101. 貝葉螳螂（工筆草蟲册之二十一）

册頁

紙本工筆設色

33.5×32.5cm

1908—1909 年

款題：

　　老萍

印章：

　　木居士(白文)

收藏：

　　私人

102. 水草小蟲(工筆草蟲册之二十二)

册頁

紙本工筆設色

33.5×32.5cm

1908—1909 年

款題：

　　白石山民

印章：

　　木居士(白文)

收藏：

　　私人

103. 山水

立軸

紙本水墨淡色

75×40cm

1909 年

款題：

　　璜。時己酉四月同客東興。

印章：

　　臣璜之印(白文)

　　收藏印：泰和蕭氏(朱文)

收藏：

　　湖南省博物館

注釋：

　　1909 年（己酉）初至夏天，齊白石第六次遠遊，再次赴廣東欽州，爲郭葆生代筆作畫。其間曾到東興。此圖是年作於東興，時間、地址與齊白石《寄園日記》所記相符。從"璜時己酉四月同

客東興"款推想，此圖應有上款，似被裁去了。

104. 蘆雁

立軸

紙本水墨設色

173×48cm

約 1900—1909 年

印章：

　　齊(朱文)

　　任筆所之(白文)

收藏：

　　遼寧省博物館

著錄：

　　《齊白石畫册》第 9 圖，遼寧省博物館編，遼寧美術出版社，1961 年,瀋陽。

105. 梅花喜鵲

立軸

紙本水墨設色

173×48cm

約 1900—1909 年

印章：

　　齊璜(朱文)

　　脱略凡格(朱文)

收藏：

　　遼寧省博物館

著錄：

　　《齊白石畫册》第 10 圖，遼寧省博物館編，遼寧美術出版社，1961 年,瀋陽。

106. 梅雀水仙（花鳥條屏之一）

立軸

紙本水墨設色

147×39.5cm

約 1902—1909 年

印章：

　　齊璜私印（白文）

　　瀕生（朱文）

收藏：

　　北京市文物公司

著錄：

　　《齊白石繪畫精萃》第 1 圖，秦公、少楷主編，吉林美術出版社，1994 年，長春。

107. 蘭石白兔（花鳥條屏之二）

立軸

紙本水墨設色

147×39.5cm

約 1902 年—1909 年

印章：

瀕生（朱文）

長沙齊氏（白文）

收藏：

北京市文物公司

著錄：

《齊白石繪畫精萃》第 2 圖，秦公、少楷主編，吉林美術出版社，1994 年，長春。

108. 芭蕉牡丹（花鳥條屏之三）

立軸

紙本水墨設色

147×39.5cm

約 1902 年—1909 年

印章：

臣璜私印（白文）

瀕孫（朱文）

收藏：

北京市文物公司

著錄：

《齊白石繪畫精萃》第 3 圖，秦公、少楷主編，吉林美術出版社，1994 年，長春。

109. 松菊八哥（花鳥條屏之四）

立軸

紙本水墨設色

147×39.5cm

約 1902 年—1909 年

款題：

齊璜

印章：

寄園畫隱（白文）

齊璜印信（白文）

收藏：

北京市文物公司

著錄：

《齊白石繪畫精萃》第 4 圖，秦公、少楷主編，吉林美術出版社，1994 年，長春。

110. 黛玉葬花

立軸

紙本設色

105×36cm

約 1900—1909 年

款題：

齊璜

印章：

臣璜之印（白文）

收藏印：湖南省博物館收藏印（朱文）

收藏：

湖南省博物館

111. 放風箏

立軸

紙本設色

81.5×39.5cm

約 1902—1909 年

印章：

小名阿芝（朱文）

收藏：

中央美術學院

112. 譚文勤公像

立軸

絹本擦炭着墨　粉勾

93.5×37.1cm

1910 年

款題：

庚戌秋日。湘潭齊璜敬摹。

他人題記：

譚文勤公遺像。同郡后學鄭沅恭題。

印章：

他人題記印：鄭沅之印（白文）

收藏印：譚氏子子孫孫永寶（白文）

收藏：

臺北故宮博物院

注釋：

譚鍾麟（1822—1905）湖南茶陵人，字文卿，咸豐進士。歷任杭州知府、陝西巡撫、浙江巡撫、陝甘總督、工部尚書、閩浙總督、兩廣總督等。1899 年告歸。病逝後謚文勤。其子譚延闓、譚澤闓、譚思闓與齊白石相識，曾請齊白石刻印。

《白石老人自傳》第 62 頁記述，1911 年春，白石赴長沙看望王湘綺，譚延闓（組安）約他“到荷花池上，給他們先人畫像”，應是作此像。但時間與此圖年款（庚戌 1910 年秋）不符，應是自述錯記了一年。此圖王闓運所寫“譚文勤公像贊并序”，是宣統三年正月（1911 年）款，亦可證明《白石老人自述》之誤。

著錄：

《十九世紀末期中西畫風的感通》之二，臺北故宮博物院所藏同時期名家作品展，第 131 圖。臺北故宮博物院編輯出版，1993 年，臺北。

113. 松山竹馬（石門二十四景之一）

冊頁

紙本水墨設色

34×45cm

1910 年

款題：

松山竹馬圖

墮馬揚鞭各把持。

也曾嬉戲少年時。

如今贏得人誇譽。

淪落長安老畫師。

印章：

白石（朱文）　瀕生（朱文）

收藏：

遼寧省博物館

著錄：

《齊白石畫冊》第 11 圖，遼寧省博物館編，遼寧美術出版社，1961 年，瀋陽。

114. 古樹歸鴉（石門二十四景之二）

册頁
紙本水墨設色
34×45cm
1910 年

款題：
> 古樹歸鴉圖
> 八哥解語偏饒舌。
> 鸚鵡能言有是非。
> 省却人間煩惱事。
> 斜陽古樹看鴉歸。

印章：
> 齊璜之印（白文）　瀕生（朱文）

收藏：
> 遼寧省博物館

115. 石泉悟畫（石門二十四景之三）

册頁
紙本水墨設色
34×45cm
1910 年

款題：
> 石泉悟畫圖。古人粉本非真石。
> 十日工夫畫一泉。如此十年心領略。爲
> 君添隻米家船。

印章：
> 白石（朱文）　瀕生（朱文）

收藏：
> 遼寧省博物館

著錄：
> 《齊白石作品集・繪畫》第 3 圖，
> 人民美術出版社，1963 年，北京。

116. 甘吉藏書（石門二十四景之四）

册頁

紙本水墨設色
34×45cm
1910 年

款題：
> 甘吉藏書圖
> 親題卷目未模糊。甘吉樓中與蠹
> 居。此日開函揮淚讀。幾人不負父遺
> 書。

> 石門山人以石門一帶近景擬目二
> 十有四。屬余畫爲圖册。此十餘年前事
> 也。并索題句。遷延未應。蓋余自壬寅
> 後不敢言詩。不意黎鯨公先我爲之。今
> 冬石門復携此册過我。見之不禁技
> 癢。遂補題并記。乙卯十月齊璜。

印章：
> 瀕生（朱文）　瀕生（朱文）

收藏：
> 遼寧省博物館

注釋：
> 《石門二十四景》是齊白石中年時
> 期的代表作之一。《白石老人自傳》第
> 60—61 頁記述：“宣統二年（庚戌・
> 1910）我 48 歲。……朋友胡廉石把他
> 自己住在石門附近的景色，請王仲言
> 擬了 24 個題目，叫我畫《石門二十四
> 景圖》。我精心構思，換了幾次稿，費了
> 三個多月的時間，才把它畫成。廉石和
> 仲言，都説我遠遊歸來，畫的境界，比
> 以前擴展得多了。”此跋與詩作於乙卯
> （1915 年），説擬目石門二十四景是”十
> 餘年前事”，似不確切。龍龔《齊白石傳
> 略》第 42 頁注云“石門二十四景畫册
> 擬目在 1909 年，出王仲言手，第二年
> 才請白石作圖”。因此，此册創作時間，
> 應是 1910 年白石 48 歲時。《石門二十
> 四景》藏遼寧省博物館，它們的題目
> 是：石門臥雲、湖橋泛月。槐蔭暮蟬、蕉
> 窗夜雨、竹院圍棋、柳溪晚釣、棣樓吹
> 笛、靜園客話、霞綺橫琴、雪峰梅夢、香
> 畹吟尊、曲沼荷風、春塢紙鳶、古樹歸
> 鴉、松山竹馬、秋林縱鴿、藕池觀魚、疏
> 籬對菊、仙坪試馬、龍井滌硯、老屋聽

鵬、鷄岩飛瀑、石泉悟畫、甘吉藏書。
> 甘吉，樓名，是胡廉石先人藏書
> 樓。

著錄：
> 《齊白石作品集・繪畫》第 4 圖，
> 人民美術出版社，1963 年，北京。

117. 竹枝游鴨

立軸
紙本水墨
82×36cm
1911 年

款題：
> 石庵五弟
> 正。宣統辛亥八
> 月。兄璜。

印章：
> 小名阿芝（白文）

收藏印：湖南省博物館收藏（朱文）

收藏：
> 湖南省博物館

118. 仕女條屏之一

立軸
絹本墨筆設色
104×40cm
1911 年

款題：
> 祝融雨霽。借山
> 增涼。作此寄無想五
> 兄先生長沙荷華池
> 上。共四幅。宣統辛亥
> 夏。弟璜。

印章：
> 齊璜之印（白文）　苹翁（白文）

收藏：
> 上海中國畫院

119. 仕女條屏之二

立軸
絹本墨筆設色
103×39.5cm
1911 年

款題：
> 瀕生

印章：
> 小名阿芝（白
> 文）

收藏：
> 上海中國畫院

注釋：

此圖與《扶鋤仕女》在質地、尺寸、畫法、書法、印章、風格幾方面都一致或酷似，應是四條中的兩條。另兩條不知下落。

120．種蘭圖
立軸
紙本水墨設色
96×59.5cm
1911年

款題：
此紙太薄。故着色處多浸散。幸畫之工與不工非關紙也。瀕生。

印章：
齊大(朱文)　白石山長(白文)
借山館(朱文)

收藏：
中央美術學院

注釋：
此圖無年款。但其紙質、尺寸、畫法、款題書法及印章風格，均與1911年(辛亥)《煮茶圖》(中央美術學院藏)一致，應是同年所畫。

121．煮茶圖
立軸
紙本墨筆設色
95×59cm
1911年

款題：

辛亥正月深山晴暢。獨步於屋後山石間。折得梅花一枝。置之案頭。對之覺清興偶發。爲蓋臣仁兄作此。弟璜。

印章：
小名阿芝(白文)
齊璜之印(朱文)
三白石印齋(白文)

收藏：
中央美術學院

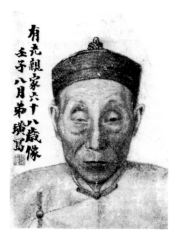

122．鄧有光像
鏡心
紙本炭筆水墨設色
21×15cm
1912年

款題：
有光親家六十八歲像。壬子八月弟璜寫。

印章：
臣璜印信(白文)

收藏：
齊良遲

注釋：
有光指鄧有光，是齊白石大女兒齊菊如的公爹。

123．菖蒲蟾蜍
立軸
紙本水墨
174×47cm
1912年

款題：
小園花色盡堪誇。今歲端陽節在家。却笑老夫無處躲。人皆尋我畫蝦蟆。

李復堂小册畫本。壬子五日自喜在家。并書復堂題句。雲根姐先生之屬。以爲何如。齊璜記以寄之。

此畫尚未寄去。其人已長去矣。是年秋八月。吾師沁園先生來寄萍

堂。見而稱之。以爲融化八怪。命璜依樣爲之。璜竊恐有心爲好不如隨意之傳神。即以此記之奉贈。即更四幅焚之。以答雲根也。前行四字上有畫字。弟子璜。

印章：
寄萍堂(白文)　齊瀕生(白文)
苹翁(白文)

收藏：
遼寧省博物館

注釋：
李復堂(1686—?)名鱓字宗揚，號復堂，別號懊道人、木頭老子、里善、中洋、中洋氏、墨磨人、苦李等。江蘇興化人。康熙五十年(1711)舉人，官山東滕縣知縣，忤大吏龍歸。花鳥學蔣廷錫，又得高其佩傳。曾供奉内廷，后賣畫揚州，爲"揚州八怪"之一。筆畫縱橫，不拘繩墨。作畫題款，隨意布置，別見天趣。齊白石在變法期間對李鱓繪畫曾有參照，此圖即一證。跋中所説雲根，不詳。王闓運《白石山人金石刻畫序》記："吾縣固多畸人，往余妻母舅李雲根先生，畫入逸品，雕琢工作尤精，亦善刻印而不爲人作。晚年坐一室，終日不移尺寸，見人默無言，白石儻其流與？"不知與白石所説雲根是否一人(王闓運序作於1904年，此圖作於1912年，前後相隔8年)，待查。

著録：
《齊白石畫册》第13圖，遼寧省博物館編，遼寧美術出版社。1961年，瀋陽。

124．菖蒲蟾蜍
立軸
紙本水墨
91.7×24.8cm
約1912年

印章：
萍翁(白文)

收藏：
中國美術館

注釋：
此圖與遼寧博物館藏《菖蒲蟾蜍》出於同一母式，前畫作於壬子(1912)并題出自李復堂小册。此作應出於同一時期。

125．達摩
立軸
紙本墨筆設色
86.3×46cm
1913年

款題：

曾向嵩高望薜蘿。
偶從光影畫維摩。
三桑未覺情年長。
一葦真愁世法多。
下筆早聞花雨落。
劫灰方見鬼神呵。
龍藏法樹飄零盡。
誰爲金人寫蓍屭。

余遊長安轉京華。嘗畫店壁。前詩乃夏午詒生先朝歌旅舍壁看齊山人畫達摩作也（詒字下先生二字誤書顛倒）。君先生知詩不以爲辱者。索瑛畫因錄題詞（知詩二字在不以二字之下）。癸丑五月中兄瑛并記。

印章：

白石翁（白文）

收藏：

天津楊柳青書畫社

注釋：

此圖的題詩乃白石好友夏午詒（？—1935年）作，時在1903年白石第一次遠遊北京時。夏午詒，名壽田，湖南桂陽人，1897年在湘潭城與白石相識。夏爲清末翰林，1902年改官陝西，邀請齊白石遠遊西安，教他的如夫人姚無雙學畫，從而促成齊白石的遠遊。辛亥革命後，夏午詒主張君主立憲；20年代初，曾爲曹錕幕僚，居保定。齊白石與曹錕的書畫之交，便是夏午詒介紹的。1943年9月29日齊白石曾爲弟子王文農作跋，曰：“跋夏壽田遺像。德居士，齊瑛故人也。爲畫此像，泣下三升，碧落黃泉有知，也應一哭。齊瑛之未死也。”

126. 散花圖

立軸
紙本水墨設色
108.5×39.5cm
1914年

款題：

散花圖。此自造之本。畫贈蓮花山長。甲寅中瀕生。

蓮花山長乃余同宗。文章老作家也。一代傳人。殊不易知其名。八十七歲白石。

印章：

苹翁（白文）　吾年八十七矣（白文）
白石翁（朱文）

收藏：

中國藝術研究院美術研究所

著錄：

《齊白石繪畫精品選》第205圖，董玉龍主編，人民美術出版社，1991年，北京。

127. 胡沁園像

鏡心
紙本擦炭着墨　粉勾
26×19cm
約1910—1914年

收藏：

湘潭齊白石紀念館

注釋：

胡沁園（1847—1914）是白石恩師，逝世時67歲，此像乃胡氏晚年形貌。如若是對真人作的寫生，應在1910至1914年間，其時白石遠遊後居家，有可能作此像。如若是根據照片摹繪，則約作於1910—1917年間。黃苗子《廿七年華始有師》一文（見《湘潭文史資料》第三輯，湘潭文史資料研究委員會編，1984年，湘潭）說此像應是白石“二十七歲至三十一二歲之間的作品”，似不確切。齊白石32歲時，胡沁園僅47歲，與此像年齡不相符。

著錄：

《湘潭文史資料》第三輯，湘潭政協文史資料委員會，1984年，湘潭。

128. 菊花

立軸
紙本水墨
95×32.5cm
1915年

款題：

余少時嘗過流泉。與七琴善。吟餘畫倦偶訪陶軒道純先生煮茶閑話。透趣橫生。今欲索拙畫於七琴。以爲余之忘却故人也。因撿舊藏四幅。以寄七弟代達知。道兄嘗（賞）玩後。口將欲笑耳。時乙卯七月十五日弟齊瑛并記。觀者陳子仲甫。

印章：

齊無黨（白文）
寡交多親（白文）

收藏：

中國藝術研究院美術研究所

著錄：

《齊白石繪畫精品選》第1圖，董玉龍主編，人民美術出版社，1991年，北京。

129. 芙蓉游魚

立軸
紙本水墨
100×45.5cm
1915年

款題：

乙卯冬十月。白石老人作於借山館。天日晴和。時門前芙蓉正開。池魚樂游。冬暖不獨人喜也。客有觀余作畫者。欲余爲之記。

印章：

齊氏伯子（白文）　萍翁（朱文）

收藏：

北京榮寶齋

130. 群魚圖

橫幅
紙本水墨
24×94cm
1915年

款題：

乙卯冬十月，齊白石。

十一月中，蜕公親家來借山，見而喜，因贈之。兄璜記。

印章：

白石翁（白文）

齊氏伯子（白文）

萍翁（朱文）

收藏印：湖南省博物館收藏（朱文）

收藏：

湖南省博物館

注釋：

跋中所言"蜕公親家"，即是湘潭王訓（？—1937），字仲言，號退園，亦署蜕園。王訓爲當地名儒，擅詩文，以家教維生，曾在湘潭黎家任塾師，乃著名語言學家黎錦熙的啓蒙師。黎錦熙《齊白石年譜》第8頁按："王仲言先生名訓，號蜕園，是我的蒙師，著有《蜕園詩文集》。"王訓與白石同爲龍山詩社社員，他對白石學詩作文，多有幫助，《白石詩草》曾經他删定。他的大女兒嫁與白石二子齊子仁。齊白石在日記里曾寫道："仲言社弟，友兼師也，往後凡關他的片言隻字，是吾子孫，都要好好保存，視爲珍寶。"（齊佛來《齊白石與王仲言》，見《齊白石研究大全》第159—160頁，劉振濤、禹尚良、舒俊傑主編，湖南師範大學出版社，1994年，長沙）

131. 羅漢

立軸

紙本墨筆設色

65×32cm

1915年

款題：

余自四十以後不喜畫人物。或有酬應。必使兒輩爲之。漢廷大兄之請。因舊時嘗見余爲郭公憨庵畫

此。今日比之昔時不相同也。十年前作頗令閱者以爲好矣。余覺此爲慚耳。此法數筆勾成。不假外人畫像法度。始存古趣。自以爲是。人必日自作高古。世人可不信也。

乙卯十月齊璜并記。

印章：

齊氏伯子（白文）

收藏：

陝西美術家協會

注釋：

題跋中所述"郭公憨庵"即湘潭郭人漳（葆生）所說"十年前作"，見本卷第72圖。

132. 秋聲圖

立軸

紙本水墨

168×42cm

約1915年

款題：

孟麗堂先生嘗畫鷄，布以牡丹。題爲春聲。余更以鷄冠花。謂爲秋聲亦可矣。余年來興味蕭然。石門山長求詩來借山。余興未盡。作此。無黨。

印章：

齊無黨（白文）

收藏：

北京市文物公司

注釋：

"石門山長"指湘潭石門人胡廉石，齊白石1910年曾爲他畫《石門二十四景圖》，1915年携圖求白石題詩。此畫題述及者，似應此事，因之可能作於1915年，見《白石老人自傳》第64頁。

孟麗堂，名覲乙，以字行，號雲溪外史，江蘇常州人，流寓桂林。早歲工山水，晚年專畫花鳥，兩目失明，猶能摩挲作畫（《中國美術家人名辭典》，俞劍華編，上海人民美術出版社，1981年）。白石55歲"題畫石"云："凡作畫欲不似前人，難事也。余畫山水恐似雪个，畫花鳥恐似麗堂，畫石恐似少白……"可見在55歲以前白石對孟麗堂的畫較爲熟悉。

著錄：

《齊白石繪畫精萃》第6圖，秦公、少楷主編，吉林美術出版社，1994年，長春。

133. 凌霄花

立軸

紙本墨筆設色

135×33cm

約1909—1915年

款題：

齊璜

印章：

木居士（白文）

白石翁（白文）

收藏印：湖南省博物館藏品章（朱文）

收藏：

湖南省博物館

134. 山水

立軸

紙本水墨

72.8×38.3cm

約1910—1915年

印章：

小名阿芝（白文）

收藏：

楊永德

著錄：

《楊永德藏齊白石書畫》，中國嘉德'95秋季拍賣會圖錄第302號，1995年，北京。

135. 公鷄·鷄冠花（冠上加冠）

立軸

紙本水墨

86×54cm

約1915年

印章：

阿芝（朱文）

收藏：

遼寧省博物館

著錄：

《齊白石畫册》第15圖，遼寧省博物館編，遼寧美術出版社，1961年，瀋陽。

136. 芙蓉蜻蜓

立軸
紙本水墨
87×39cm
約 1915 年
款題：
三百石印主
者
印章：
老齊璜印
（白文）
收藏：
湖南省博物館

137. 荷花

立軸
紙本水墨
85×32.5cm
約 1915 年
款題：
瀕生
印章：
萍翁（朱文）
收藏：
中國藝術研究
院美術研究所

138. 芙蓉

立軸
紙本水墨設色
48.2×32.8cm
1916 年作，1928 年加題。
款題：
丙辰十月第五日。連朝陰雨。寄萍堂前芙蓉盛開。令移孫折小枝爲寫照。花若有情。應不負我祖孫愛汝之恩也。萍翁記於三百石印齋。是日老妻有疾。未來觀也。
折花人久矣不存。此小幅。記取不與人。戊辰五月十六日清撿舊簏。因添記。白石。
印章：

萍翁（朱文）　老白（白文）
收藏：
楊永德
注釋：
移孫，即齊秉灵（1906—1922），號近衡，因生於白石搬進茹家冲新宅不到一月，又取號移孫。齊白石長孫（齊良元之長子）。1920 年隨白石到北京，入北京法政學校，同時隨祖父習畫。不幸早夭，年僅 17 歲，白石每每傷悼懷念。此圖中戊辰年所添題記即一例。另有《十二月十二日重封移孫衣箱》詩：“衣上塵脂未并埋，重封不必再三開。若非瑤島長相見，一息無存淚不來。”（《齊白石作品集·第三集·詩》，第 163 頁）又有《過玉泉山并序》一首：

戊午春，余避亂於紫荆山下草莽中，移孫以筲籃提飯奉余越五月。余深喜此子，他日必能有成。己未侍余居燕京，離膝不樂。八月病重還鄉。十一月初一日死矣。今遊西山過玉泉，獨自一人，聞泉聲嗚咽，因哭之。

出入泉水本無愁，何事潛潛咽不休。休對人間稱第一，人間有淚抗衡流。（玉泉爲天下第一泉）
著錄：
《楊永德藏齊白石書畫》，中國嘉德’95 秋季拍賣會圖錄第 343 號，1995 年，北京。

139. 抱劍仕女

立軸
紙本工筆淡
設色
112×
42.5cm
約 1910—
1916 年
款題：
萬丈塵沙日
色薄。五里停車雪
又作。慈母密縫身
上衣。未到長安不堪着。
齊璜
印章：
曾字寄園（朱文）　木居士（朱文）
收藏：
上海中國畫院
著錄：
《齊白石作品集·第一集·繪畫》人民美術出版社，1963 年，北京。
《中國畫》第二期第 24 圖，中國古

典藝術出版社，1958 年，北京。

140. 抱琴仕女

立軸
紙本工筆淡設色
130.5×43.3cm
約 1910—1916 年
款題：
兒女呢呢素手輕。
文君能事祇知名。
寄萍門下無雙別。
因憶京師落雁聲。
杏子塢民齊璜。
印章：
齊璜（白文）　寄萍堂（白文）
收藏：
中央工藝美術學院
注釋：
白石 1902—1903 年第一次遠遊西安、北京，是朋友夏午詒安排的。那時，白石爲夏午詒如夫人姚無雙作家教畫師。1903 年白石與女弟子姚無雙相別，因此有“寄萍門下無雙別，因憶京師落雁聲”之句。從題詩的金農體、“寄萍堂”印和繪畫風格看，這應是 1909 年遠遊歸家後，第二次進京（1917）前所作。

141. 扶鋤仕女

立軸
紙本墨筆設色
74×33.4cm
約 1911—
1916 年
款題：
此余十年前所畫。不曾書款識。不知何故。今年丙寅。伯元仁兄携來請補題之。時
二月十又八日也。齊璜記。
印章：
老白（白文）　木人（朱文）
收藏：
中國美術館
注釋：
1911 年白石曾爲譚無想畫過一幅與此幅相同的仕女（見本卷第 118 圖），而以此幅的筆法更自如些。或許此幅是留存的稿本，抑或是後來根據同一稿本再畫的。白石丙寅（1926 年）題說“此余

十年前所畫",故把創作時間定爲1911年至1916年間。

142. 月下幽禽

立軸
紙本水墨設色
74×41cm
約1911—1916年

款題:

白石草衣

印章:

瀕生所臨(朱文)
白石小隱(白文)

收藏:

遼寧省博物館

著錄:

《齊白石畫册》第14圖,遼寧省博物館編,遼寧美術出版社,1961年,瀋陽。

143. 秋蟲

立軸
紙本水墨
75×24cm
約1911—1916年

印章:

濱生(白文)
鑒賞印:沁公賞鑒之記(白文)

收藏:

遼寧省博物館

著錄:

《齊白石畫册》第16圖,遼寧省博物館編,遼寧美術出版社,1961年,瀋陽。

144. 蘆蟹

立軸
紙本水墨
75×40cm
約1911—1916年

印章:

苹翁(白文)
鑒賞印:沁公賞鑒之記(白文)

收藏:

遼寧省博物館

著錄:

《齊白石畫册》第17圖,遼寧省博物館編,遼寧美術出版社,1961年,瀋陽。

145. 秋蟲圖

立軸
紙本水墨設色
92×42cm
約1912—1916年

款題:

余嘗遊京華。相遇李筠庵。伊爲匋齋聘之專購字畫而來者。京華欲售字畫者多舊家。筠庵每得真迹。必自先煮蘑菇面邀余同爲拜賞也。惜余是時爲人畫師。無暇臨爲册本。以供閑閑摹畫。省却多少追思耳。萍翁。

印章:

齊瀕生(白文)

收藏:

長沙市博物館

注釋:

題跋中所言之李筠庵,乃清末民初著名書法家、教育家李瑞清(1867—1920)之弟,善書畫與鑒定。1903年齊白石第一次遊北京,與筠庵相識,即跋中所記"嘗遊京華,相遇李筠庵"。《白石老人自傳》第54頁云:"以前我寫字,是學何子貞的,在北京遇到了李筠庵,跟他學寫魏碑,他叫我臨爨龍顔碑,我一直寫到現在。人家說我出了兩次遠門,作畫寫字刻印章,都變了樣啦。這確是我改變作風的一個大樞紐。"

146. 群魚圖

立軸
紙本水墨
82×36cm
約1910—1916年

款題:

白石草衣

印章:

齊白石印(白文)

收藏印:湖南省博物館收藏(朱文)

收藏:

湖南省博物館

147. 蘆蟹圖

立軸
紙本水墨
82×36cm
約1910—1916年

款題:

萍翁

印章:

齊瀕生(白文)
收藏印:湖南省博物館收藏(朱文)

收藏:

湖南省博物館

148. 水仙游蝦

立軸
紙本水墨
82×36cm
約1910—1916年

款題:

瀕生

印章:

苹翁(朱文)
收藏印:湖南省博物館收藏(朱

（文）

收藏：

湖南省博物館

---

149. 竹

立軸
紙本水墨
94.5×32.5cm
約1910—1916年

款題：

嘗見清湘道人於
山水中畫以竹林。其
枝葉甚稠。雪个先生
製小幅。其枝葉太簡。
此在二公所作之間。
借山吟館主人。

印章：

齊璜私印（白文）

收藏：

中央美術學院

---

150. 芙蓉八哥

立軸
紙本水墨
130×60cm
1917年

款題：

余五年以
來常欲重遊京
華。今年五月十
二日始至。正值
戰事。一日黃昏
後。客寓止雨。獨
坐思家。忽報正陽親家五弟至。相見時
驚喜欲泣。余將先歸。贈此爲別。匆匆
作也。丁巳六月十三日兄璜并記。

印章：

苹翁（朱文）

收藏：

遼寧省博物館

注釋：

題跋中所言"正陽親家五弟"，指
的是白石的兒女親家張正陽（亦寫張
仲颺），名登壽，出身鐵匠，湘潭人。
1894年與白石相識。他因勤奮讀書，拜

王湘綺爲師，治經學，亦寫詩。王湘綺
門下有銅匠出身的曾招吉，鐵匠出身
的張仲颺，木匠出身的齊白石，號稱
"王門三匠"。張仲颺後來擔任過湖南
高等學堂的教務長，他的女兒張紫環
配與白石三子齊良琨爲妻，與白石成
爲朋友、同窗兼兒女親家。1917年白石
遊北京，不幾天恰值張勳復闢，段祺瑞
部與張勳的辮子兵有激烈交戰。白石
於5月20日曾隨郭葆生到天津租界
避難，至6月底方回京。此畫應作於天
津租界。在客中思家時，張仲颺的來
到，白石"驚喜欲泣"，便是情理中事
了。（參見《白石老人自傳》第38、61、66
頁）

著錄：

《齊白石畫冊》第18圖，遼寧省博
物館編，遼寧美術出版社，1961年，瀋
陽。

151. 秋館論詩圖

册頁
紙本墨筆
26.2×38.5cm
1917年

款題：

秋館論詩圖。丁巳八月十日爲潛
庵先生畫。時同客京華。齊璜阿芝。

印章：

平翁（白文）

收藏：

北京市文物公司

注釋：

此爲六開册之一，作者分別爲齊
白石、陳師曾、姚華等，均是爲楊潛庵
畫。楊乃白石同鄉熟友，擅書法，1917
年與白石同住西磚胡同法源寺。其時，
舊友除楊潛庵外，還有郭葆生、夏午
詒、張仲颺，新交的朋友則有詩人羅瘦
公、張篁溪、蕭龍友，畫家陳師曾、姚
華、王夢白、凌直支等，如《白石老人自
傳》所說"新知舊雨，常在一起聚談，
客中并不寂寞。"（第68頁）。《秋館論
詩圖》册，正是這種詩畫聚談的寫照。

著錄：

《翰海'95春季拍賣會·書畫》第
306號。

152. 小鷄野草（花鳥草蟲册之一）

册頁
紙本水墨
39.5×45.7cm
1917年

款題：

余癸卯來京華。同客李筠庵先生
嘗約觀書畫。且自煮磨（磨）姑（菇）面
食余。余觀舊畫最多第一回。今年來京
又遇潛庵弟。聞余語往事。一日。約余
觀李梅痴先生書屏。亦仿照筠庵以待
余。安得筠安忽然而來。豈不令人樂
死。如此佳話。因記之。兄璜。

印章：

苹翁（朱文）

收藏：

首都博物館

注釋：

跋中所述"癸卯來京"即1903年
白石第一次遠遊到北京。李筠广（庵）
即李瑞清之弟李瑞荃，前面已介紹
過。李梅痴即李瑞清（1867—1920），著
名書家。從這段題跋可知，齊白石遠遊
到京，能看到比別處更多的書畫作
品。他的印章"故鄉無此好天恩"，就包
涵着這層意思。

此套册頁，仍顯示着八大的痕
迹。《水仙》一幅題中說到"曲江外史"
即清代畫家金農。齊白石此時也正喜
歡着金農書畫。

153. 荷花翠鳥（花鳥草蟲冊之二）
　　册頁
　　紙本水墨
　　39.5×45.7cm
　　1917年
款題：
　　阿芝
印章：
　　瀕生（朱文）
收藏：
　　首都博物館

154. 芙蓉游鴨（花鳥草蟲冊之三）
　　册頁
　　紙本水墨
　　39.5×45.7cm
　　1917年
款題：
　　萍翁
印章：
　　阿芝（朱文）
收藏：
　　首都博物館

155. 鷄冠花（花鳥草蟲冊之四）
　　册頁
　　紙本水墨
　　39.5×45.7cm
　　1917年
款題：
　　瀕生
印章：
　　齊白石（朱文）
收藏：

首都博物館

156. 母鷄孵雛（花鳥草蟲冊之五）
　　册頁
　　紙本水墨
　　39.5×45.7cm
　　1917年
款題：
　　白石老民
印章：
　　齊伯子（白文）
收藏：
　　首都博物館

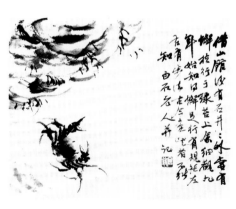

157. 石井螃蟹（花鳥草蟲冊之六）
　　册頁
　　紙本水墨
　　39.5×45.7cm
　　1917年
款題：
　　借山館外有石井。井外嘗有蟹横
行於緑苔上。余細觀九年。始知得蟹足
行有規矩。左右有步法。古人畫此者不
能知。白石老人并記。
印章：
　　白石翁（白文）
收藏：
　　首都博物館

158. 水仙（花鳥草蟲冊之七）
　　册頁
　　紙本水墨
　　39.5×45.7cm

　　1917年
款題：
　　曲江外史畫水仙有冷冰殘雪
態。此言也。我潛庵弟最能深知。借山
吟館主者。
印章：
　　白石山人（白文）
　　借山老人（朱文）
收藏：
　　首都博物館

159. 紡織娘（花鳥草蟲冊之八）
　　册頁
　　紙本水墨
　　39.5×45.7cm
　　1917年
款題：
　　丁巳秋七月二十八日。爲潛庵弟
製。兄璜。
印章：
　　齊白石（朱文）　借山館（朱文）
收藏：
　　首都博物館

160. 梅花
　　立軸
　　紙本水墨
　　70×33cm
　　1917年
款題：
　　尹和伯先生曾爲潛庵弟畫梅。清
潤秀逸。余不欲雷同。乃以蒼勁爲之。
今年丁巳九月十六日。適潛弟三十七
初度。即此爲壽。時同客京華法源寺。

兄齊璜。

他人題記：

孤吟蕭寺聊爲歡。寫頁梅花伴歲寒。重重冷蕊疏枝外。長共巡檐索笑看。題奉潛庵詞長訂可，戊午夏。惇夔。齊翁嗜畫與詩同。信筆誰知造化功。別有酸寒殊可味，不因蟠屈始爲工。心逃塵境如方外。袖裏清香在客中。酒後嘗爲盡情語。何須趨步尹和翁。衡恪率題。

印章：

阿芝（白文）　天無功（朱文）

收藏：

北京畫院

注釋：

1917 年，齊白石避家鄉兵匪之擾，在詩人樊增祥的勸說下，來到北京。舊曆五月至京，十月返湘。在京期間，先居郭葆生家，後租住西磚胡同法源寺，同住的便是湘潭老鄉楊潛庵。這半年內，白石在琉璃廠南紙鋪挂了賣畫刻印的潤格。陳師曾見到白石的印章，特到法源寺相訪，晤談之下，即成莫逆。這次到京，還認識了畫家凌直支、汪藹士、王夢白、陳半丁、姚華，詩人羅惇曧（癭公）等。此圖詩塘中的第一首詩即羅惇曧所題作。

陳師曾（1876—1923）名衡恪，字師曾，號朽者、朽道人，號居室曰槐堂、唐石簃、染倉室。江西義寧人。祖父陳寶箴曾任湖南巡撫，父陳三立爲清末民初著名詩人。師曾幼承家學，世紀初留學日本習博物，歸國後歷任教育部編審、北京美專教授。師曾工篆刻、繪畫、書法、詩文。山水得力於沈周、石溪、石濤等，粗放簡潔，多勾少染。花卉從白陽、李鱓及吳昌碩變出，自成一格。陳師曾在民國初期北方畫壇地位很高，他勸齊白石自成一體，在關鍵時刻對齊產生了重大的影響。

著錄：

《齊白石畫集》第 5 圖，嚴欣強、金岩編，外文出版社，1990 年，北京。

161. **戲擬八大山人**

立軸
紙本水墨
92×40cm
1917 年

款題：

戲擬八大山人。余嘗遊南昌。有某世家子以朱雪个畫冊八幀求售二千金。竟無欲得者。余意思臨其本。不可。今猶想慕焉。筆情墨色。至今未去心目。今重來京華。酬應不暇。時喜畫此雀。紙可爲知余者使之也。聞稚廷家亦藏有朱先生之畫冊。余未之見也。果爲真迹否耶。余明年春暖再來時當鑒審耳。畫此先與稚弟約。丁巳九月廿五日。兄璜白石老人并記。

印章：

齊白石（朱文）　白石翁（白文）
九硯樓（白文）
三百方石印富翁（朱文）

收藏：

霍宗傑

著錄：

《齊白石海外藏珍》第 4 圖，王大山主編，榮寶齋（香港）有限公司出版，1994 年，香港。

162. **水仙壽石圖**

立軸
紙本水墨
160×53cm
1917 年

款題：

此屏共四幅。其紙不一。此外三幅皆陳年紙。着墨便有五彩。幸畫在此幅之先。不然。爲此敗興或四幅皆不能佳。大不類余平生所作。後之鑒家必有聚訟者矣。丁巳十月十一日。重遊京華還省。白石老人。

印章：

木居士記（朱文）
璜（朱文）　白髮嬰兒（朱文）

收藏：

中央工藝美術學院

163. **秋蟬**（冊頁之一）

冊頁
紙本水墨
29.5×44cm

1917 年

款題：

丁巳九月十七日。爲正陽五弟親家製。兄璜。

印章：

阿芝（朱文）　生長清平老亂離（白文）　天無功（朱文）

收藏：

陝西美術家協會

164. **幽禽**（冊頁之二）

冊頁
紙本水墨
29.5×44cm
1917 年

款題：

借山翁

印章：

阿芝（白文）

收藏：

陝西美術家協會

165. **荷花**（冊頁之三）

冊頁
紙本水墨
29.5×44cm
1917 年

款題：

出污泥而不染。余與張五皆足與

此花流匹也。齊大并記。

　　此冊正畫成。爲人携去。余三揖方
得還來。又記。

印章：
　　一闋詞人（白文）　□
收藏：
　　陝西美術家協會
注釋：
　　此册三開（原數多少不詳），爲張
仲颺作。題中"正陽五弟"、"張五"皆指
兒女親家張仲颺。張仲颺鐵匠出身，與
齊白石同爲王闓運門下。其女張紫環
嫁白石第三子齊子如。1917年5—10
月，齊白石第二次遠遊北京，張仲颺亦
同在京。繪畫風格，可清楚看出八大山
人的影響。

166. 蟹行圖
立軸
紙本水墨設色
176.3×46cm
約1917年
款題：
　　余寄萍堂後石側有
井。井上餘地平鋪秋苔。
蒼綠錯雜。嘗有肥蟹橫行
其上。余細視之。蟹行。
其足一舉一踐。其足雖
多。不亂規矩。世之畫此
者不能知。陳師曾郭葆生最以余言之
不妄。三百石印齋主者瀕生記。
印章：
　　阿芝（朱文）　星塘老屋（白文）
　　寄萍精室（朱文）
　　三百方石印富翁（朱文）
　　收藏印：□
收藏：
　　楊永德
注釋：
　　胡佩衡在該書中注明此畫作於55
歲，即1917年。從白石畫中題記"陳師
曾、郭葆生最以余言之不妄"推知，此
畫最早不過1917年，因白石與師曾於
此年相識。胡氏的判斷是準確的。從書
法、畫法風格看，不會晚於1919年。
著錄：
　　《楊永德藏齊白石書畫》，中國嘉
德'95秋季拍賣會圖錄第205號，1995
年，北京。

167. 荷花
立軸
紙本水墨設色

148×40cm
約1910—1917年
款題：
　　瀕生
印章：
　　借山老人（白文）
　　收藏印：湖南省博物
館收藏印（朱文）
收藏：
　　湖南省博物館

168. 菊花白頭翁
扇面
紙本水墨設色
21×48cm
約1910—1917年
款題：
　　碧公世大人正。侄璜。
印章：
　　瀕生（朱文）
　　收藏印：湖南省博物館收藏（朱
文）
收藏：
　　湖南省博物館

169. 荷塘清趣
立軸
紙本水墨
156×40cm
約1910—1917年
款題：
　　瀕生
印章：
　　萍翁（白文）
收藏：
　　北京市文物公司

著錄：
　　《齊白石繪畫精萃》第15圖，秦
公、少楷主編，吉林美術出版社，1994
年，長春。

170. 墨梅
立軸
紙本水墨
130.9×44.6cm

約1910—1917年
款題：
　　樹棠先生正。弟齊
璜。
印章：
　　萍翁（白文）
　　收藏印：□
收藏：
　　中國美術館

171. 飛鴻贈人圖
立軸
紙本水墨設色
131.5×55cm
約1907—1917年
款題：
　　鼎新先生正。弟
齊璜。

　　次溪世侄嘗求
余畫。余以爲時日猶
長。或二三年未曾應
也。竟使見余往作即
不惜金錢必欲得之。吾賢之愛詩畫可知
矣。出此求題。即書數語記之。白石。

　　此幅乃余少年時作也。印記雖是
老萍字樣。年三十歲時即喜稱翁老等
字。忽忽四十餘年。筆墨之變換殊天壤
也。甲戌秋白石重題。

　　山澤弟見之。喜。次溪贈之。再索
余爲之記。戊寅冬。白石。時居燕京。
他人題記：
　　蕭蕭葦荻晚來風。獨立蒼茫夕照
紅。閑煞男兒好身手。待將金彈擊飛
鴻。定心老弟命題。小兄人漳。
印章：
　　老苹（朱文）　齊大（朱文）
　　齊大（朱文）老齊（朱文）
　　齊大（朱文）
　　收藏印：人漳小印（白文）
收藏：
　　私人
著錄：
　　《名家翰墨》總14輯，第134頁，香
港翰墨軒出版有限公司，1991年，香
港。

172. 蘆鴨
立軸
紙本水墨
165×47cm
約1910—1917年

款題：

借山老人

印章：

老齊璜印（白文）

鑒賞印：□

收藏：

湖南省博物館

北京市文物公司

著錄：

《齊白石繪畫精萃》
第5圖，秦公、少楷主編，
吉林美術出版社，1994
年，長春。

178. 喜鵲梅花

立軸

紙本水墨設色

90×46.5cm

約1910—1917年

款題：

此畫本四幅。其末一幅有題字。
末題字有者（"字""者"點掉）白石山人
印。今有友人求補記之。白石山人年九
九。

印章：

白石山人（白文）

齊大（白文）

收藏：

中國展覽交流中心

著錄：

《齊白石繪畫精萃》第106圖，秦
公、少楷主編，吉林美術出版社，1994
年，長春。

173. 日出圖

立軸

紙本水墨
設色

131.8×
64.4cm

約1910—
1917年

款題：

甲丞先生之
雅意。弟齊璜。

印章：

老苹（朱文） 齊大（朱文）

阿芝（朱文）

收藏：

中國美術館

176. 花卉蜻蜓

立軸

紙本水墨

158×53cm

約1910—1917年

款題：

瀕生

印章：

白石（白文）

星塘老屋（白文）

收藏：

中央工藝美術學院

179. 山水

册頁

絹本水墨設色

28×28cm

約1910—1917年

款題：

阿芝

印章：

老白（白文）

收藏：

齊良遲

174. 白雲紅樹

立軸

紙本水墨設色

106×29cm

約1910—1917年

款題：

白雲紅樹。老萍。

印章：

白石（朱文）

齊璜（白文）

收藏：

中央工藝美術學院

177. 清秋明月圖

立軸

紙本水墨設色

106×29cm

約1910—1917年

款題：

清秋明月。白石山
人。

印章：

老萍（朱文）

齊大（朱文）

借山主人（朱文）

收藏：

廣州市美術館

175. 雨後雲山

立軸

紙本水墨設色

104.5×28.5cm

約1910—1917年

款題：

雨後雲山。瀕生。

印章：

瀕生（朱文） 齊大（朱文）

恐青山笑我今非昨（白文）

收藏：

180. 仿石濤山水

册頁

絹本水墨

27×28cm

約 1910—1917 年

款題：

　　大滌子觀瀑卷

印章：

　　老齊(朱文)

收藏：

　　齊良遲

181. 仿石濤山水

册頁

絹本水墨設色

27×29cm

約 1910—1917 年

款題：

　　清湘道人本

印章：

　　阿芝(朱文)

收藏：

　　齊良遲

182. 梅花

橫幅

紙本水墨

39×169cm

約 1917 年

款題：

　　興旺大兄之屬。白石老人齊璜。

　　旺字上本星字。余書錯也。

印章：

　　□□

收藏：

　　北京畫院

183. 藤蘿

立軸

紙本水墨設色

125.2×32.4cm

約 1917 年

款題：

　　此余重來舊京時所畫。忽忽已越廿年。丙子冬始記之。白石山翁。

印章：

　　齊大(朱文)

收藏：

　　中國美術館

184. 游鴨圖

立軸

紙本水墨

132×34cm

1918 年

款題：

　　丁巳夏秋余重遊京華。二濱先生嘗與相聚。不索余畫長幅。今復見於長沙。時戰事尤熾。是誰尚能無愁耶。匆匆爲之。先生知我者。其毋加責。戊午春。弟璜記。

印章：

　　萍翁(白文)

　　收藏印：湖南省博物館藏品章(朱文)

收藏：

　　湖南省博物館

注釋：

　　1918 年（戊午）齊白石在家鄉湘潭，其時兵亂，匪扰，橫行無忌。鄉里傳言要綁齊白石的票，他恐懼之極，悄悄携家人匿居在紫荊山下的親戚家裏。《白石詩草》自序所說"吞聲草莽之中，夜宿於露草之上……綠蟻蒼蠅共食，野狐穴鼠爲鄰"指的即此次避亂生活。這一年,白石作畫最少。

185. 菊石小鳥

立軸

紙本水墨

127×34cm

1918 年

款題：

　　余嘗遊江西。於某世家見有朱雪个花鳥四幅。匆匆存其粉本。每爲人作畫不離乎此。十五年來所摹作真可謂不少

也。二濱先生喜余畫。自謂於畫不常求人。然先生之愛余不言可知矣。此幅雖不能如朱君。聊以報公之雅意於萬一否。弟璜并記。

印章：

　　劫餘亭(朱文)

　　收藏印：湖南省博物館藏品章(朱文)

收藏：

　　湖南省博物館

注釋：

　　此圖與 1918 年所作《游鴨圖》均是贈二濱先生的，畫法、書法均相似。跋中說自 1903 年遊江西"15 年來"，按白石一般計算年代的方法，應把遊江西當年 1904 年算在內，那麼此畫當作於 1918 年，即與《游鴨圖》作於同一年乃至同一時日。

186. 木芙蓉

立軸

紙本水墨設色

168.5×45cm

約 1918 年

款題：

　　萍翁

印章：

　　白石翁(白文)

　　木居士(朱文)

　　苦思無事十年活(白文)

　　收藏印：□

收藏：

　　中國藝術研究院美術研究所

本卷承蒙下列單位與個人的熱情支持與大力協助。特此致謝!

湖南省博物館
遼寧省博物館
中央工藝美術學院
中國美術館
湖南省圖書館
北京市文物公司
首都博物館
湘潭齊白石紀念館
陝西美術家協會
中國藝術研究院美術研究所
浙江省博物館
中央美術學院
上海中國畫院
北京榮寶齋
中國嘉德國際拍賣有限公司
天津藝術博物館
北京畫院
中國展覽交流中心
天津揚柳青書畫社
長沙市博物館
香港蘇富比拍賣行
四川省博物館
臺北故宮博物院
廣州美術館
陽　光先生
齊良遲先生
楊永德先生
霍宗傑先生
胡果存先生
莫鴻勳先生
李　立先生
侯廣能先生
歐陽濂先生

(按所收作品數量順序排列)

總 策 劃：郭天民　蕭沛蒼
總 編 輯：郭天民
總 監 製：蕭沛蒼

齊白石全集編輯委員會
主　　編：郎紹君　郭天民
編　　委：李松濤　王振德　羅隨祖　舒俊傑
　　　　　郎紹君　郭天民　蕭沛蒼　李小山
　　　　　徐　改　敖普安

本卷主編：郎紹君
責任編輯：李小山
圖版攝影：孫智和　游振鑫
著　　錄：徐　改　敖普安　李小山
　　　　　黎　丹　章小林　姚陽光
注　　釋：郎紹君　徐　改
英文翻譯：張少雄
責任校對：吳鳳媛
總體設計：戈　巴

齊白石全集　第一卷

出版發行：湖南美術出版社
（長沙市人民中路103號）
經　　銷：全國各地新華書店
印　　製：深圳華新彩印製版有限公司
一九九六年十月第一版　第一次印刷
ISBN7—5356—0887—6/J·812